歯科衛生学シリーズ　第2版

疾病の成り立ち及び
回復過程の促進 2

微生物学

一般社団法人
全国歯科衛生士教育協議会　監修

医歯薬出版株式会社

●執　筆（執筆順）

寺尾　　豊	新潟大学大学院教授
吉田　明弘	松本歯科大学教授
川端　重忠	大阪大学大学院教授
今井　健一	日本大学歯学部教授
土門　久哲	新潟大学大学院准教授

●編　集

寺尾　　豊	新潟大学大学院教授
前田　健康	新潟大学大学院教授
佐藤　　聡	日本歯科大学新潟生命歯学部教授
遠藤　圭子	元東京医科歯科大学大学院准教授
石川　裕子	千葉県立保健医療大学健康科学部教授

This book is originally published in Japanese
under the title of :

SHIKAEISEIGAKU-SHIRĪZU
SHIPPEI NO NARITATI OYOBI KAIHUKUKATEI NO SOKUSHIN 2-BISEIBUTSUGAKU
（The Science of Dental Hygiene：A Series of Textbooks
-Microbiology）

Edited by The Japan Association for Dental
Hygienists Education

ISHIYAKU PUBLISHERS, INC.
7-10, Honkomagome 1 chome, Bunkyo-ku,
Tokyo 113-8612, Japan

『歯科衛生学シリーズ』の誕生―監修にあたって

全国歯科衛生士教育協議会が監修を行ってきた歯科衛生士養成のための教科書のタイトルを, 2022 年度より, 従来の『最新歯科衛生士教本』から『歯科衛生学シリーズ』に変更させていただくことになりました. 2022 年度は新たに改訂された教科書のみですが, 2023 年度からはすべての教科書のタイトルを『歯科衛生学シリーズ』とさせていただきます.

その背景には, 全国歯科衛生士教育協議会の 2021 年 5 月の総会で承認された「歯科衛生学の体系化」という歯科衛生士の教育および業務に関する大きな改革案の公開があります. この報告では,「口腔の健康を通して全身の健康の維持・増進をはかり, 生活の質の向上に資するためのもの」を「歯科衛生」と定義し, この「歯科衛生」を理論と実践の両面から探求する学問が【歯科衛生学】であるとしました. 【歯科衛生学】は基礎歯科衛生学・臨床歯科衛生学・社会歯科衛生学の 3 つの分野から構成されるとしています.

また, これまでの教科書は『歯科衛生士教本』というような職種名がついたものであり, これではその職業の「業務マニュアル」を彷彿させると, 看護分野など医療他職種からたびたび指摘されてきた経緯があります. さらに, 現行の臨床系の教科書には「○○学」といった「学」の表記がないことから, 歯科衛生士の教育には学問は必要ないのではと教育機関の講師の方から提言いただいたこともありました.

「日本歯科衛生教育学会」など歯科衛生関連学会も設立され, 教育年限も 3 年以上に引き上げられて, 【歯科衛生学】の体系化も提案された今, 自分自身の知識や経験が整理され, 視野の広がりは臨床上の疑問を解くための指針ともなり, 自分が実践してきた歯科保健・医療・福祉の正当性を検証することも可能となります. 日常の身近な問題を見つけ, 科学的思考によって自ら問題を解決する能力を養い, 歯科衛生業務を展開していくことが, 少子高齢化が続く令和の時代に求められています.

科学的な根拠に裏付けられた歯科衛生業務のあり方を新しい『歯科衛生学シリーズ』で養い, 生活者の健康に寄与できる歯科衛生士として社会に羽ばたいていただきたいと願っております.

2022 年 2 月

一般社団法人　全国歯科衛生士教育協議会理事長
眞木吉信

発刊の辞

歯科衛生士の教育が始まり70年余の経過を経た歯科衛生士の役割は，急激な高齢化や歯科医療の需要の変化とともに医科歯科連携が求められ，医科疾患の重症化予防，例えば糖尿病や誤嚥性肺炎の予防など，う蝕や歯周病といった歯科疾患予防の範囲にとどまらず，全身の健康を見据えた口腔健康管理へとその範囲が拡大しています．

日本政府は，経済財政運営と改革の基本方針「骨太の方針」で，口腔の健康は全身の健康にもつながることから，生涯を通じた歯科健診の充実，入院患者や要介護者をはじめとする国民に対する口腔機能管理の推進，歯科口腔保健の充実や地域における医科歯科連携の構築，歯科保健医療の充実に取り組むなど，歯科関連事項を打ち出しており，2022年の現在においても継承されています．特に口腔衛生管理や口腔機能管理については，歯科口腔保健の充実，歯科医療専門職種間，医科歯科，介護・福祉関係機関との連携を推進し，歯科保健医療提供の構築と強化に取り組むことなどが明記され，徹底した予防投資や積極的な未病への介入が全身の健康につながることとして歯科衛生士の活躍が期待されています．

歯科衛生士は，多くの医療系職種のなかでも予防を専門とする唯一の職種で，口腔疾患発症後はもちろんのこと，未病である健口のうちから介入することができ，予防から治療に至るまで，継続して人の生涯に寄り添うことができます．

このような社会のニーズに対応するため歯科衛生学教育は，歯・口腔の歯科学に留まらず，保健・医療・福祉の広範囲にわたる知識を学ぶことが必要となってきました．

歯科衛生学は「口腔の健康を通して全身の健康の維持・増進をはかり，生活の質の向上に資するためのものを『歯科衛生』と定義し，この『歯科衛生』を理論と実践の両面から探求する学問が歯科衛生学である」と定義されます．そこで歯科衛生士の学問は「歯科衛生学」であると明確にするために，これまでの『歯科衛生士教本』，『新歯科衛生士教本』，『最新歯科衛生士教本』としてきた教本のタイトルを一新し，『歯科衛生学シリーズ』とすることになりました．

歯科衛生士として求められる基本的な資質・能力を備えるため『歯科衛生学シリーズ』は，プロフェッショナルとしての歯科衛生学の知識と技能を身につけ，保健・医療・福祉の協働，歯科衛生の質と安全管理，社会において貢献できる歯科衛生士，科学的研究や生涯にわたり学ぶ姿勢を修得する教科書として発刊されました．これからの新たな歯科衛生学教育のために，本書が広く活用され，歯科衛生学の発展・推進に寄与することを願っています．

本書の発刊にご執筆の労を賜った先生方はじめ，ご尽力いただいた医歯薬出版株式会社の皆様に厚く御礼申し上げ，発刊の辞といたします．

2022年2月

執筆の序

『歯科衛生学シリーズ』誕生に合わせ，「微生物学」の教科書も全面的に改訂いたしました．本シリーズの理念である「歯科衛生を理論と実践の両面から探求する」ため，歯科衛生士養成課程での教育と歯科診療室での臨床の両経験を有する５名が執筆を担当しました．令和４年改定版の歯科衛生士国家試験出題基準に準拠するのは勿論のこと，毎年アップデートされるさまざまな感染症の最新情報についても，「歯科衛生学」の関連知見を必要十分に網羅しました．

本書の執筆・編集に際しては，「歯科衛生学」における「微生物学」を再定義することから始めています．従来の『最新歯科衛生士教本』の「微生物学」では，医師・看護師養成課程の教科書の抜粋版の後半に，歯科医師・歯科衛生士に必須な情報が付加されたように思われたからです．そこで本書では，まず前半に口腔微生物各論（う蝕と歯周病の細菌学など）や感染予防に関わる総論（歯科における消毒や滅菌など）を配置しました．そして引き続き，「口腔の健康を通して全身の健康の維持・増進」をはかる学問を修めるため，歯科に関連する全身感染症，免疫やアレルギーの項へと展開させています．

一方で，これまでの『最新歯科衛生士教本』にて涵養された「考える歯科衛生士を育てる」という理念は，新たな『歯科衛生学シリーズ』の本書でも継承しています．到達目標の明示，用語解説，ならびにClinical Pointなどの体裁については，先達が確立された素晴らしいスタイルを踏襲するよう心掛けています．

本シリーズの教科書が，次世代の「歯科衛生学」を担う学生皆さんの一助となることを願っています．最後になりましたが，執筆・編集にご尽力をいただいた全ての方に深謝申し上げます．

2023年12月

編集委員　寺尾　豊

歯科衛生学シリーズ

CONTENTS

疾病の成り立ち及び回復過程の促進 2

微生物学 第2版

I編 微生物学

Ⅲ編　病原微生物学

1章　主な病原細菌　108

Ⅳ編　免疫学

1章　免疫　162

2章　アレルギー　181

3章　免疫に関連する疾患　190

付章　微生物学と免疫学の歴史概要 192

＊本書の写真はすべて許諾を得て掲載しています．

執筆分担

Ⅰ編

1章 ………… 寺尾　豊
2章 ………… 吉田明弘
3章 ………… 川端重忠
4章 ………… 寺尾　豊
5章 ………… 今井健一
6章 ………… 今井健一

Ⅱ編

1章 ………… 吉田明弘
2章 ………… 寺尾　豊
3章 ………… 川端重忠
4章 ………… 土門久哲
5章 ………… 寺尾　豊

Ⅲ編

1章 ………… 寺尾　豊
2章 ………… 今井健一
3章 ………… 寺尾　豊
4章 ………… 寺尾　豊
5章 ………… 寺尾　豊

Ⅳ編

1章 ………… 吉田明弘
2章 ………… 吉田明弘
3章 ………… 土門久哲

付章 ………… 川端重忠

I編

微生物学

1章 微生物の概要

到達目標

❶ 微生物の種類と分類を説明できる．
❷ 微生物の形態学的特徴と基本的性状を説明できる．
❸ ヒトの生活に関連する病原微生物と有用微生物を説明できる．

1 微生物学を学ぶ理由と必要性

歯科の二大疾患は，**う蝕**と**歯周病**である．超高齢社会となり，急速に増加している疾患の1つが**誤嚥性肺炎**である．これら3つはすべて**細菌**による**感染症**である．また，義歯装着の高齢者に増えているカンジダ症は，**真菌**による感染症である．そして2019年末から，世界的大流行を起こした新型コロナウイルス感染症〈COVID-19〉は，**ウイルス**による感染症である．細菌・真菌・ウイルスは，いずれも**微生物**であるが，その性質は大きく異なる．そのため，感染を予防あるいは治療する方法は，それぞれ異なることになる．

人類の歴史は，感染症との戦いでもあった．長い年月の中で，私達ヒトは微生物を制御する術（すべ）を蓄積してきた．先人達が苦労しつつ体系立てた知識を学び，活用することで，歯科臨床あるいは日常生活で遭遇する感染症の予防と治療を容易にする．現在の歯科医療を科学的かつ効率的に実施するためにも，次の時代に正しい知識を伝達するためにも，微生物学を学び修める必要がある．

まずは，微生物の種類を知り，それらの性質を理解してみよう．

2 微生物の種類と性質

微生物とは名称のとおり，顕**微**鏡を使わなければ観察できないきわめて小さな**生物**の総称である．したがって，微生物の中には，さまざまな種類が含まれる．大きい順に微生物の種類をあげると，原虫，真菌，細菌，ウイルスとなる．このうち，原虫・真菌はヒトと同じ**真核生物**に分類され，細菌は**原核生物**とよばれる（図Ⅰ-1-1，p.27参照）．ウイルスは細胞構造をもたず，真核生物や原核生物に感染し寄生する．その他の感染性因子として，異常タンパク質粒子であるプリオンがあるが，プリオンは感染性のタンパク質粒子であり，遺伝子をもたない．

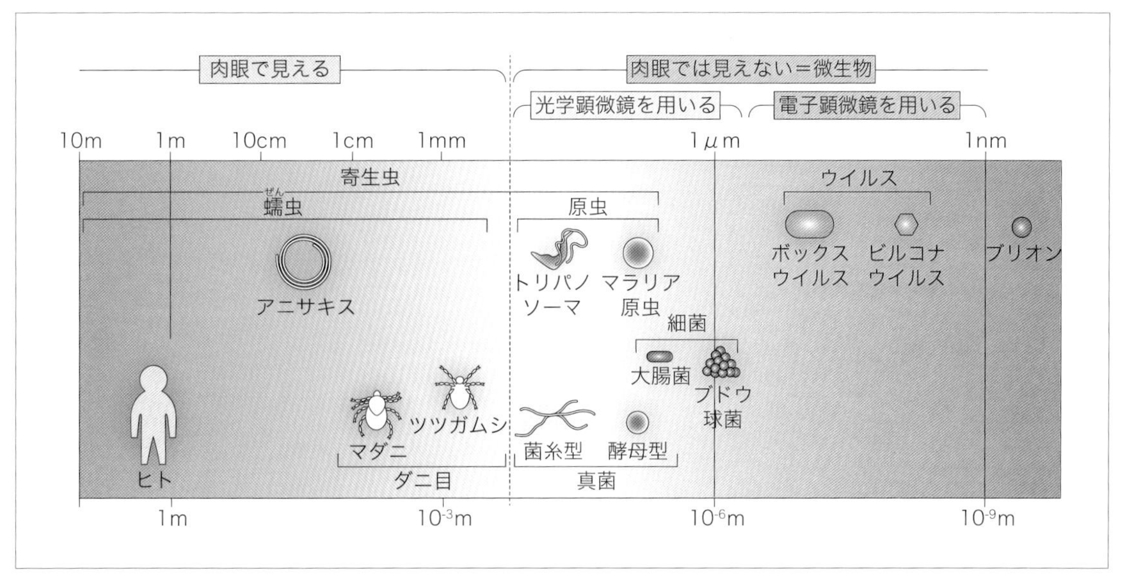

図Ⅰ-1-1　**真核生物（ヒト・原虫・真菌）と原核生物（細菌・ウイルス）の大きさの比較**
光学顕微鏡については，p.36-37 に解説と写真を示す．

3 微生物とヒトの生活との関連

微生物の中で，一般的にヒトに対して疾病を引き起こすものを**病原微生物**，ヒトの生活に有益なものを**有用微生物**とよぶ．病原微生物については，Ⅱ編およびⅢ編にて詳しく説明する．有用微生物としては，古くから発酵食品の製造に活用されてきた酵母類，食品として直接摂食されるキノコ類，健康食品として飲食されるヨーグルト類の乳酸菌*などが知られている．

さらに，ほかの微生物の増殖を抑制する成分を産生する有用微生物も存在する．微生物が産生し，ほかの微生物を殺滅あるいは生育抑制する物質を**抗生物質**とよぶ．代表的なものが，アオカビから分離されたペニシリンである．さらに効率よく微生物を排除できるよう，化学的・人工的に改変・合成された薬剤（合成抗菌薬）が開発されている．**抗菌薬**には，抗生物質と合成抗菌薬の両方が含まれる．誤解を生じさせずに意思疎通を図るため，本書では抗菌薬の表記で統一する．

抗菌薬はヒトにとって有用かつ便利な薬品であるが，不適切な使用や乱用により，**耐性菌**（p.46 参照）の出現を招く．耐性菌あるいは**薬剤耐性**（p.46 参照）は，SARS コロナウイルス 2（いわゆる新型コロナウイルス）の世界的大流行〈パンデミック〉に並ぶ世界的な健康リスクとして世界保健機構〈WHO〉が警告している．歯科臨床においても，重要な課題であるため，Ⅰ編 5 章やⅢ編 1 章で詳細に解説する．

＊乳酸菌
糖類などから，代謝により乳酸を合成する細菌の総称です．したがって，「乳酸菌」の学名で称される細菌は存在せず，ラクトバシラス（*Lactobacillus*）属，ラクトコッカス（*Lactococcus*）属，およびビフィドバクテリウム（*Bifidobacterium*）属などが「いわゆる乳酸菌」に相当します．

常在微生物叢（そう）あるいは正常微生物叢とよばれ，病原微生物からの感染防御に寄与する有用微生物群もヒトに数多く定着している．常在微生物叢に関しては，Ⅱ編1章に記載している．抗菌薬の副作用である菌交代症（p.10参照）と併せ，適切な抗菌薬使用とその重要性について学んでほしい．

2章 感染

到達目標
❶ 感染の定義と成立要件を理解できる．
❷ 感染の種類を理解できる．

*宿主
ウイルスや細菌などが感染する生物体のことであり，本教科書の場合，主にヒトをさします．

微生物などの病原体が宿主（しゅくしゅ）*に侵入・増殖し，定着することにより新たな寄生状態が成立した状態を**感染**という．感染の結果，腫脹・発熱・発赤・疼痛など，生体に生理・機能的に障害が起こることを発症または**顕性感染**という．感染しているが，生体に症状がみられない状態を**不顕性感染**という．感染により起こる疾病を**感染症**という．病原体が宿主や医療器具などのモノに付着することを**汚染**という．感染は汚染から始まる．感染してから発症するまでの期間を**潜伏期**といい，その期間は病原体の種類により異なる（図Ⅰ-2-1）．

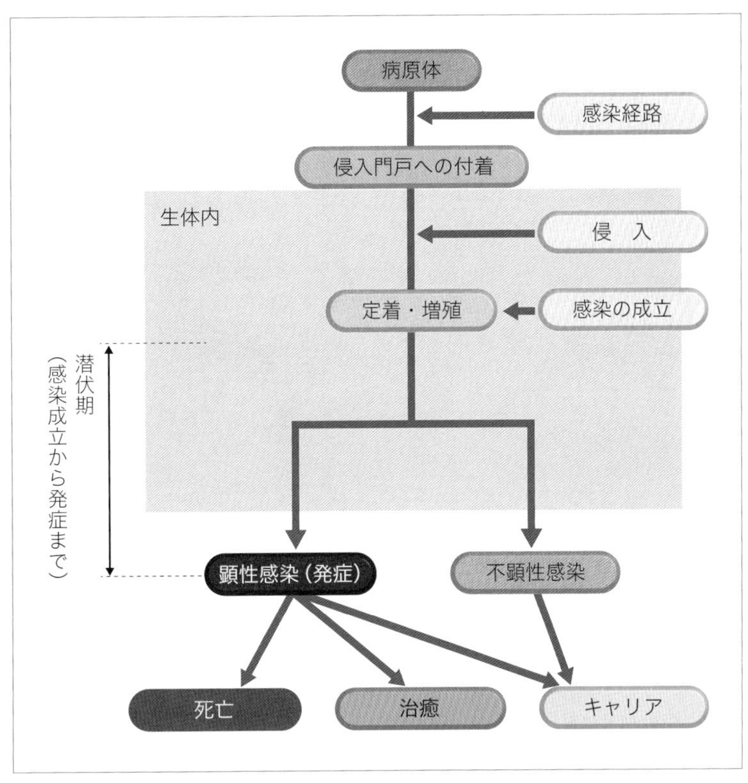

図Ⅰ-2-1　感染の成立と予後

感染の成立

1. 感染の3要因

病原体を含み感染の原因となるものを**感染源**といい，病原体が感染源から生体に侵入する経路を**感染経路**という．感染する可能性がある宿主を**感受性宿主**という．感染が成立するためには，①感染源，②感染経路，③感受性宿主の3つの要因がすべて必要である（図I-2-2，p.60参照）．逆に，これらの要因のどれか1つを阻害すれば感染は予防できる．現実には，感染経路の阻害が感染防御対策上，最も有効である．

1）感染源

感染源にはヒト，動物，環境などがある．

❶ヒト

病原体を保有して伝播するヒトが人体感染源であり，症候が現れている発病者と，感染しているが発病していない保菌者（無症候性保菌者，キャリア）がある．

❷動物

ヒトに感染症を起こす病原体に感染している動物が，動物感染源となる．病原体の中にはヒトと動物の両方に起こる感染症である**人獣共通感染症**を起こすものがある．オウム病はトリのクラミジアが，狂犬病はイヌの狂犬病ウイルスが，高病原性鳥インフルエンザはトリのインフルエンザウイルスが原因である．病原体を保有する節足動物（マダニなど）も感染源となる．

❸環境

病原体に汚染されたモノ・食品なども感染源となる．破傷風菌が生息する土壌，

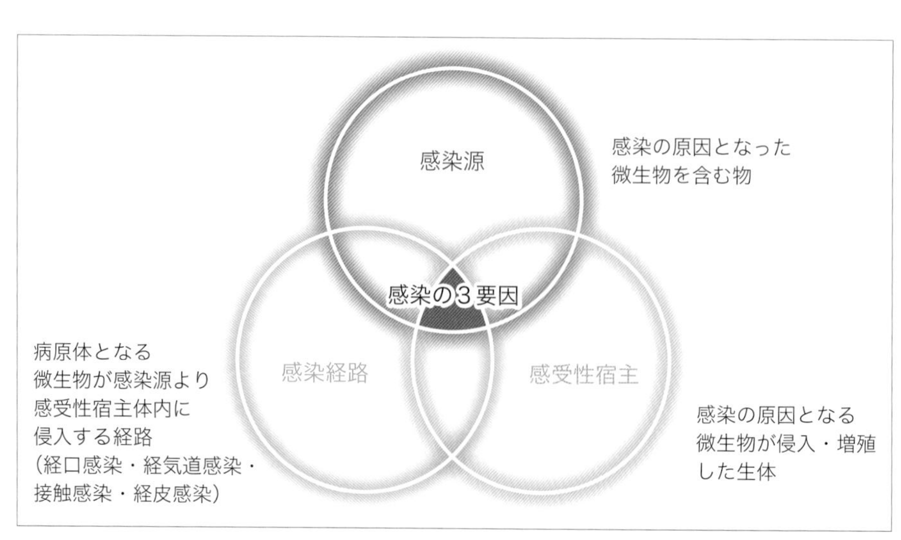

図I-2-2　感染の3要因

本来土壌に生息しない炭疽菌に汚染された土壌などがある．ヒトから糞便により排出された病原体が下水道を介して海水を汚染する場合（赤痢菌，コレラ菌，ノロウイルス，A 型肝炎ウイルスなど），感染者から咳，くしゃみなどで大気中に排出された病原体も感染源となる．

2）感染経路

病原体の伝播には感染源からの直接感染と間接感染がある．

（1）直接感染

❶ 直接接触感染

主に感染しているヒトとの直接的な接触，キス，性行為による感染である．

❷ 飛沫感染

咳，くしゃみ，会話などの際に出る，病原体を含む飛沫（唾液）を吸入することで感染する場合である．感染者との距離が 2 m 以内で感染する．インフルエンザ，百日咳，ジフテリア，新型コロナウイルスなど，主に気道から感染する疾患にみられる．

（2）間接感染

病原体に汚染されたモノ，水や空気，食品を介して感染するものである．

❶ 間接接触感染

感染者が接触したドアノブ，トイレ，電車のつり革などを介して感染が起こる．例として，感染者が使用したタオルを洗わずに使用することで第三者が感染する流行性角結膜炎などがある．

❷ 媒介物感染

河川や井戸水などの汚染された飲用水を摂取した場合には，水系感染（細菌性赤痢，コレラ，腸チフスなど）が起こる．細菌性食中毒では，食品が汚染された場合，その食品を摂取することにより感染する．

❸ 飛沫核感染〈空気感染〉

空気中を浮遊する病原体を吸い込み感染する場合である．水痘・帯状疱疹ウイルス，麻疹ウイルス，結核菌の 3 つは，飛沫として患者から放出されたあと，短時間のうちに飛沫核となり，空気中に浮遊し拡散する．この感染様式を**飛沫核感染**または**空気感染**という．飛沫核は直径 5 μm 以下で，長時間空気中を浮遊する（図Ⅰ-2-3，表Ⅰ-2-1）．

❹ 媒介動物感染

節足動物の体内で増殖した微生物が，節足動物がヒトなどに刺咬し注入されることにより感染が成立するものである．このような節足動物を**媒介動物〈ベクター〉**といい，この感染様式を媒介動物〈ベクター〉感染という．媒介動物にはカ（日本脳炎，マラリアなど），シラミ（発疹チフス），ツツガムシ（つつが虫病），ノミ（ペスト）などがある（表Ⅰ-2-2）．感染予防はベクターの駆除である．

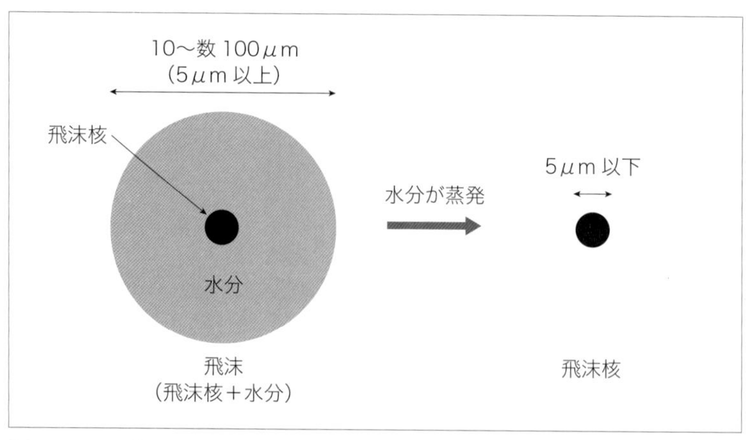

図 I-2-3　**飛沫と飛沫核**

表 I-2-1　**飛沫と飛沫核**

	飛沫	飛沫核
伝播様式	飛沫感染	飛沫核（空気）感染
直径	＞5 μm	≦5 μm
落下速度	速い 30〜80 cm/秒	遅い 0.06〜1.5 cm/秒
到達距離	短い 2 m 以内	長い（長時間空気中を浮遊している）

表 I-2-2　**媒介動物感染**

病名	病原体	微生物の種類	媒介動物（ベクター）
日本脳炎	日本脳炎ウイルス	ウイルス	カ
デング熱	デングウイルス		
黄熱	黄熱ウイルス		
マラリア	マラリア原虫	原虫	
発疹チフス	発疹チフスリケッチア	細菌	シラミ
つつが虫病	つつが虫病リケッチア		ツツガムシ
ペスト	ペスト菌		ノミ

3）感受性宿主

感受性宿主とは微生物により感染する生物をいう．感染症の罹患しやすさには個人差があり，免疫能が高いヒトと低いヒトでは罹患しやすさは異なる．高齢者，糖尿病などの基礎疾患をもつ**易感染性宿主**（p.10 参照），免疫抑制剤の投与，疲労などは免疫能を低下させる結果，罹患しやすくなる．ワクチン接種などの能動免疫や抗体投与などの受動免疫により免疫能を高めた場合は，感染・発病しにくくなる．栄養の摂取や運動など，健康を増進する行為も，感染や発病に対する抵抗性を向上させる．

2. 感染の成立

微生物が宿主に感染したあとの発症の有無は，微生物と宿主の関係によって決定する．これを宿主－病原体関係という（図Ⅰ-2-4）．通常，感染した微生物が生体に発症させるか否かは，生体の生体防御機構と微生物の**ビルレンス**＊（virulence，p.20 参照）の強さの関係によって決まる．ビルレンスとは，病原体が感染したときにどのくらい感染症を起こしやすいか，発病したときにどのくらい重症化しやすいか，といった病原体の毒性の程度をいう．

＊ビルレンス
細菌やウイルスなどの病原微生物の毒力や感染症を起こす能力，つまり病原性をさします．

1）微生物側の因子

微生物側の感染力を決定する質的因子は，①感染性の有無，②病原性の有無，③ビルレンスの強弱，がある．量的因子は微生物の数である．

(1) 感染性の有無

感染性は微生物が対象とする宿主に感染できるかどうかである．通常，鳥インフルエンザウイルスはヒトには感染しない．ヒトの細胞は，鳥インフルエンザウイルスが結合し，細胞内に侵入するための受容体をもたないからである．

(2) 病原性の有無

いくら感染しても，その感染宿主に対して病原性をもたない病原体は疾患を起こすことはない．サルモネラ菌はヒトには病原性を示すが，ニワトリに対しては病原性を示さない．したがって，サルモネラ菌に感染したニワトリは発病しないが，その鶏肉を食べたヒトは感染・発病することがある．

(3) ビルレンスの強弱

同じ微生物にも強毒性，弱毒性のものがあり，前者を「ビルレンスが高い」，後者を「ビルレンスが低い」と表現する．

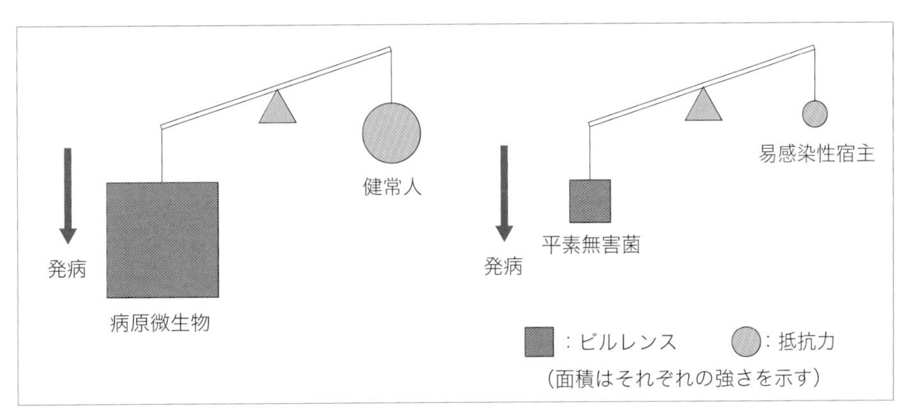

図Ⅰ-2-4　宿主－病原体関係

2）宿主側の因子

病原体側の因子に対する宿主側の抵抗力の大小により発病の有無が決まる（図Ⅰ-2-4）．宿主抵抗力を増加させる因子として，ワクチンの予防接種（能動免疫），抗体の投与（受動免疫），さらに抵抗力を増す行為として栄養の摂取，休養などがある．特に感染しやすい宿主として，免疫能が低下し抵抗力が弱いヒトがあげられる．抵抗力を減少させる因子として免疫抑制療法，宿主の基礎疾患などがある．ヒトに対する病原性が弱い微生物では，通常発症には至らないが免疫力の低下したヒトでは病気を起こす（**日和見**（ひよりみ）**感染**，p.11 参照）．

2 感染の種類

1. 外因感染と内因感染

外因感染とは，本来はヒトの常在菌叢に存在しない外部の病原体が，ヒトの体内に侵入して起こる感染をいう．通常はヒトの体内に生息しないコレラ菌が，飲水などを介して体内に入りコレラを発症した場合などが該当する．

内因感染とは，常在細菌による感染のことをいう．ある臓器では病原性がない常在菌も生息部位が変わると病原性を発揮し，感染症を引き起こすことがある．抜歯後，口腔レンサ球菌が血行性に心内膜に感染することで発症する感染性心内膜炎（p.103 参照）も内因感染症である．常在菌叢が抗菌薬などで死滅，あるいは減少することでバランスが崩れ，薬剤などに抵抗性をもつ細菌が異常増殖して疾患を引き起こすことがある．これを**菌交代症**といい，内因感染の一種である．

2. 垂直感染と水平感染

病原体の伝播は，母親から胎児・新生児に感染する**垂直感染**と，感染源から不特定多数に感染が拡大する**水平感染**とに分けられる（図Ⅰ-2-5）．事実上，垂直感染以外の感染は水平感染と考えてよい．

垂直感染は，母体から胎児または新生児への感染をいう．胎児期の感染として経胎盤感染，出生時の感染として産道感染，新生児への感染として母乳感染がある．

水平感染は，感染者との接触，キスや性行為など体が直接接触する場合や，感染者が排出する飛沫を直接吸い込む場合など，ヒトや動物から病原体が直接移行する直接伝播と，汚染されたモノを介して移行する間接伝播がある．

3. 易感染性宿主と日和見感染

感染抵抗力の低下した宿主を**易感染性宿主**〈コンプロマイズド・ホスト〉という．

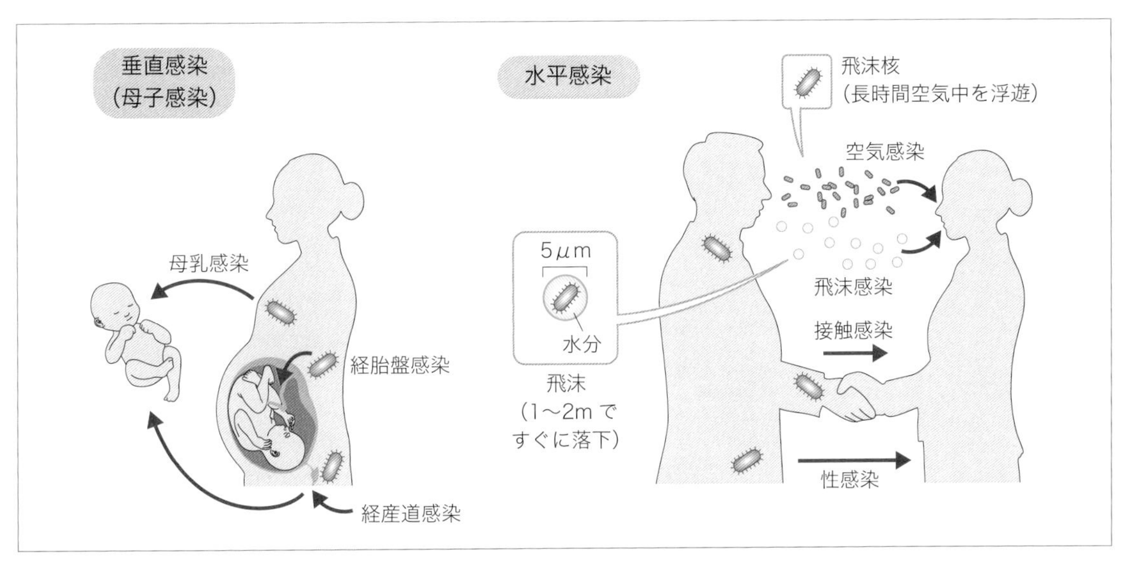

図Ⅰ-2-5　**垂直感染と水平感染**

(斎藤光正：イラストでわかる　微生物学超入門　病原微生物の感染のしくみ　改訂2版. 南山堂, 東京, 2021. 改変)

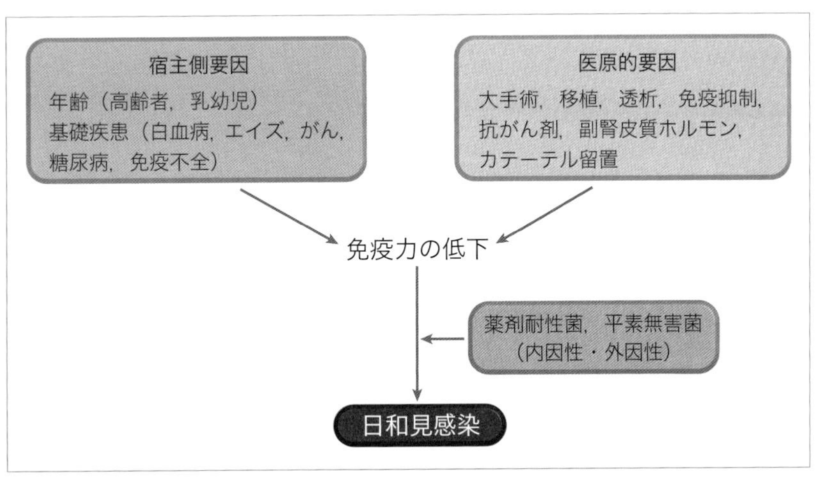

図Ⅰ-2-6　**日和見感染**

易感染性宿主では，通常では病原性を示さない弱毒の病原体（平素無害菌）により感染することがある．このような健常人には無害な微生物が免疫能の低下した宿主に引き起こす感染を**日和見感染**という（図Ⅰ-2-6）．

易感染性宿主の例として，高齢者，悪性腫瘍・糖尿病などの基礎疾患をもつ者があげられる．日和見感染では，外来性の弱毒病原体による外因感染と常在微生物による内因感染による場合がある．常在細菌は健常人には害を及ぼさないが，免疫能が低下した宿主では病原性を示すことがある．日和見感染症の内因感染の例として，皮膚，腸管，口腔，膣に常在する真菌（*Candida albicans*（カンジダ・アルビカンス））が免疫能の低下に伴いカンジダ症を引き起こすことがある．

4. 院内感染と市中感染

病院はさまざまな疾患をもつ者が集まり，当然，悪性腫瘍や糖尿病などの疾患をもつ易感染性宿主も含まれる．入院患者はステロイド剤など免疫抑制薬や抗がん剤などの投与により，感染防御能が低下し易感染性宿主となるため，緑膿菌や *Candida albicans* など，環境や生体などの常在菌による感染症が起こりやすくなる．一方，感染症を有する患者も病院に存在する．このような場合，感染症を有する患者と易感染性宿主が同じ院内にいることから，感染症患者が感染源となり易感染性宿主への感染が起こりやすい状況が生じる．

医師や看護師など医療従事者は患者間を行き来し，患者間の感染を媒介しやすい．病院内では長期使用される抗菌薬により薬剤耐性菌が出現しやすい．多くの化学療法薬が奏効しない**多剤耐性菌**の出現は，感染症の治療を困難にし，致死率を高める．そのため，病院内での多剤耐性菌の蔓延が重大な社会問題となっている．病院は易感染性宿主，感染者，薬剤耐性菌の存在という感染にとってきわめて悪条件下にあることから，病院内での感染は非常に拡大しやすい状況にある．病院内で新たな感染症に罹患することを**院内感染**という．一般に院内感染は，患者自身の常在細菌による日和見感染（内因感染）と医療従事者やほかの感染症患者を介して感染する外因感染をさす．これに対し，病院外での感染を**市中感染**という．

参考文献

1）川端重忠，小松澤 均，大原直也，寺尾 豊編：口腔微生物学・免疫学　第 5 版．医歯薬出版，東京，2022．
2）全国歯科衛生士教育協議会監修：最新歯科衛生士教本　疾病の成り立ち及び回復過程の促進 2　微生物学．医歯薬出版，東京，2011．
3）矢田純一：医系免疫学　改訂 16 版．中外医学社，東京，2021．
4）熊ノ郷 淳編：免疫ペディア　101 のイラストで免疫学・臨床免疫学に強くなる！羊土社，東京，2017．
5）熊ノ郷 淳，阪口薫雄，竹田 潔，吉田裕樹編：免疫学コア講義　改訂 4 版．南山堂，東京，2017．
6）河本 宏：もっとよくわかる！免疫学（実験医学別冊）．羊土社，東京，2011．
7）山本一彦，松村讓兒，多久和陽，萩原清文：カラー図解　人体の正常構造と機能〈7〉血液・免疫・内分泌　改訂第 3 版．日本医事新報社，東京，2017．
8）宮坂昌之監修/小安重夫，椛島健治編：標準免疫学　第 4 版．医学書院，東京，2021．
9）矢田純一：臨床医のための免疫キーワード 110　4 版．日本医事新報社，東京，2017．
10）大橋典男編：栄養学イラストレイテッド　微生物学．羊土社，東京，2020．
11）イラストでわかる微生物学　超入門．南山堂，東京，2018．
12）斎藤光正：イラストでわかる　微生物学超入門　病原微生物の感染のしくみ　改訂 2 版．南山堂，東京，2021．

3章 微生物学総論

到達目標

❶ 細菌の形態，構造，病原因子などについて説明できる．
❷ ウイルスの形態，構造などについて説明できる．
❸ 真菌の形態，構造などについて説明できる．

1 細菌

1. 形態

細菌は，**形態**と**グラム染色性***の違いにより大きく分類される．形態は，球状の**球菌**，棒状の**桿菌**（かんきん），らせん形の**らせん菌**の3つに分類される．さらに，球菌では，細菌の分裂形式によって，ブドウの房状に菌体が集合しているもの（ブドウ球菌），菌体が連なった形態のもの（レンサ球菌），決まった個数が並んでいるもの（双球菌など）が存在する．また桿菌では，両端が丸くなっているものや角ばっているもの，紡錘状（ぼうすいじょう）を示すものなどが存在する（図Ⅰ-3-1）．大部分が1～5 μm 程度の大きさで，光学顕微鏡（p.36-37 参照）で観察することができる．

次に，ほとんどの細菌は**グラム染色**とよばれる染色法によって，青紫色に染まる**グラム陽性菌**と，赤紫色に染まる**グラム陰性菌**に分けられる．この染色性の違いは，それぞれの細胞壁の厚みの違いによる（図Ⅰ-3-2）．

*グラム染色
H. Gram（1884）によって開発された細菌の染色法です．厚い細胞壁をもつグラム陽性菌は青紫色に，薄い細胞壁をもつグラム陰性菌は赤紫色に染まります（p.38 参照）．

*多糖
グルコースやマンノースなどの単糖が長くつながったものの総称．グリカン，あるいはポリサッカライドともいいます．デンプンやヒアルロン酸なども多糖に分類されます．

*ペプチド
アミノ酸が短い鎖状につながった分子の総称．一般的に2～50個程度のアミノ酸がつながったものをペプチドといい，それ以上に長くなったものはタンパク質といいます．

*ペリプラズム
グラム陰性菌の外膜と細胞膜に囲まれた空間のことで，細胞壁を構成する薄いペプチドグリカン層などが含まれます．

2. 構造

細菌は原核生物であり，真核生物と異なり，核膜や膜を有する細胞（内）小器官をもたない．さらに，細菌は表層などに特有の構造をもつ．

1）細菌の基本構造

(1) 細胞壁

ほぼすべての細菌は，細胞壁をもつ．細胞壁は強固で，細菌の形態を維持している．細胞壁は，多糖*とペプチド*からなるペプチドグリカンとよばれる構造をとる．グラム陽性菌はペプチドグリカンの層が数十層積層しており，細胞壁が分厚い．また，細胞壁に高分子多糖のタイコ酸が存在する．一方，グラム陰性菌ではペプチドグリカン層が数層しかなく細胞壁が薄い．グラム陰性菌の細胞壁は，ペリプラズム*に存在する（図Ⅰ-3-2）．

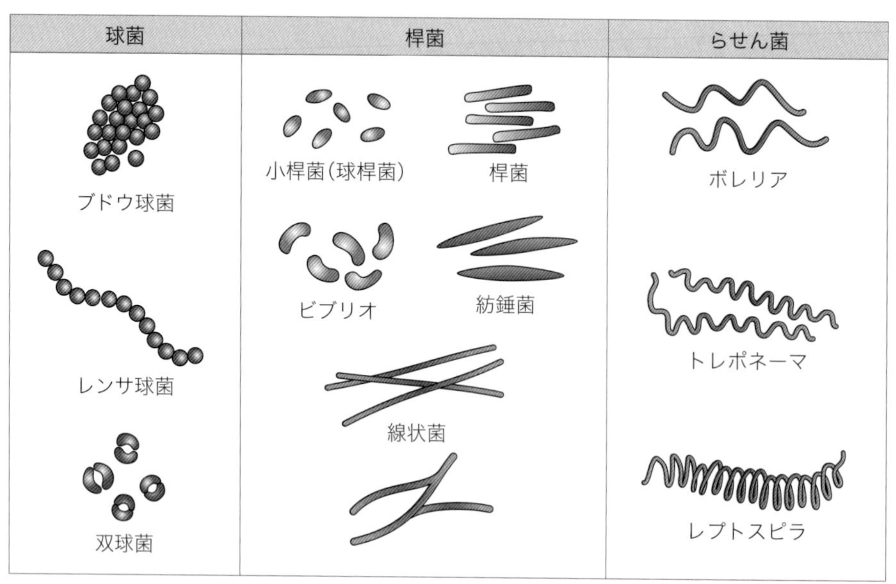

図Ⅰ-3-1 細菌の形態

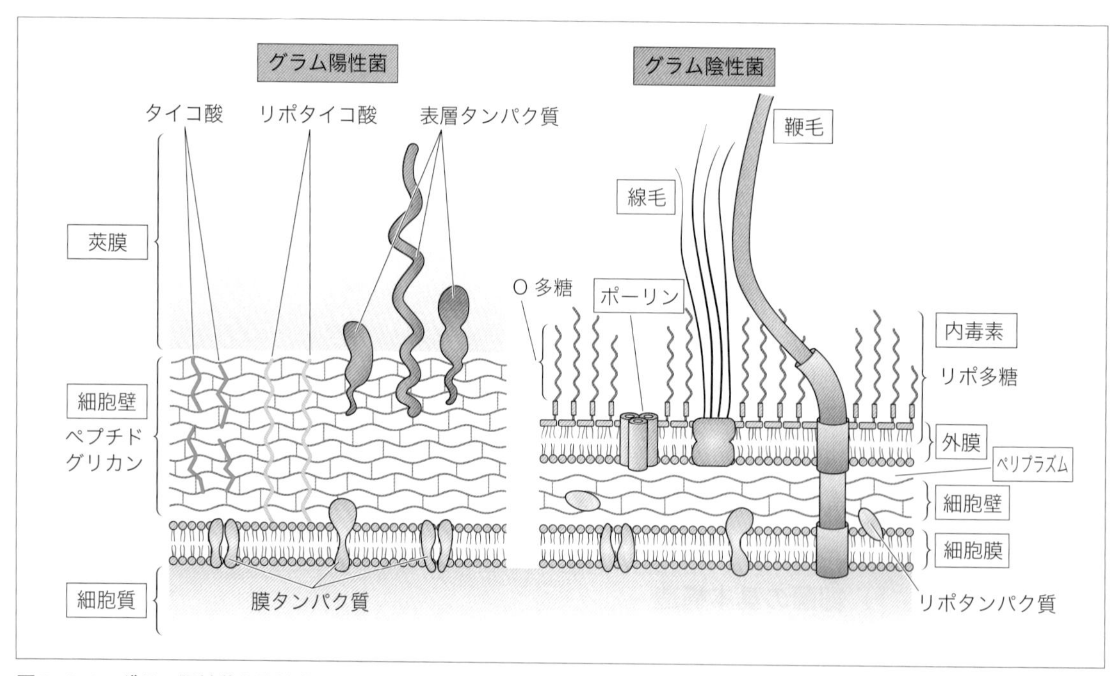

図Ⅰ-3-2 グラム陽性菌と陰性菌の表層構造の違い

（全国歯科衛生士教育協議会編：新歯科衛生士教本 微生物学 第2版．医歯薬出版，東京，2007.）

左はグラム陽性菌，右はグラム陰性菌の表層を模式的に示している．細胞質を含む細胞膜の構造は共通している．グラム陽性菌にも鞭毛や線毛をもつものが存在するが，この図には示していない．また，グラム陽性菌およびグラム陰性菌には莢膜をもつものが存在する．タイコ酸，リポタイコ酸，リポ多糖を構成する多糖の繰り返し数は，一定ではないため，同じ細胞のうえでも長さは不均一である．

(2) 細胞膜*

グラム陽性菌は，細胞壁の内側に細胞膜がある．グラム陰性菌は，外膜と細胞膜（内膜）とよばれる2種の膜をもち，その間に細胞壁が存在する．細胞膜は脂質二重層である．この脂質二重層により，糖，アミノ酸，イオンなどの親水性の物質は通過できない．細胞膜に存在するタンパク質の一部は物質を透過させるポンプとして働き，栄養分の取り込みや老廃物の排泄などを行っている．

外膜は，通常の脂質二重膜と異なり，内側はリン脂質だが，外側は**リポ多糖（lipopolysaccharide〈LPS〉；リポポリサッカライド，内毒素ともいう）**によって構成されている．LPSは糖鎖と脂質からなる熱に安定な物質で，滅菌に使われるオートクレーブ処理（121℃，20分間，p.57参照）でも不活化されない．脂質部分はリピドA，糖鎖部分はO抗原多糖とコア多糖からなる．ヒトに発熱やショック*を引き起こすなど，さまざまな毒性や生理活性をもっている．

(3) 細胞質

細菌の細胞質には，真核生物にみられる小胞体やミトコンドリア*は存在しない．染色体DNA（ゲノムDNAともいう）は核膜に包まれずに，環状の二本鎖DNAが細胞質に存在する．

タンパク質を合成するリボソームが存在している．リボソームはタンパク質とRNAからなる．細菌のリボソームは真核生物と大きさが異なり，70S（Sは沈降係数（ちんこうけいすう）*）で，50Sと30Sのサブユニットが結合して構成されている．一部の抗菌薬は真核生物と細菌のリボソームの違いを利用し，細菌のリボソームを標的として効果を発揮する．

2) 付属器官

(1) 莢膜（きょうまく）

一部の細菌が産生する菌体の細胞壁の外側を覆う膜で，多くの場合は多糖で構成されている．貪食（どんしょく）*や抗菌ペプチド*の作用など，ヒトの免疫による殺菌から逃れる働きをもつものが多い．

(2) 鞭毛（べんもう）

運動性細菌を保持し，菌が動くために用いられる．モーターに相当するタンパク質複合体が基部に存在し，プロペラのように鞭毛が回転することで菌体が移動する（図Ⅰ-3-3A）．鞭毛の数や付着部位は菌によって異なる．

(3) 線毛（せんもう）

線毛は一般的に鞭毛よりも細く，短く，直線状である（図Ⅰ-3-3B）．菌が生体またはほかの菌に付着するために用いられる．

(4) プラスミド

染色体DNAとは独立して存在する，小さな環状の二本鎖DNAである．薬剤耐性遺伝子などを運ぶことが多く，細菌から細菌に伝播することで，薬剤耐性などの形質を拡げる．

＊細胞膜
ヒトの細胞には，細胞壁がなく細胞膜だけです．一方，細菌には，細胞膜の外周に細胞壁が存在します．細菌に特異的な細胞壁を標的にする抗菌薬が，ペニシリンです．

＊ショック
何らかの原因によって血圧が急激に低下することで，全身の臓器や組織に十分な血液が届かなくなり，さまざまな障害が起こる急性の症候群のことをいいます．

＊ミトコンドリア
細胞小器官の1つで，酸素を使ってエネルギーをつくり出します．「エネルギーのもと」であるATP〈アデノシン三リン酸〉を産生します．

＊沈降係数
微小な物質を遠心分離し，液体中で物質が沈降していく速度を示す係数です．S値で表し，分子量が同じであれば，球形に近いほうがS値は小さくなります．

＊貪食
好中球やマクロファージなどの食細胞が不必要なものを取り込んで消化し，分解する作用のこと．

＊抗菌ペプチド
抗菌作用を示すペプチドの総称．多くの抗菌ペプチドは正または負に帯電し，細菌の細胞膜を攻撃して殺菌します．

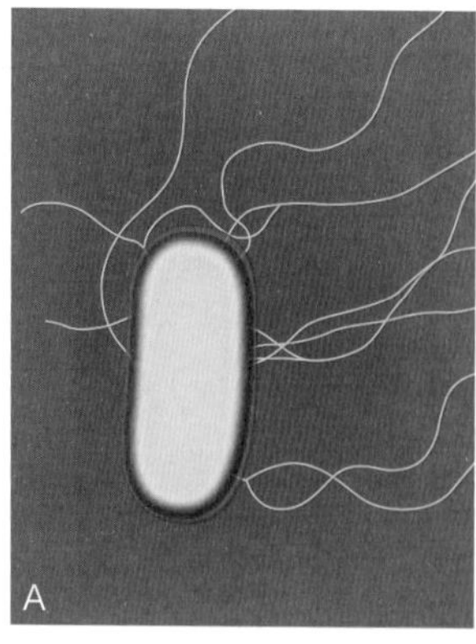

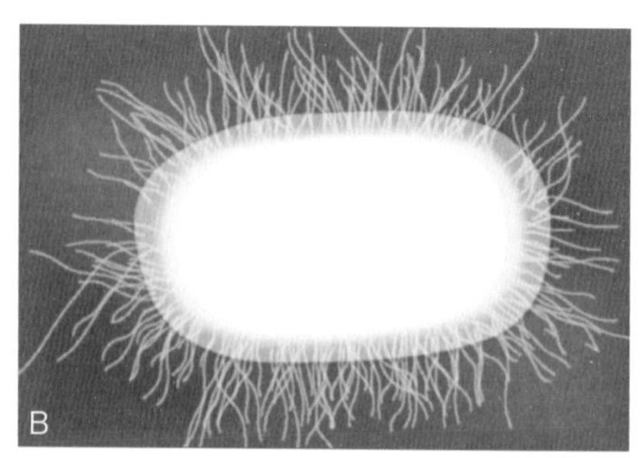

図Ⅰ-3-3　**細菌の鞭毛（A）と線毛（B）**
A：長い鞭毛が菌体外に突き出ている．B：菌体の周りが線毛で覆われている．

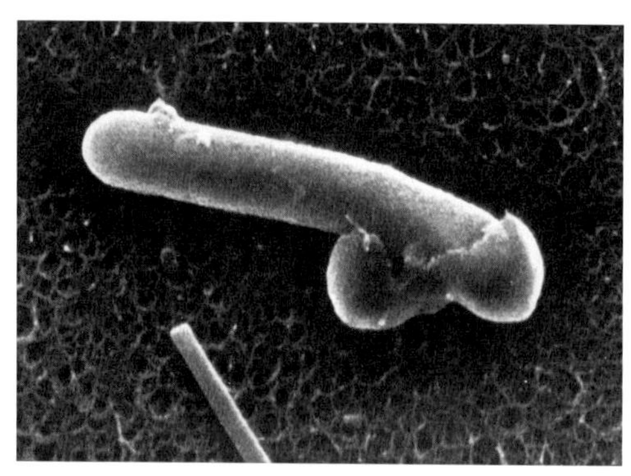

図Ⅰ-3-4　**芽胞より出芽する枯草菌**
芽胞の殻を破って，枯草菌が出てくる．

(5) 芽胞

グラム陽性菌である *Bacillus* 属，*Clostridium* 属は，栄養分の不足や乾燥などにより発育環境が悪くなると，**芽胞**を菌体内に形成する．芽胞は熱や消毒薬に抵抗性を示し，100℃の加熱にも耐える．そのため，熱湯による煮沸消毒は滅菌として不十分であり，芽胞状態の菌を殺菌するためにはオートクレーブ処理が必要である．環境が改善されると，芽胞は発芽して増殖を示す状態に戻る（図Ⅰ-3-4）．

3．代謝

細菌はほかの生物と同様に，栄養素を外界から取り込んでエネルギーを産生したり，自分の構成成分をつくり出したりする．この作用を**代謝**という．代謝はエネルギー吸収反応である同化と，エネルギー放出反応である異化の２つに分けられる．菌の種類により，これらの代謝経路はある程度異なっており，それぞれ自らの生存環境に適応したものに進化している．

すべての生物は，細胞内の代謝におけるエネルギーのやりとりをアデノシン三リン酸〈ATP〉にて行っている．細菌のエネルギー産生経路は，複数存在する（図Ⅰ-3-5）．グルコースなどの糖を利用してエネルギーを産生する経路は，**解糖系経路**（Embden-Meyerhof（エムデン・マイヤーホフ）経路）とよばれる．解糖系経路はほとんどの生物で保存されている．

解糖経路で産生されたピルビン酸を嫌気（けんき）的条件下（p.33参照）で還元することで，乳酸やアルコールなどが産生される．ピルビン酸から乳酸を産生する経路は**乳酸発酵***，アルコールを産生する経路は**アルコール発酵***とよばれる．

＊発酵
微生物によって物質が変化し，ヒトに有益に作用することで，パンやチーズ，酒をつくるのに応用されています．

酸素の存在下（好気的条件）では，呼吸によってピルビン酸はアセチルCoAを経て二酸化炭素と水素にまで分解される．この経路を**TCA回路**（クエン酸回路）といい，TCA回路では**電子伝達系**とよばれる経路の代謝が起こる．このように酸素を利用することで非常に効率のよいエネルギーの獲得が可能となっている．

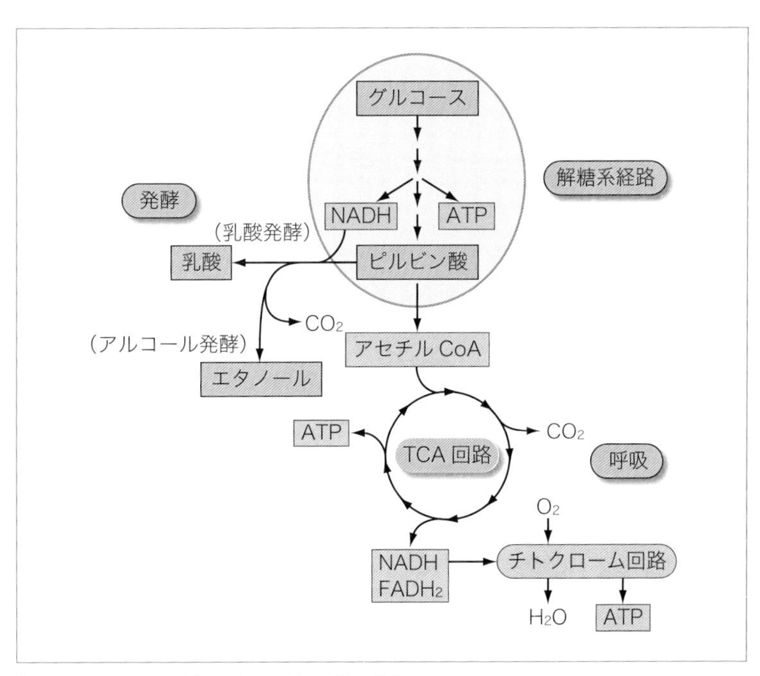

図Ⅰ-3-5　**TCA回路によるエネルギー産生**
グルコースなどの糖を利用してエネルギーを産生する流れを解糖系経路とよぶ．代表的な解糖系の1つが，Embden-Meyerhof経路である．

4. 増殖

細菌は単細胞生物であり，無性生殖による２分裂によって増殖する（図Ｉ-3-6）．菌の増殖に必要な条件や環境は，菌の種類により大きく異なる．人工的に細菌を増殖させるため，菌に応じたさまざまな培養法や培地が開発されている．しかし，いまだに人工的な増殖が困難な細菌が多数存在する．

1）菌の発育に関わる条件

菌の発育には，栄養，酸素の有無，温度，pH，塩濃度（浸透圧）が強く影響する．

(1) 栄養

ほとんどの細菌は，水分，炭素源としての糖，窒素源としてのアミノ酸，硫黄やリンなどの無機塩類，カルシウムや鉄などの元素を必要とする．糖を分解できない場合に，アミノ酸を炭素源として用いる細菌も存在する．

(2) 酸素

増殖に酸素が必要な細菌は**好気性菌**，酸素があってもなくても増えることのできる細菌は**通性嫌気性菌**，酸素があると死滅する，あるいは増殖できない菌は**偏性嫌気性菌**とよばれる．

＊Ｚリング

複数のタンパク質が細胞の中央に集まり形成される輪で，細胞分裂の中心的役割を果たします．

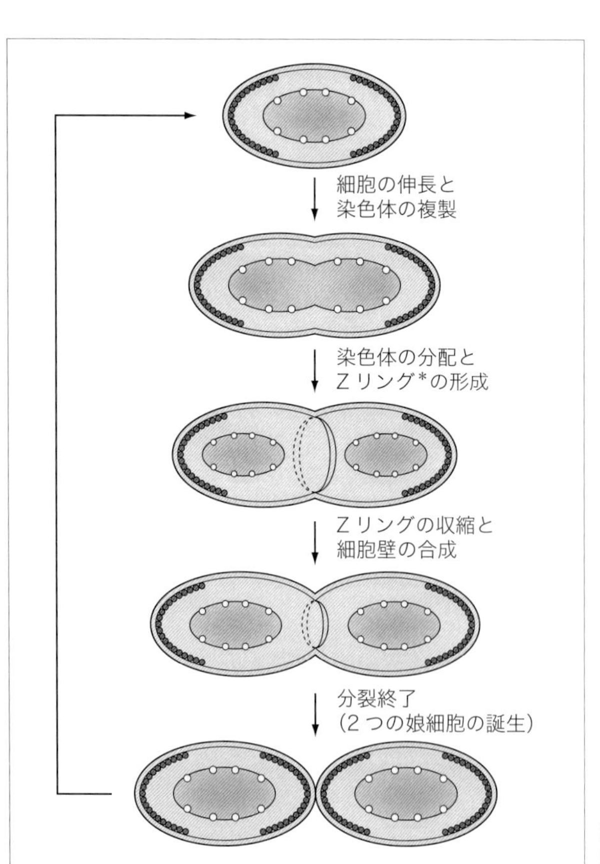

図Ｉ-3-6　細菌の２分裂による増殖

(3) 温度

病原細菌の多くはヒトの体内で増殖するため，37℃付近を好むものが多い．一方で，4℃でも増殖可能なリステリア菌などの例外も存在する．また，環境中では，60℃以上の高温の土壌や海中を好む細菌も存在する．

(4) pH

病原細菌の多くはヒトの体内で増殖するため，中性付近のpHを好むものが多い．

(5) 塩濃度

塩濃度は浸透圧に影響を与える．環境中の塩濃度が高いと浸透圧が高くなり，細胞質中の水分が失われる．逆に環境中の塩濃度が低すぎると細胞質中に水分が流入して細胞が膨潤する．細菌培養用の培地では，0.9％程度の塩を含むものが多い．塩濃度が高いと増殖できない細菌が多いが，海に存在する腸炎ビブリオは3％程度の塩濃度を好む．また，黄色ブドウ球菌やリステリア菌は10％程度の塩濃度でも増殖することができ，耐塩菌ともよばれる．

2) 細菌の増殖

細菌が増殖中に２つに分裂するのに必要な時間を**世代時間**，あるいは**倍加時間**という．比較的分裂が早い大腸菌で20～30分程度，分裂が遅い結核菌では20時間程度である．試験管内にて，適切な環境で培養した場合は，時間経過とともに生菌数が一定のパターンで変化する．横軸に培養時間を，縦軸に生菌数の対数をとったグラフが増殖曲線（図Ⅰ-3-7）であり，４つの時期に分けられる．

(1) 誘導期

細菌を新たな培地に接種してもすぐには増殖が認められない．細菌が新たな環境に適応し，増殖のための準備をしている期間である．

(2) 対数増殖期

細菌が２分裂で増殖している時期で，一定の倍加時間で２倍ずつ菌が増殖する．

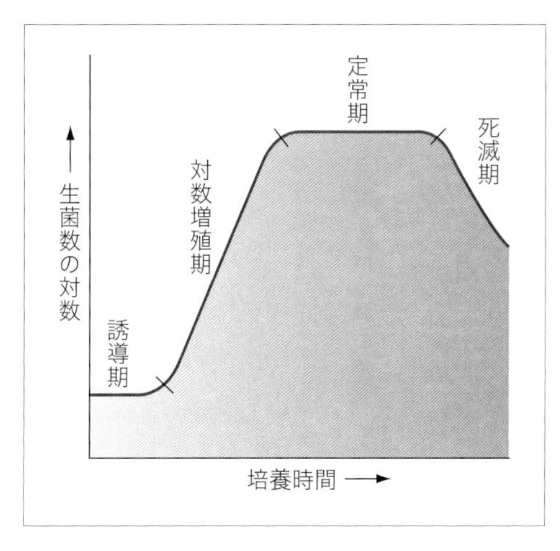

図Ⅰ-3-7 **細菌の増殖曲線**
一定量の培地に菌を播種した場合に，培地中の生菌数は図のような経過をたどる．

細菌の増殖

細菌の2分裂は，概ね30分に1回生じます．傷口から1つでも細菌が侵入すると，24時間後には2^{48}（280兆以上）にまで増殖します．その理論通りであれば，私達はたびたび重症となるか死亡します．そうはならない理由の1つが，Ⅳ編の「免疫」です．また，一度感染すると細菌の増殖は急速であるため，感染予防や早期検査・早期治療が重要となります．

(3) 定常期

細菌数の増加により栄養の枯渇や有害な代謝産物が蓄積し，増殖速度が遅くなるとともに一部の菌が死滅し，生菌数がほぼ一定になる時期である．

(4) 死滅期

栄養の枯渇などがさらに進むと，死滅する細菌数が増えて生菌数が減少していく時期である．

5. 病原因子

微生物が宿主に病気を起こす能力のことを病原性（**ビルレンス**）といい，その原因となる物質を病原因子という．

1）毒素

(1) 外毒素（表Ⅰ-3-1）

グラム陽性菌やグラム陰性菌に関わらず，多くの病原細菌が菌体外に分泌するタンパク質性の毒素が外毒素である．菌により産生する毒素の種類や性質はさまざまである．

表Ⅰ-3-1 細菌毒素の分類と特徴

	外毒素	内毒素
由来	菌体外の分泌タンパク質	グラム陰性菌の外膜
組成	タンパク質，ポリペプチド	リポ多糖〈LPS〉
安定性	不安定 熱，紫外線で失活 プロテアーゼで分解	安定 特に熱には強い
抗原性	強力	中等度〜弱い
トキソイド化	ホルムアルデヒドで可能	できない
毒性	強力 致死作用をもつものも少なくない	中等度〜弱い
標的組織	特定の臓器や細胞	広範囲

外毒素は内毒素と比べ，一般的に**毒性が強い**．一方で，外毒素はタンパク質性の毒素であるため，熱に弱く，加熱により不活化される．同時にタンパク質であるために抗原性は良好で，抗体が産生されると毒素を中和するように働く．破傷風毒素やジフテリア毒素はホルマリン処理*で無毒化され，ワクチン抗原として利用される（トキソイド）．

＊ホルマリン処理
ホルマリンには強力なタンパク質変性作用があります．

作用機序の違いから，神経に作用する神経毒，腸管に障害を与える腸管毒，細胞膜に傷害を与える細胞毒などに分類される．

❶ 神経毒

ボツリヌス菌〈*Clostridium botulinum*〉*のボツリヌス毒素は，神経筋接合部や副交感神経終末に働き，弛緩性の麻痺を引き起こす．

＊細菌の学名
細菌の学名は「国際原核生物命名規約」に従い，属名（先頭のみ大文字）＋種名（すべて小文字）で構成されます．そして，ラテン語の斜体（イタリック体）で表記します．

破傷風菌〈*Clostridium tetani*〉の毒素テタノスパスミンは脊髄の抑制性の神経シナプスに作用し，骨格筋の強直を起こす．顔面では牙関緊急*（開口障害）を引き起こす．

＊牙関緊急
破傷風毒素によって三叉神経が障害され，咬筋が強直して歯を食いしばるようになり，口が開かなくなる状態のことです．

❷ 腸管毒

コレラ菌〈*Vibrio cholerae*〉のコレラトキシン，大腸菌の易熱性毒素や耐熱性毒素は，水，電解質の分泌を亢進させる腸管毒である．

黄色ブドウ球菌〈*Staphylococcus aureus*〉のエンテロトキシンは，耐熱性の毒素で，嘔吐作用とスーパー抗原としての働きをもつ．スーパー抗原は，非特異的なT細胞の活性化を引き起こし，発熱，発疹，ショックなどの症状を引き起こす．

❸ 細胞毒

ジフテリア菌〈*Corynebacterium diphtheriae*〉のジフテリアトキシンはタンパク質の合成阻害を引き起こす．

化膿レンサ球菌〈*Streptococcus pyogenes*〉，ウェルシュ菌〈*Clostridium perfringens*〉，黄色ブドウ球菌などは赤血球の細胞膜を破壊して溶血活性を示す溶血毒（ヘモリジン）を産生する．

黄色ブドウ球菌のロイコシジンや歯周病原細菌の*Aggregatibacter actinomycetemcomitans**のロイコトキシンは，白血球を傷害する．

(2) 内毒素（表Ⅰ-3-1）

内毒素は，グラム陰性菌の細胞壁構成成分であるリポ多糖〈LPS〉で，熱に強い（図Ⅰ-3-2）．通常のオートクレーブでは不活化できず，タンパク質ではないためにトキソイド化もできない．グラム陽性菌には存在せず，外毒素と比べた場合，毒性は弱い．しかし，さまざまな生理活性をもち，感染時の発熱，ショックなどの多様な反応を引き起こす．グラム陰性菌による菌血症では，内毒素ショックを引き起こして死亡する場合もある．

2）菌体表層物質

感染症の発症には，病原性細菌がヒトの体内に付着して増殖する必要がある．細菌が，ヒトの粘膜などに付着するために有する因子を，付着因子や定着因子という．

ほとんどの付着因子は，菌体表層に存在する．付着は，細菌の付着因子と宿主側のレセプターが結合することで起こる．代表的な付着因子は，大腸菌などがもつ線毛である．ほかに一部の菌体表層のタンパク質やグラム陽性菌のタイコ酸なども，宿主がもつ分子と結合して付着因子として働く．

また，エナメル質う蝕の原因となる *Streptococcus mutans*（ストレプトコッカス ミュータンス）は，スクロースから粘着性の不溶性グルカンを菌体外に合成し，歯の表面に強固に付着する．運動性細菌は，鞭毛により粘膜表面の粘液を通過し，上皮細胞に到達して定着する．

3）組織破壊酵素

多くの病原細菌は，宿主の細胞間の組織や，細胞のタンパク質，糖鎖などを分解する酵素を産生する．これらの酵素によって，宿主の組織を破壊することで菌体の生体内での拡散や病巣の形成を行う．また，一部の細菌は，分解した宿主の成分を自身の栄養として取り込む．

(1) プロテアーゼ

タンパク質を分解する酵素を総称して，プロテアーゼまたはタンパク質分解酵素という．特定のタンパク質しか分解しない酵素や，さまざまなタンパク質を分解する酵素など，酵素の種類によって分解するタンパク質の種類は異なる．

(2) ヒアルロニダーゼ

糖鎖の一種で，結合組織の成分であるヒアルロン酸を分解する酵素をヒアルロニダーゼという．肺炎球菌など，多くのグラム陽性菌が産生する．

(3) 核酸分解酵素

宿主の核酸を分解する酵素で，宿主の殺菌機構からの回避などに働いている．菌自身の核酸の合成に必要な成分の供給に関与するものもある．

2 ウイルス

ウイルスは20〜300 nm ほどの小さな構造体であり，核酸の種類や増殖方法などが細菌とは大きく異なる（図Ⅰ-3-8）．ミトコンドリアやリボソームなどの細胞小器官や，ゲノム以外の核酸をもたないことから，自身でエネルギーを産生し，タンパク質を合成することはできない．そのため，自己増殖能はもたず，特定の宿主となる細胞に寄生して自己複製することにより増殖する．

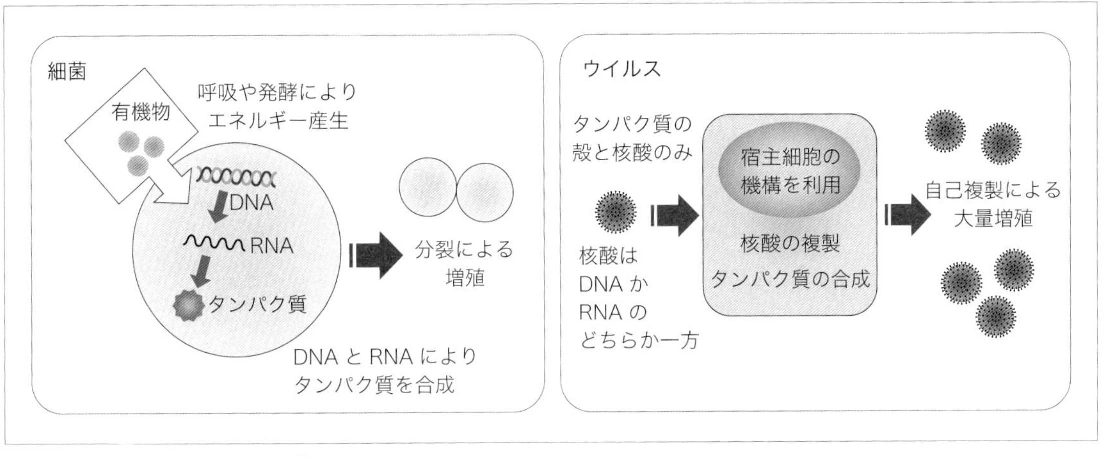

図Ｉ-3-8　**細菌とウイルスの比較**

細菌は遺伝情報としての DNA とその情報を発現するための RNA やリボソームをもち，分裂により自己増殖する．ウイルスは単体では増殖能をもたず，感染した宿主細胞を利用して核酸の複製，タンパク質を合成して増殖する（偏性細胞内寄生性）．

1．構造

1）ウイルスの基本構造（図Ｉ-3-9）

ウイルスは，遺伝情報を担うウイルス核酸と，それを包む**カプシド**とよばれるタンパク質の殻で構成された粒子である．ウイルス核酸とカプシドをあわせたものを**ヌクレオカプシド**とよぶ．ウイルスの種類によっては，カプシドの外側に**エンベロープ**とよばれる脂質二重膜をもつものもある．感染力をもつ完全なウイルス粒子を**ビリオン**とよぶ．エンベロープをもたないウイルスでは，ヌクレオカプシドはビリオンに相当するが，エンベロープをもつウイルスでは，ヌクレオカプシドに加えてエンベロープもビリオンの構成成分である．

2）ウイルス核酸

ウイルス核酸は，DNA か RNA のどちらか一方をもち，DNA ウイルスか RNA ウイルスに大別される（図Ｉ-3-10）．それぞれに，一本鎖と二本鎖のものがあり，一本鎖 DNA，二本鎖 DNA，一本鎖 RNA*，二本鎖 RNA の 4 種類である．DNA の多くは線状であるが，環状のものもある．また，RNA は通常 1 分子であるが，いくつかの分節になっているものもある．DNA ウイルスの増殖時には，一度 RNA に変換されてからタンパク質が合成される．RNA ウイルスの場合，ゲノムが一本鎖（＋）のウイルスでは RNA がそのままメッセンジャー RNA〈mRNA〉として働くが，二本鎖や一本鎖（－）のウイルスではそれらを鋳型にして，一度 mRNA をつくらなければならない．

＊一本鎖 RNA
mRNA と同じ塩基配列をもつものをプラス鎖（＋鎖）といい，mRNA と相補的な塩基配列をもつものをマイナス鎖（－鎖）といいます．

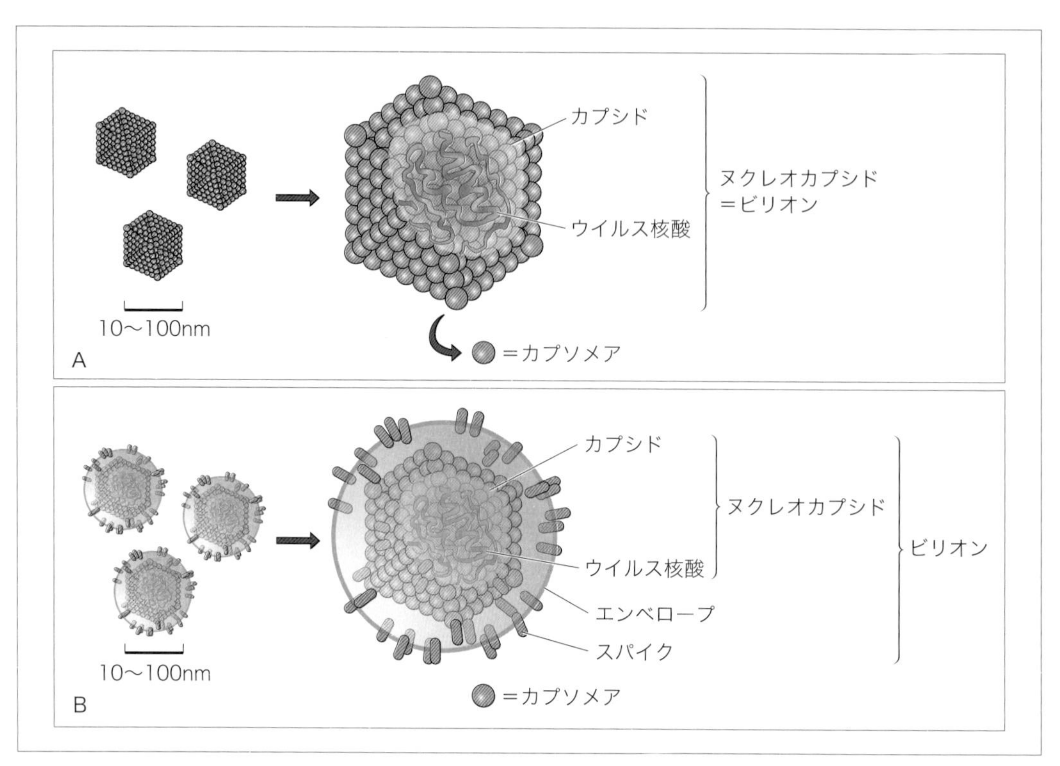

図Ⅰ-3-9　ウイルスの構造

A：エンベロープをもたないウイルス．B：エンベロープをもつウイルス．

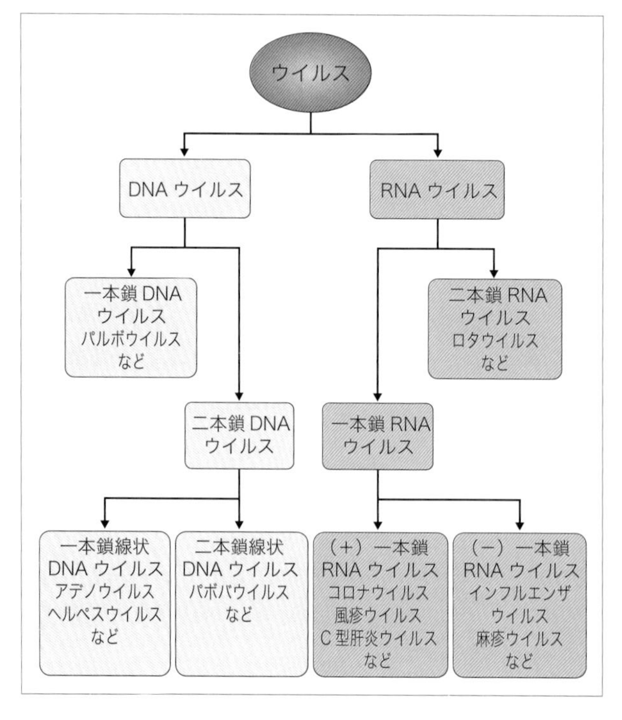

図Ⅰ-3-10　ウイルスの分類

ウイルスはもっている核酸の種類により，DNA ウイルスと RNA ウイルスに分類される．

アルコール消毒のポイントは

ウイルスのエンベロープは，一般にアルコール感受性が高いです（薬剤の影響を受けること）．そのため，エンベロープを有するウイルスは，消毒用アルコールで殺滅できます．例外は，B型肝炎ウイルスで，アルコールに抵抗性のエンベロープを有しています．一方，エンベロープをもたないウイルスに対しては，消毒用アルコールではなく次亜塩素酸ナトリウムなどを用いて消毒します．ウイルス消毒薬を正しく選択するためには，III編２章で各ウイルスのエンベロープ有無を確認するとよいでしょう．

3）カプシド

ウイルス核酸を包みこむカプシドは，ウイルス核酸がもつ遺伝情報に基づいてつくられている．カプシドは，カプソメアとよばれる同じ構造をもつ小さなタンパク質が規則的に並んで構成されている．対称性であることが多く，正二十面体やらせん状のものが代表的である．カプシドは，内部のウイルス核酸を保護し，ビリオンを宿主細胞表面の受容体に結合させることにより，ウイルスの宿主域を決定するとともに，ウイルスの抗原性を決定するという役割を担っている．

4）エンベロープ

ウイルスのなかには，ヌクレオカプシドが宿主細胞の表面から出芽し，宿主の細胞膜や核膜の一部をエンベロープとしてまとって完全なビリオンとなるものがある．ウイルスの種類によっては，コロナウイルスのようにエンベロープ上にスパイクをもつものもある．スパイクは宿主細胞への吸着や侵入，さらには免疫機構から逃れるために重要な働きをする．また，カプシドとエンベロープの間に，テグメントとよばれるタンパク質をもつものもある．

2. 増殖

ウイルスはそれ自身では増殖することができないため，ほかの生物の生きた細胞に感染することで増殖する．ウイルスは宿主細胞に吸着，侵入した後，脱殻（だっかく）によりウイルス核酸をもとにゲノムの複製や遺伝子の発現を行う．細胞内でウイルス粒子が作製されると，宿主細胞外へ放出される（図Ⅰ-3-11）．

1）宿主細胞への吸着

ウイルスの感染は，ウイルスが細胞表面のウイルスに対する受容体に吸着することにより始まる．受容体の種類はウイルスによって異なるため，その受容体をもたないほかの細胞には感染できない．そのため，特定のウイルスが感染できる動物種

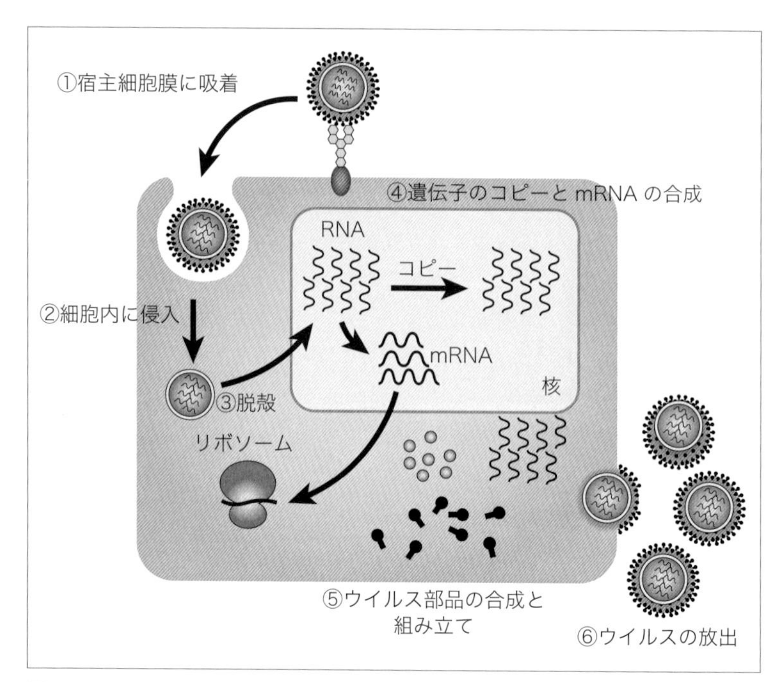

図Ⅰ-3-11　インフルエンザウイルスの増殖

インフルエンザウイルスは宿主細胞に吸着，侵入した後，脱殻によりウイルス核酸を細胞内に送り込み，その核酸をもとにゲノムの複製や遺伝子の発現を行う．ウイルス粒子が組み立てられると細胞外へ放出される．

や組織などが限定される（宿主特異性）．

2）宿主細胞への侵入と脱殻

細胞に吸着したウイルスは，続いて，細胞内に侵入する．エンベロープをもたないウイルスは，エンドサイトーシスとよばれる機構により細胞内に取り込まれる．また，エンベロープをもつウイルスは，エンベロープが宿主の細胞膜と融合することにより細胞内に侵入し，細胞のもつ酵素の作用によりカプシドが消化され，ウイルス核酸が細胞内へ遊離する．この過程を**脱殻**という．脱殻により核酸が細胞内に遊離し，再びウイルス粒子を形成するまでの間，感染宿主内では見かけ上，ウイルス粒子はみとめられない．この期間を**暗黒期**とよぶ．

3）素材の合成と組み立て

細胞内に遊離したウイルス核酸の遺伝情報は，mRNA に転写，もしくはウイルス核酸自身が mRNA として働くことにより，ウイルスタンパク質に翻訳される．ウイルスタンパク質は，ウイルス核酸が遺伝情報を複製するために必要な酵素タンパク質群とウイルス粒子を組み立てる構造タンパク質からなる．

素材の合成が進行すると，ウイルス核酸や構成タンパク質が集合して，ウイルス粒子が組み立てられる．DNA ウイルスの多くは，宿主核内で組み立てられる．一方，RNA ウイルスは細胞質で組み立てられる．

4）ウイルス粒子の放出

細胞内で組み立てられたウイルス粒子は，成熟したウイルスとして細胞外へ放出される．エンベロープをもたないウイルスは，細胞内で形成されたヌクレオカプシドが細胞膜を破って，細胞外へ放出される．エンベロープをもつウイルスは，宿主の細胞膜もしくは核膜に包まれて成熟し，細胞外へ放出される．

3 真菌

1．構造

細菌と真菌*は構造に大きな違いがある．細菌は原核生物であるが，真菌はヒトなどの動物細胞と同じ**真核生物**である（表Ⅰ-3-2）．真菌細胞には，核を細胞質から隔てる核膜があり，小胞体，ゴルジ装置*，ミトコンドリアなどの細胞小器官が発達している．

＊真菌
パンやビールをつくる酵母，糸状菌（青カビや白カビ），キノコなどが仲間です．

＊ゴルジ装置
ゴルジ装置は，ゴルジ体とゴルジ小胞から構成されます．リボソームでつくられたタンパク質を修飾し，分泌する働きがあります．

1）形態

真菌細胞の基本形態は菌糸形と酵母形である（図Ⅰ-3-12）．

(1) 菌糸形

菌糸は，幅 2〜5μm の管状構造であり，これらが絡み合って繊維状の塊（菌糸体）

表Ⅰ-3-2　真核生物と原核生物の比較

	真核生物（核膜を伴う核構造をもつ）		原核生物（核膜をもたない）
	ヒト（動物細胞）	真菌	細菌
基本構造	ミトコンドリア，細胞膜，小胞体，核膜，核，リボソーム，ゴルジ装置	細胞壁，細胞膜，核膜，核，リボソーム	細胞壁，細胞膜，核様体，リボソーム
細胞壁の有無	なし	あり	
細胞壁の主成分		β-D-グルカン，マンナン，キチン	ペプチドグリカン
細胞膜の脂質成分	コレステロールを含む	エルゴステロールを含む	ステロール系はなし
リボソーム	80S		70S
リボソーム以外の細胞小器官	あり（小胞体，ゴルジ装置，ミトコンドリアなど）		なし

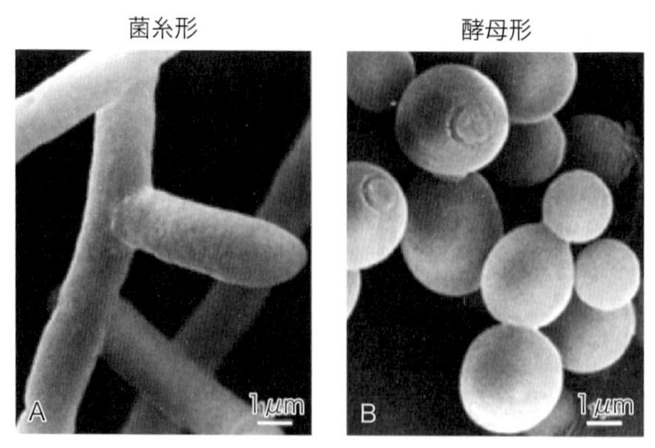

図Ⅰ-3-12　**真菌の形態と分類**

A：菌糸形．管状構造をとり，長い 1 本の菌糸が分岐しながら増殖する．
B：酵母形．球形または長球形をとり，出芽や分裂により増殖する．
（浜田茂幸ほか編：口腔微生物学・免疫学．医歯薬出版，東京，2010．）

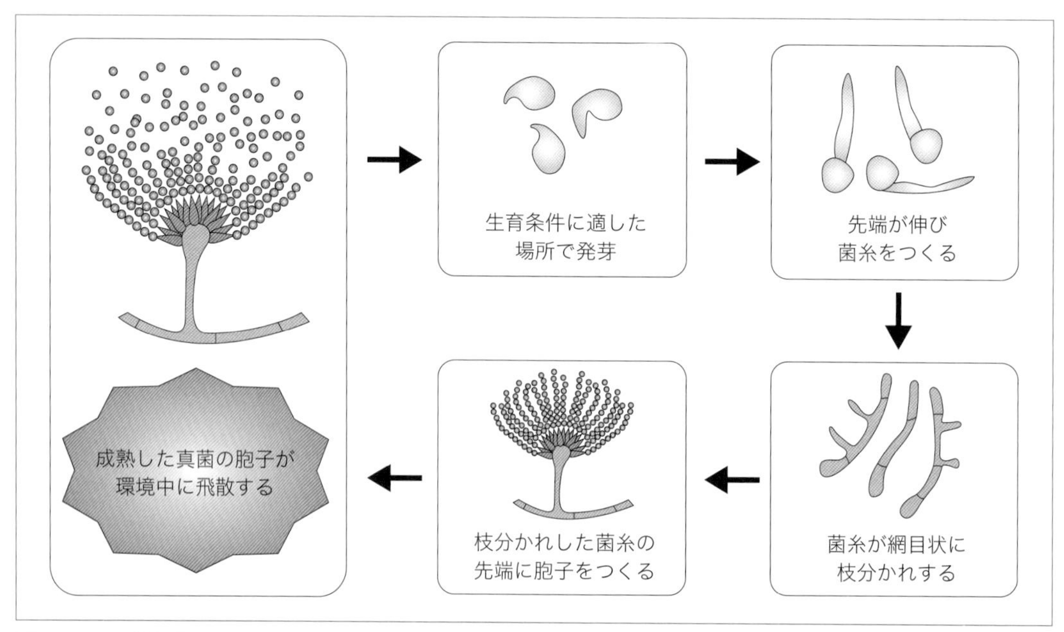

図Ⅰ-3-13　**糸状菌の増殖**

糸状菌の増殖は胞子の発芽から始まる．発芽した胞子は一端から伸長し，長い糸状の菌糸をつくって成長していく．菌糸の先端には胞子がつくられ，成熟すると環境中に放出される．

を形成することがある．生活環のすべての時期にわたって，菌糸形をとって生活する真菌を**糸状菌**，または**菌糸状真菌**という．

真菌の増殖は，胞子の発芽から始まる．胞子は，適当な温度と水分条件下において発芽する（図Ⅰ-3-13）．発芽した胞子は，一端から伸長し，長い糸状の菌糸をつくって成長する．菌糸は分裂しないが，ところどころで網目状に枝分かれする．枝分かれした菌糸の先端に新たな胞子をつくり，成熟した胞子を環境中に飛散させる．

(2) 酵母形

酵母細胞は径3〜5 μm の球形または長球形をとり，出芽または2分裂で増殖する（図Ⅰ-3-14）．出芽による増殖は，母細胞の一部が突出し，ここに娘（じょう）細胞が形成される．母細胞の核が分裂し，娘細胞の中に移行し，成長して母細胞から切り離される．この様式で増える酵母を**出芽酵母**とよぶ．また，細菌と同じように2分裂により増殖する酵母は分裂酵母という．

(3) 二形性

特定の環境条件下において，菌糸形と酵母形のいずれか，もしくは，両方の発育形態をとる真菌を二形性真菌という．二形性真菌には，病原性真菌が多数含まれ，なかでも，*Candida albicans*（カンジダ アルビカンス）は歯科では最も重要である（図Ⅰ-3-15，p.101参照）．

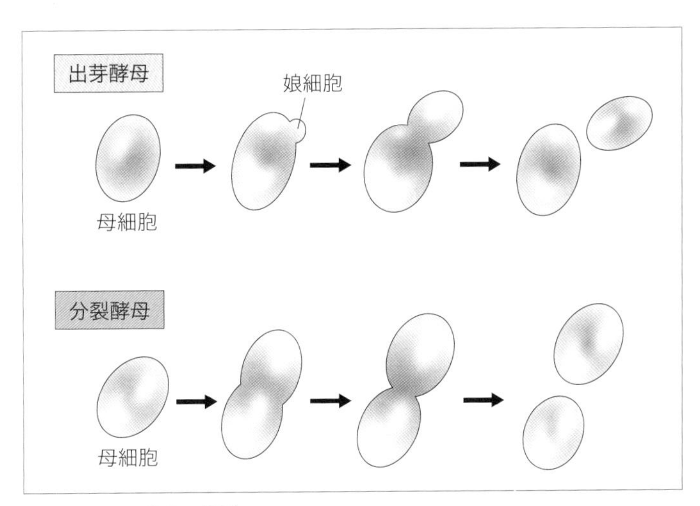

図Ⅰ-3-14　**酵母の増殖**
酵母は出芽により増殖する出芽酵母と2分裂により増殖する分裂酵母に分けられる．

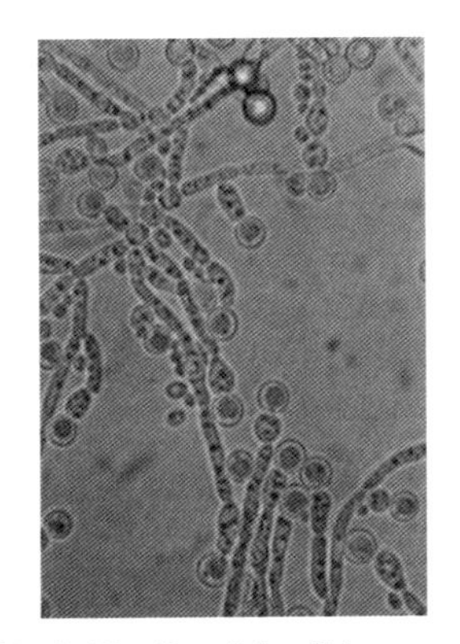

図Ⅰ-3-15　*Candida albicans*
コーンミール培地上で培養した*Candida albicans*で形成された厚膜胞子
（桑原章吾，清水喜八郎編：臨床細菌学アトラス改訂第2版，文光堂，東京，1983）

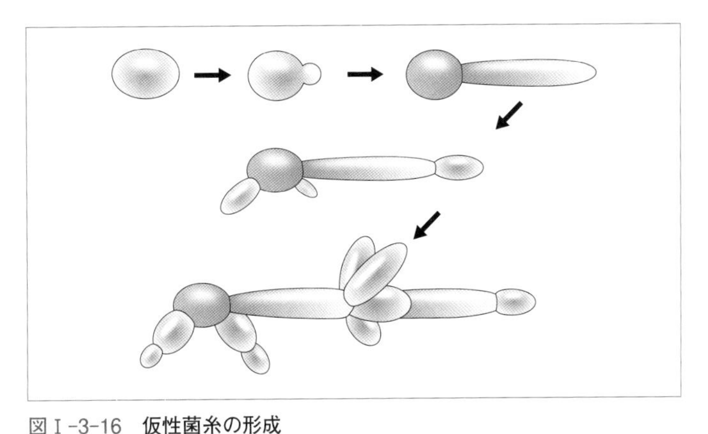

図Ⅰ-3-16　**仮性菌糸の形成**
酵母も培養条件によっては長く伸長し，菌糸のような形態を示すことがあり，仮性菌糸とよぶ．

二形性真菌の酵母では，培養条件によって，出芽した娘細胞の分裂が遅れる，もしくは起こらないことがある．この場合，娘細胞は母細胞につながった状態で伸長し，その先端では新しい世代の娘細胞がつくられる．このような過程でつくられた菌糸状の構造体を仮性菌糸という（図Ⅰ-3-16）．

2）真菌細胞の構造（表Ⅰ-3-2）

(1) 細胞壁

真菌にも細菌と同じように細胞壁がある．真菌の細胞壁の骨格構造は，β-D-グルカン，マンナン，キチンであり，菌糸形と酵母形ではその組成が異なる．菌糸形ではβ-D-グルカンとキチンが多く，酵母形ではマンナンが多い．

(2) 細胞膜

細胞膜の主成分は脂質とタンパク質である点は，動物細胞や細菌と同じである．しかし，細胞膜のステロールは**エルゴステロール**であり，動物細胞のコレステロールとも異なる．これらは真菌に特有の特徴で，この細胞学的特徴を利用して，選択性の高い抗真菌薬がつくられている．

(3) 細胞小器官

真菌の細胞内構造は細菌よりも動物細胞と似ている．細胞内に核膜に包まれた核，小胞体やミトコンドリアなどの細胞小器官をもつ．

2. 増殖

真菌は基本的に無性生殖で増殖するが，多くの真菌は生息環境によって有性生殖を行うことができる．一般的に，環境が生息に適しているときは無性生殖を行い，不利な環境下では有性生殖を行う（図Ⅰ-3-17）．

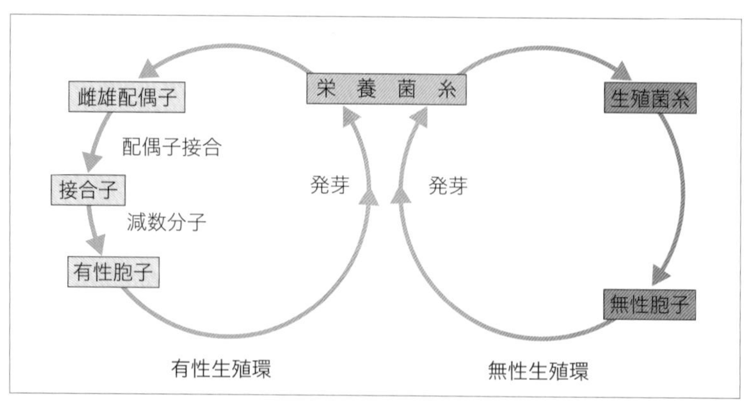

図Ⅰ-3-17 **真菌の生活環**

真菌の基本的な生活環は優性生活環と無性生活環からなる．

1）無性世代と有性世代

菌糸の先端につくられる胞子による増殖と酵母の出芽と２分裂による増殖は，どちらも無性的である．この場合の胞子を無性胞子とよぶ．一方，真菌には性の区別があり，交配によって核融合が起こり，減数分裂により有性胞子を形成することもできる．

真菌の増殖様式は，無性生殖を行う無性世代と有性生殖を行う有性世代に大別される．一般的に，感染病巣から検出される真菌は無性世代である．

2）胞子の形成

真菌の大部分は胞子を形成する．多彩な形態をとることから，真菌の分類においても重要である．胞子には有性胞子と無性胞子がある．有性胞子は雄株と雌株の交配により生じる．

参考文献

1）吉田眞一，柳 雄介，吉開泰信編：戸田新細菌学　改訂 34 版．南山堂，東京，2013.
2）神谷 茂監修／錫谷達夫，松本哲哉編：標準微生物学 第 14 版．医学書院，東京，2021.
3）川端重忠，小松澤 均，大原直也，寺尾 豊編：口腔微生物学・免疫学　第 5 版．医歯薬出版，東京，2021.
4）山口英世：病原真菌と真菌症　改訂 4 版．南山堂，東京，2007.
5）全国歯科衛生士教育協議会監修：最新歯科衛生士教本　疾病の成り立ち及び回復過程の促進 2 微生物学．医歯薬出版，東京，2011.

4章 微生物の培養，観察と検査

到達目標
- ❶ 細菌の培養法，観察法および検査法を概説できる．
- ❷ ウイルスの培養法，観察法および検査法を概説できる．
- ❸ 真菌の培養法，観察法および検査法を概説できる．

1 培養法

感染症の予防・治療に際しては，原因となる微生物や患者の示す免疫応答の検査・診断が必要となる．病原体の検査では，臨床検体から微生物を分離・検出し，同定する．その際，微生物の1個体がきわめて微小であるため，人工的に培養することで同一性状の微生物を増殖させ，検査の操作性を向上させることが多い．あるいは，ワクチンや検査用試薬の製造などを目的とし，微生物を大量培養することもある．

細菌，ウイルス，および真菌は，それぞれ増殖様式が異なるため，それら性状に適した条件と方法で培養する必要がある．

1．細菌の培養法と培地

1）好気培養と嫌気培養

細菌が増殖する際の酸素要求度に応じて，好気性菌と嫌気性菌に大別される．一般には，より詳細な以下の4つに分類されることが多い（表Ⅰ-4-1）．通常の細菌培養は，増菌に適した37℃で行う．しかし，低温でも増殖可能な細菌を分離するため，あるいは低温や高温時にのみ示す形質を利用するために，37℃と異なる温度で培養することもある．

表Ⅰ-4-1　酸素要求度による細菌の分類

名称	特徴
微好気性菌	大気よりも低い酸素濃度で発育する細菌．
偏性好気性菌	生育には酸素が必須な細菌．好気性菌とよばれることもある．
通性嫌気性菌	酸素の有無に関わらず増殖できる細菌．好気性菌とよばれることもある．
偏性嫌気性菌	大気の酸素濃度では生育できない細菌．嫌気性菌とよばれることもある．

図Ⅰ-4-1　振盪培養装置

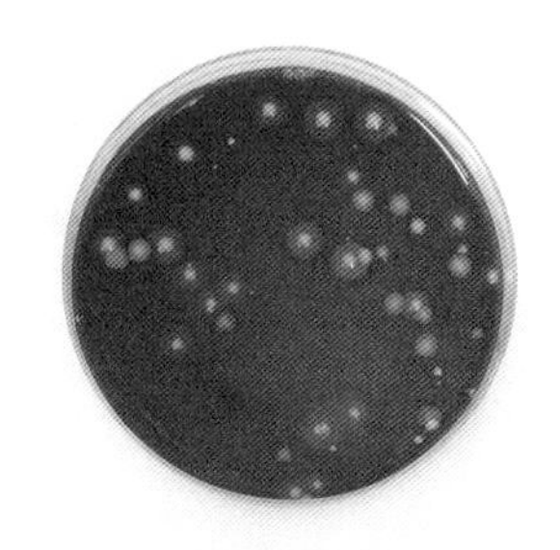

図Ⅰ-4-2　寒天平板培地上に形成された細菌コロニー

(1) 細菌の好気培養

偏性好気性菌や通性嫌気性菌は，大気と同程度の酸素が存在すると，活発に増殖できる．そこで，液体培養する際は，大気と液体中の細菌が触れ合う頻度を高めるため，シェーカー（往復運動する装置）やローテーター（回転運動する装置）を用いて振盪培養を行う（図Ⅰ-4-1）．寒天平板培地を用いた培養の場合は，大気下にて恒温培養装置〈インキュベーター〉で増菌させ，コロニー（細菌の集落）を形成させる（図Ⅰ-4-2）．

(2) 細菌の嫌気培養

偏性嫌気性菌は，大気の酸素濃度では増殖できないだけでなく，死滅することもある．代表的なものとして，歯周病原細菌があげられる（p.95参照）．そのため，歯周ポケット内の細菌を検出する際は，患者の歯周ポケットに挿入した滅菌ペーパーポイントなどをチェアサイドで速やかに専用の液体培地へ浸漬し，キャップを閉め，嫌気培養する必要がある．嫌気培養の方法としては，以下の２つがある．

❶ 嫌気培養用の装置・器具を用いた培養法

大学や研究所において，大規模あるいは多数の嫌気培養を行う場合，嫌気性チャンバーとよばれる嫌気培養用装置を用いる．大気を遮断できる空間に二酸化炭素や窒素ガスを充塡し，酸素濃度を低下させる．そして，培養する細菌に適した温度で増菌させる．歯科医院や小規模に嫌気培養する場合は，ガスパック法を用いる．ガスパック法では，酸素を吸収し二酸化炭素を発生させる触媒パックを使用する．検体と触媒パックを密閉型容器に入れ，インキュベーター内で密閉型容器ごと培養する（図Ⅰ-4-3）．

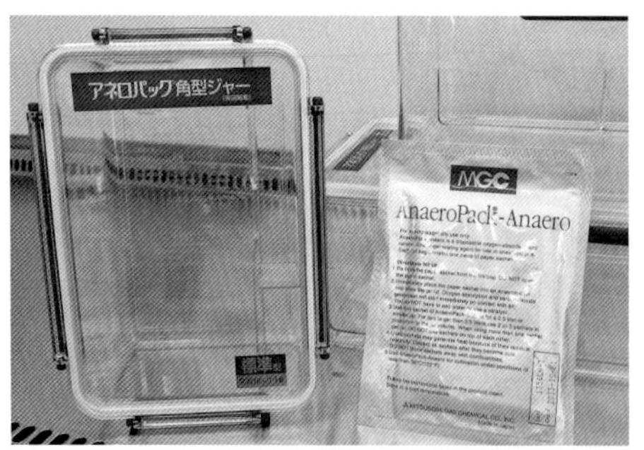

図Ⅰ-4-3　ガスパック法による嫌気性菌の培養（触媒パックと密閉型容器）

図Ⅰ-4-4　液体培地を用いた細菌培養

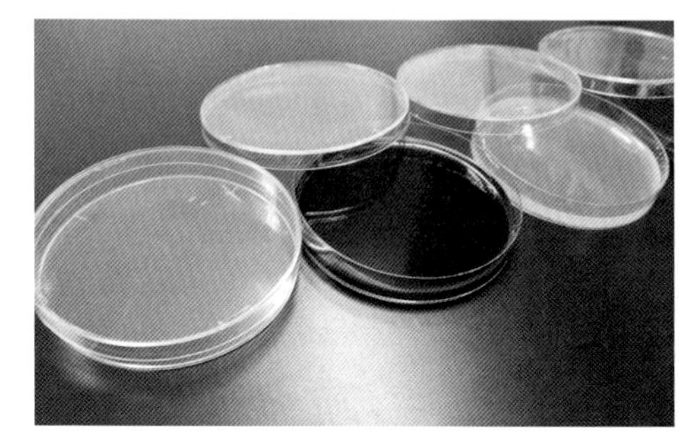

図Ⅰ-4-5　滅菌シャーレとさまざまな寒天平板培地

❷ 嫌気培養用の培地を用いた培養法

偏性嫌気性菌に酸素存在下で発育阻害が起こるのは，酸素からスーパーオキシド（活性酵素の1つ）が産生されるためである．そこで，培養する培地成分に，ブドウ糖，システイン，チオグリコール酸などを加え，スーパーオキシドを生じにくくさせる．また，培養する培地に厚みをもたせ，かつ培地表面を流動パラフィンなどで覆い，大気中の酸素が深部で発育する細菌に到達しないようにする．

2）液体培地と固形培地

（1）液体培地

細菌の増殖のみを目的とする場合は，動植物由来のタンパク質，糖，塩，各種の添加物に水を加え，オートクレーブで滅菌した液体培地を用いる（図Ⅰ-4-4）．しかし，増菌した培養液は濁りが生じるのみで，目的の細菌が増殖したのか，環境中の細菌などの混入があるのかは不明となる．したがって，患者検体から特定の細菌を分離し増殖させることには適していない．細菌の分離・培養には，次の固形培地を用いる．

（2）固形培地

液体培地に，1.5%前後の寒天粉末を加え，121℃で20分加熱し，無菌的に滅菌シャーレなどへ分注して作製する（図Ⅰ-4-5）．寒天平板培地などとよばれ，細菌の分離・同定に加え，一定期間の細菌保存に用いられる．分離培養する細菌の特性に合わせた添加物を加えることで，他細菌の増殖を抑制し，標的細菌のみを選択的

表Ⅰ-4-2　口腔細菌分離培地

分離菌	培地の組成		培養条件
口腔レンサ球菌	ミティス・サリバリウス〈MS〉培地		5% CO_2
	トリプトース	1.0%	
	プロテオースペプトン	0.5%	
	ペプトン	0.5%	
	グルコース	0.1%	
	スクロース	5%	
	K_2HPO_4	0.4%	
	トリパンブルー	75 μg/mL	
	クリスタルバイオレット	0.8 μg/mL	
	寒天	1.5%	
S. mutans, *S. sobrinus*	ミュータンスレンサ球菌選択培地〈MSB 培地〉		5% CO_2
	MS 培地に以下を追加		
	スクロース	15%	
	バシトラシン*	0.2 U/mL	
	グラミシジン D*	2 μg/mL	
	コリスチン*	10 μg/mL	
	ナリジクス酸*	10 μg/mL	
A. actinomycetemcomitans	TSBYE 寒天培地		5% CO_2
	トリプチケースソイ寒天培地	4%	
	イーストエキス	0.1%	
	馬血清	10%	
	バシトラシン*	75 μg/mL	
	バンコマイシン*	5 μg/mL	
Porphyromonas 属	黒色色素産生性嫌気性桿菌用選択培地〈CDC バクテロイデス培地〉		嫌気
Prevotella 属	トリプチケースソイ寒天培地	3%	
	ウサギ脱繊維血液	10%	
	ヘミン*	5 μg/mL	
	メナジオン*	0.5 μg/mL	
	カナマイシン*	200 μg/mL	

* 121℃，15 分滅菌後に加える

に培養させることも可能となる．これを**選択培地**とよぶ．歯科に関連する代表的な選択培地を表Ⅰ-4-2 に示す．

2. ウイルスの培養法と培地

ウイルスは，**偏性細胞内寄生性**であり，生きた細胞中でのみ増殖する．そのため，ウイルスの培養では，**組織培養法**，**鶏卵培養法**，および小動物を用いた方法が行われる．また，ウイルスはⅠ編 3 章に記載のとおり，特定の細胞へのみ感染する**宿主特異性**を示す．そのため，組織培養法では，分離培養する標的ウイルスに合わせ，HeLa 細胞，Vero 細胞，MDCK 細胞などの培養細胞の種類を使い分ける．組織培養法には，ウイルス増殖性が悪いという欠点がある一方，増殖ウイルスに突然変異が生じにくい特性があり，オリジナルのウイルスを培養する際に適している．

鶏卵培養法は，ウイルスの増殖効率が高いことから，ワクチン用ウイルス培養に用いられてきた．しかし，増殖過程で突然変異（抗原変異）が起こり，ワクチンの有効性が変化することも知られている．

表Ⅰ-4-3　サブロー寒天培地の組成

ペプトン	10 g
グルコース	40 g
寒天	15 g
pH 5.6 に調整し，水	1 L

マウスなどの小動物を用いた培養法は，主に研究目的で実験室にて行われる．

3. 真菌の培養法と培地

真菌は，多様な環境中で活発に増殖できる．そのため，**義歯性カンジダ症**（p.101 参照）などの患者から，原因真菌（*Candida albicans* など）を分離培養する場合は，その他の口腔細菌の増殖を抑制する工夫が講じられる．代表的な真菌選択培地が，**サブロー寒天培地**である（表Ⅰ-4-3）．酸性条件のサブロー寒天培地で，かつ低温（25～30℃）で好気培養する．*Candida* 属の菌種を判別する目的で，クロモアガー・カンジダ寒天培地も使用される．**グロコット染色**で黒染される（p.155，図Ⅲ-4-3 参照）．

2 細菌の顕微鏡観察法

直径が約 1 μm の細菌を観察するためには，顕微鏡を用いる．現在，顕微鏡はさまざまな機能により細分化されており，目的に応じて使い分ける．

1. 光学顕微鏡 ※広義には 2～3 も光学顕微鏡

光学顕微鏡は，観察対象の試料〈サンプル〉に光を照射し，対物と接眼レンズによって結像させて観察する．観察可能な倍率は 100 倍程度であるが，油浸の対物レンズを用いることで 1000 倍の解像度が可能となる．原理上，0.1 nm まで追随できるため，直径約 1 μm の細菌が観察できる（図Ⅰ-4-6）．光学顕微鏡による細菌の観察には，グラム染色などの処理が必要であることから，塗抹時に細菌は死滅しており，生きた細菌の運動性は観察できない．

2. 位相差顕微鏡：細菌の運動性が観察できる

光が観察対象を透過する際，性状の違いにより屈折率に位相差が生じる．その位相差を明暗〈コントラスト〉に変換することで，染色しなくとも試料を観察できる．そのため，生きたままの細菌が運動する様子も検鏡できる．位相板を備えた光学顕

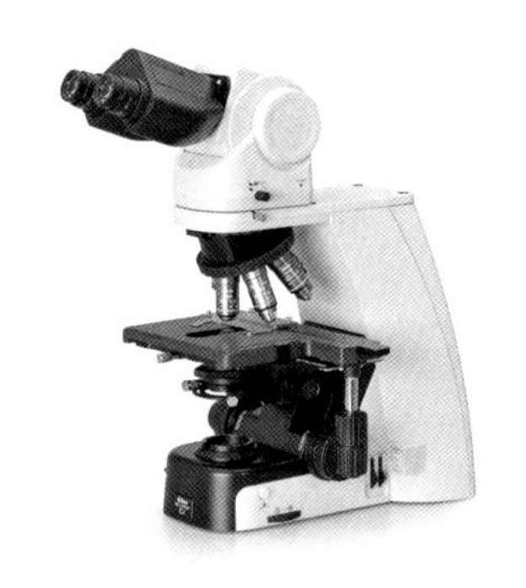

図Ⅰ-4-6 **光学顕微鏡**
（株式会社ニコンソリューションズ提供）

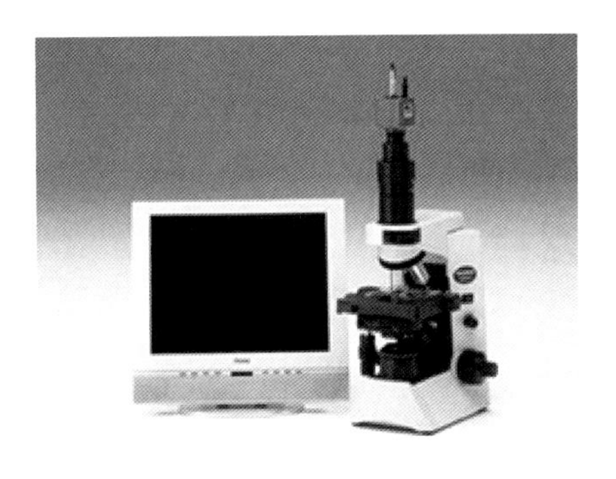

図Ⅰ-4-7 **位相差顕微鏡**
（株式会社エビデント・オリンパス提供）

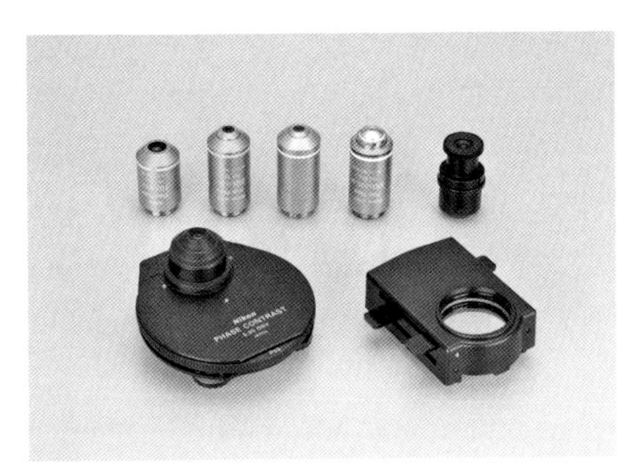

図Ⅰ-4-8 **位相差用の拡張部品**
（株式会社ニコンソリューションズ提供）

図Ⅰ-4-9 **暗視野用の拡張部品**
（株式会社ニコンソリューションズ提供）

微鏡が位相差顕微鏡（図Ⅰ-4-7）であり，通常の光学顕微鏡を拡張するアクセサリも販売されている（図Ⅰ-4-8）．

3. 暗視野顕微鏡：細菌の運動性が観察できる

光学顕微鏡に専用の暗視野コンデンサーを取り付け，観察試料による散乱光を観察する（図Ⅰ-4-9）．染色操作なしで試料を観察できるため，運動性細菌の観察に適している．歯科診療室では，患者のプラークを採取した後，そのままチェアサイドで観察可能となる．*Treponema denticola*（トレポネーマ デンティコーラ）などが存在する場合，運動性のらせん菌像を観ることができ，患者へのプラークの説明やブラッシング指導などにも活用できる．

3 微生物の検査方法

1. グラム染色法

細菌は無色透明であることから，顕微鏡観察を行う前には染色を行うことが多い．最も多用されるのが，**グラム染色法**である．染色操作を以下に記す．

①**クリスタルバイオレット染色**：細菌の細胞壁を青紫に染める．

②ルゴール処理：**ヨード・ヨウ化カリウム溶液〈ルゴール液〉**で，細胞壁に沈着したクリスタルバイオレットを不溶性へ転換し強固に結合させる．

③アルコール脱色：細胞壁と強固に結合したクリスタルバイオレットのみを残し，余剰な染色液はアルコールで洗い流す．この際，厚い細胞壁の**グラム陽性菌は青紫色**（図Ⅰ-4-10）が残存する．一方，細胞壁の薄いグラム陰性菌は，無色に近い状態となる．

④**サフラニン染色**：上述の段階で無色となった**グラム陰性菌は赤紫色**（図Ⅰ-4-11）にサフラニン染色される．青紫色に染まったグラム陽性菌には，サフラニンの色調は反映されない．

2. イムノクロマト法

抗原抗体反応（p.174 参照）を利用した感染症の検査法である．各種の迅速診断キットが開発されたことにより，臨床で広く活用されている．微生物の感染部位に合わせ，咽頭や鼻腔の拭（ぬぐ）い液，血液，あるいは尿などの患者検体を採取する．微生物（抗原）が感染している場合，採取検体中の抗原が診断キット内の標的微生物に特異的な抗体と免疫複合体を形成する．次いで，診断キットの判定窓に塗布された二次抗体と反応し，色素を放出する（図Ⅰ-4-12）．

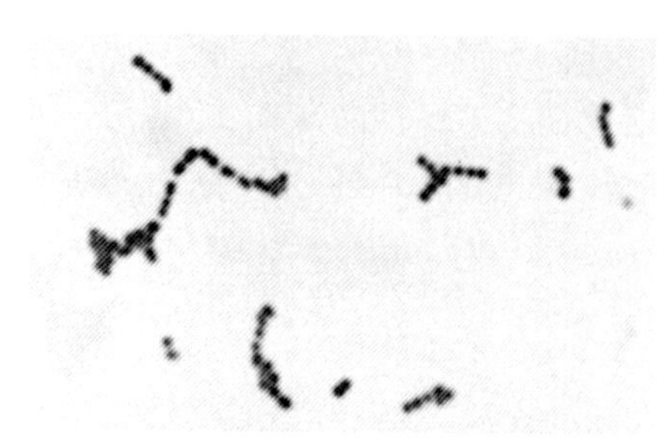

図Ⅰ-4-10　グラム陽性菌のグラム染色像

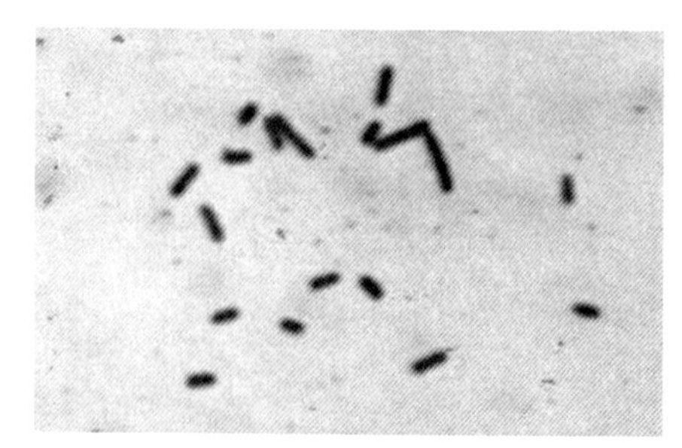

図Ⅰ-4-11　グラム陰性菌のグラム染色像

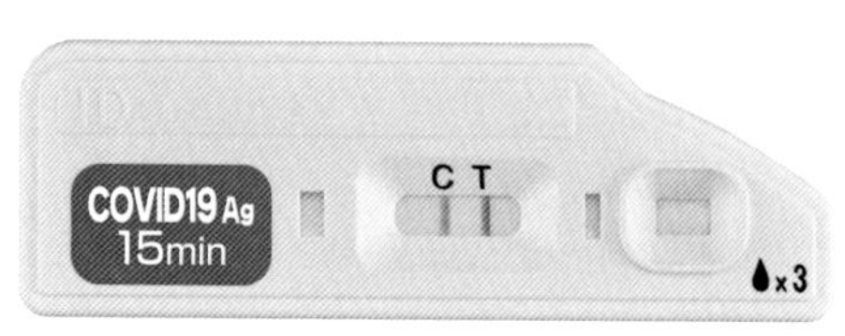

図Ⅰ-4-12　イムノクロマト法の迅速診断キット
（デンカ株式会社提供）

3. PCR検査〈遺伝子増幅法〉

Polymerase Chain Reactionを略して**PCR検査**とよぶ．微少量の標的DNAであっても，特異的に短時間で検出レベルにまで増幅する方法である．検出したい微生物のDNA情報に基づき，特異性の高いプライマー*を準備さえすれば，さまざまな種類の微生物やヒトのDNAが混在していても，目的の微生物DNAのみを増幅できる．通常のPCR検査では，感染微生物の有無のみが判別できる．

さらにPCR検査を改良した**リアルタイムPCR検査**では，感染微生物の量までを調べることができる．そのため，定量的PCR検査ともよばれる．

検査用の試薬や条件が確立されている場合，より短時間かつ簡便な装置で行える**LAMP法**を用いる．LAMPはLoop-Mediated Isothermal Amplificationの略で，改良PCR検査の1つである．

＊プライマー

PCR検査で遺伝子を増幅させる際には，標的遺伝子の先頭部分と終末部分に，それぞれ特異的かつ相補的（Aに対してT，Cに対してG）な塩基配列を準備します．その相補的な塩基配列をプライマーとよびます．DNAが複製されるときには，プライマーを起点として反応が始まるため，2つのプライマーで挟まれた領域のみが増幅します．

PCR検査〈遺伝子増幅法〉とPCR〈プラーク コントロール レコード〉

新型コロナウイルスの検査で有名になったのが，PCR検査〈遺伝子増幅法〉です．検査装置で感知できるように，ごく少量のウイルスなどの遺伝子を人工的に増幅させる方法がPolymerase Chain Reactionであり，頭文字を取ってPCRとよびます．

一方，歯科臨床で頻用されるPCRは，Plaque Control Recordの略であり，歯面に付着するプラーク量を数値化した指数を表します．

5章 化学療法

到達目標

❶ 化学療法の目的および副作用を説明できる.
❷ 化学療法の種類と作用機序を説明できる.
❸ 薬剤耐性の機序を説明できる.
❹ 歯科臨床で使用する化学療法薬を説明できる.

1 化学療法薬

1. 化学療法薬とは

化学療法とは，ヒトが感染症に罹患したとき，投与した化学物質の働きによって病原微生物の増殖を阻止し，生体防御機能と協力して生体を感染症から治癒させる治療法である．このときに用いる化学物質を，**化学療法薬***といい，化学療法薬が寄生体のみに発揮する毒性を**選択毒性**という．

化学療法は，症状を軽減させる**対症療法**とは異なり，原因となる微生物を直接標的として排除する**原因除去療法**である．

＊化学療法薬
化学療法薬のうち，細菌に対して作用するものを抗菌薬，ウイルスに対して作用するものを抗ウイルス薬，真菌に対して作用するものを抗真菌薬，原虫に対して作用するものを抗原虫薬とよびます．また，腫瘍に対して作用するものを抗腫瘍薬とよびます．

1）選択毒性

選択毒性とは，宿主には存在しない寄生体のみがもつ構造（細胞壁など）や機能（酵素活性など）に対して薬が作用することにより，生体に対しては**毒性**が低く，病原微生物に対してのみに高い毒性を示す薬の性質をいう．

化学療法薬が作用する薬の標的部位を**作用点**とよび，その構造は，細菌のみがもつ**細胞壁（ペプチドグリカン）**（p.13 参照）であったり，ヒトとは大きさやアミノ酸配列の異なる細菌の**リボソーム***であったりする（図Ⅰ-5-1）．

＊リボソーム
細胞内におけるタンパク質の“製造工場”です．ゲノムDNAの転写情報に沿ってアミノ酸を連結することによって，タンパク質の原料となるペプチドを合成します．真核細胞のリボソーム［80S：60S＋40S］と原核細胞のリボソーム［70S：50S＋30S］とでは，構成するサブユニットの大きさが異なる（図Ⅰ-5-1）ため，化学療法薬の示す選択毒性の作用点となります．

化学療法薬の示す毒性は，宿主と寄生体との間で大きさが異なり，かつその毒性は寄生体に対するほうが大きい，すなわち選択毒性が大きくなければならない．この毒性の大きさの差を数値で表すためには，下記の**化学療法指数**が用いられており，この値が**0.1 以下**でなければならない．

$$\text{化学療法指数} = \frac{\text{宿主体内で効果を発揮させるために必要な最小投与量［最小有効量］}}{\text{宿主に中毒は起こすが死には至らせない最大投与量［最大耐量］}}$$

抗菌薬の場合は，この値が0.1 よりも小さければ小さいほど，**抗菌性**は高くなる．

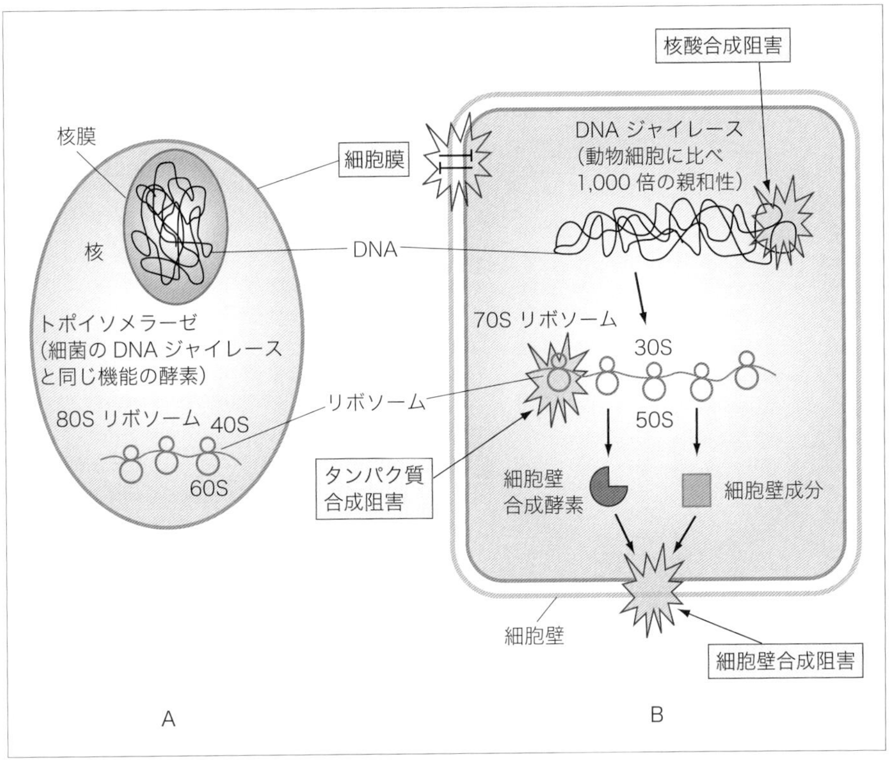

図Ⅰ-5-1　**選択毒性と主な抗菌薬の作用点**

A：動物細胞（真核細胞），B：細菌細胞（原核細胞）

抗菌薬は，真核細胞には存在しない構造，あるいは真核細胞とは構造や組成の異なる細菌細胞のもつ酵素や基質などを作用点とすることで，細菌のみに毒性（選択毒性）を発揮する．

2）殺菌作用と静菌作用

化学療法薬のうち，細菌のみを標的とする薬剤を**抗菌薬**という．

多くの抗菌薬は，細菌の代謝系に作用して細菌の増殖を阻害する性質，すなわち抗菌性を発揮する．その結果，細菌を死滅させるもの（**殺菌作用**）と，薬剤が有効な濃度で細菌と共存する間だけ細菌の増殖を阻止するもの（**静菌作用**）がある．殺菌作用を示すものには，**細胞壁合成阻害薬**，**核酸合成阻害薬**，**タンパク質合成阻害薬**（アミノ配糖体系），および**細胞膜傷害薬**があり，静菌作用を示すものには**タンパク質合成阻害薬**（テトラサイクリンなど）がある．

2．抗菌薬の種類

細菌感染症に用いる化学療法薬すなわち**抗菌薬**は，作用点の違いによって，細胞壁合成阻害薬，タンパク質合成阻害薬，核酸合成阻害薬，および細胞膜傷害薬の4つに大別される（図Ⅰ-5-1，表Ⅰ-5-1）

表 I -5-1　さまざまな抗菌薬の作用点と抗菌スペクトル

作用点による分類		抗菌薬	病原微生物 グラム陽性菌	グラム陰性菌	マイコプラズマ	リケッチア	クラミジア
細胞壁合成阻害	ペニシリン系薬						
	天然ペニシリン	ペニシリン G	■	■			
	狭義半合成ペニシリン	メチシリン，フェネシリン，プロピシリン	■	■			
	広域半合成ペニシリン	アンピシリン，アモキシシリン	■	■			
	セフェム系薬		■	■			
	第一世代	セファレキシン，セファクロル，セフォチアム	■	■			
	第二世代	セフォチアム，セフメタゾール，セフロキシムアキセチル	■	■			
	第三世代	セフォタキシム，ラタモキセフ，セフィキシム	■	■			
	第四世代	セフピロム，セフォピム	■	■			
タンパク質合成阻害	マクロライド系薬	エリスロマイシン，オレアンドマイシン ジョサマイシン，ロイコマイシン スピラマイシン，ロキタマイシン	■		■	■	■
	テトラサイクリン系薬	テトラサイクリン，クロルテトラサイクリン オキシテトラサイクリン，ミノサイクリン	■	■	■	■	■
	アミノ配糖体系薬	ストレプトマイシン，カナマイシン ジベカシン，アミカシン トブラマイシン，ゲンタマイシン	■	■			
核酸合成阻害	キノロン系薬	ノルフロキサシン，オフロキサシン エノキサシン，シプロフロキサシン	■	■	■	■	■
細胞膜傷害	環状ペプチド系薬	ポリミキシン B，コリスチン			■		

■ 有効

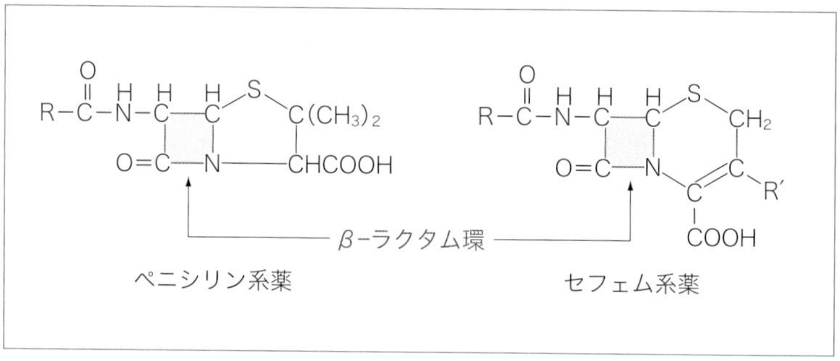

β-ラクタム環

ペニシリン系薬　セフェム系薬

図 I -5-2　βラクタム系薬の化学構造

1）細胞壁合成阻害薬

(1) β-ラクタム系薬

1928 年に Alexander Fleming（アレクサンダー・フレミング）が発見した青カビの産生産物**ペニシリン**に始まる．1942 年に単離されたベンジルペニシリン（ペニシリン G）をはじめ，いずれの薬剤も**β-ラクタム環**を構造にもち（図 I -5-2），**ペニシリン系薬**と**セフェム**（セファロスポリン）**系薬**とに大別されるが，β-ラクタム環が細胞壁の合成を阻害することで，抗菌性を発揮する．一方，この抗菌薬に**耐性**を示す細菌すなわち（**薬剤**）**耐性菌**は，β-ラクタマーゼ（主にペニシリン系薬に作用するペニシリナーゼと，主にセフェム系薬に作用するセファロスポリナーゼがある）という酵素を産生し，β-ラクタム環を加水分解する．このため薬剤は抗菌性を失い，細菌はβ-ラクタム系薬に対して耐性となる．または，ある耐性菌は，薬の作用点に類似した“おとり”タンパク質を細菌細胞内で合成し，それが薬と結合することで耐性を示す．

❶ ペニシリン系薬

ペニシリンG（天然ペニシリン）や広範囲の抗菌作用をもつアモキシシリン（歯科で多用される），また，β-ラクタマーゼに安定であるメチシリンなどがある．

❷ セフェム系薬

開発時期によって，第一世代から第四世代に分類される．第一世代には，広い抗菌域をもつが**β-ラクタマーゼ**で分解されるセファレキシンなどがあり，第二世代には，β-ラクタマーゼに安定であるセフォメタゾールなど，第三世代には，さらにβ-ラクタマーゼに安定となったセフォタキシムなど，第四世代には，さらに広い抗菌スペクトルをもつセフピロムなどがある．

(2) バンコマイシン

β-ラクタム系薬とは異なる機序で，細菌細胞壁（図Ⅰ-5-1）の合成を阻害する．**多剤耐性**を示す**メチシリン耐性黄色ブドウ球菌〈MRSA〉**（p.109 参照）に有効な薬剤である．一方，この薬剤の頻用により，腸球菌群にも多剤耐性が生じており，**バンコマイシン耐性腸球菌〈VRE〉**（p.109，p.114 参照）が代表である．

2）タンパク質合成阻害薬

(1) マクロライド系薬

細菌リボソームの50Sサブユニット（図Ⅰ-5-1）に結合しタンパク質合成を阻害することにより抗菌性を発揮する．エリスロマイシン，クラリスロマイシン，アジスロマイシンなどがある．一般に，グラム陽性菌に対しての作用が強い．一方，グラム陰性菌にはあまり効果的でない．しかし，歯科領域で感染症を起こす嫌気性グラム陰性桿菌には有効である．

(2) テトラサイクリン系薬

細菌リボソームの30Sサブユニット（図Ⅰ-5-1）に結合して，タンパク質合成を阻害する．テトラサイクリンやミノサイクリンなどがある．広い抗菌スペクトルを示し，リケッチア，クラミジア，マイコプラズマにも抗菌性を示すため，これらによる感染症の第一選択薬である．歯科領域では歯周病原細菌の多くが感受性を示すため，有効な薬剤である．副作用として，**歯の着色**などがあるため，8歳未満の小児に投与する際は，注意が必要である．

(3) アミノ配糖体系薬

細菌リボソームの30Sサブユニット（図Ⅰ-5-1）に結合して，タンパク質の合成を阻害する．ストレプトマイシン，カナマイシンなどがある．グラム陰性菌に効果があるが，歯科領域で感染症を起こす嫌気性菌には，効果が弱い．副作用には，第Ⅷ脳神経障害による**難聴**などがある．

3）核酸合成阻害薬

(1) キノロン系薬

細菌DNAの複製を司る酵素であるDNAジャイレース（図Ⅰ-5-1）を標的とすることにより，細菌DNAの合成を阻害する．抗菌性を高めるためにフッ素を導入したオフロキサシンやレボフロキサシンは，フルオロキノロンあるいはニューキノロンとよばれる．同じ働きをする酵素はヒトを含めた動物の細胞にもあるが，細菌の酵素とはその構造などが異なるため，選択毒性は高い．歯科領域では，β-ラクタム系薬に次いで使用頻度が高い．

4）細胞膜傷害薬

(1) 環状ペプチド系薬

薬剤分子がグラム陰性菌外膜および細胞膜に結合することにより，細菌細胞膜を破壊する．さらに，細菌細胞の呼吸も阻害することによって殺菌作用を示す．ポリミキシンBやコリスチンがある．腎毒性や神経毒性は高いが，多剤耐性グラム陰性桿菌感染症に対する“最終手段”として用いられている．

3. 抗菌スペクトルと抗菌力の測定

1）抗菌スペクトル

抗菌薬の標的となる微生物の種類は，薬の種類により異なる．また，前述したように，その作用にも殺菌作用と静菌作用とがある．これらの点が，微生物の種類を選ばず殺菌作用を示す**消毒薬**との大きな違いである．一方，消毒薬は，細菌細胞の外部からタンパク質を変性させたり膜構造を直接破壊したりするので，選択毒性もきわめて低く，感染した（すなわち生体内で増殖している）微生物に対して用いることができない．抗菌薬は，微生物に固有の代謝や構造を標的とするので，共通の作用点をもった微生物のグループにしか，抗菌性を発揮しない．このように，ある化学療法薬が抗菌性を発揮すると規定の微生物グループの範囲を，太陽光をプリズムに通したときに観察される7つの色の帯スペクトルになぞらえて，**抗菌スペクトル**とよぶ．抗菌薬を用いる際には，この抗菌スペクトルを考慮して薬剤を選択しなければならない．広範囲の微生物に対して抗菌性を発揮する薬剤を，**広域抗菌スペクトル**をもつ薬剤すなわち，**広域化学療法薬**〈広域抗菌薬〉という．表Ⅰ-5-1に代表的な抗菌薬とその抗菌スペクトルを示す．

2）抗菌力の測定

(1) 薬剤感受性試験

ある化学療法薬により，細菌の増殖が阻止された場合，その細菌はその薬剤に**感受性**を示したという．感受性の大きさは，細菌の増殖を阻止する薬剤の濃度で表される．低濃度であるほど感受性は高いが，薬剤の感受性は菌種または菌株で異なる場合がある．そこで感染症を有効に治療するためには，感染を起こしている菌株を用いた**薬剤感受性試験**が行われる．

なお，薬剤感受性試験には，以下に示す**希釈法**と**拡散法**（感受性ディスク法）とがある．

❶ 希釈法

希釈法では，薬剤を2倍ずつ希釈した連続希釈系列を用意し，そこに調べたい菌株を接種して至適条件下で培養し，どの希釈段階で菌の発育が初めて阻止されたかを判定する．このとき，発育が阻止された最大希釈倍率の濃度を**最小発育阻止濃度**〈minimal inhibitory concentration：**MIC**〉とよび，このMICをもって，調べた菌株の感受性の大きさを表す．

❷ 拡散法（感受性ディスク法）

拡散法では，調べたい菌株を寒天平板に塗布し，その上に一定量の薬剤をしみこませた濾紙（ろし）（感受性ディスク）を載せ，至適条件下で培養する．ディスクに含まれた薬剤は寒天内を同心円状に拡散し，濃度勾配がつくられ，ディスクから遠ざかるほど薬剤濃度は低くなる．菌株がその薬剤に対して感受性を示せば，菌株が感受性を示す濃度で薬剤が拡散している領域の培地には微生物は生育しない．この生育しない領域を発育阻止円または単純に**阻止円**とよぶ．阻止円の有無，またその直径を測定し，感受性の大きさを評価する（図Ⅰ-5-3）．

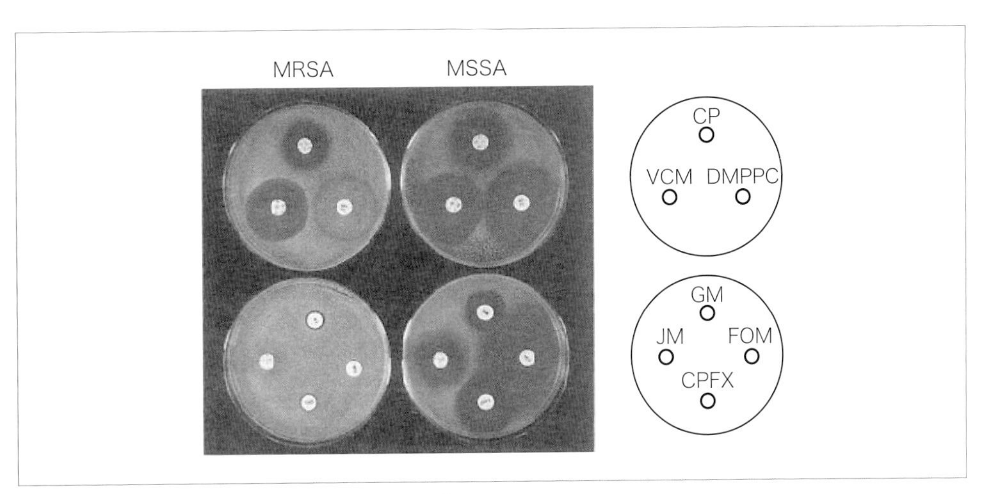

図Ⅰ-5-3　**薬剤感受性試験（感受性ディスク法）**

黄色ブドウ球菌メチシリン耐性株〈MRSA株〉とメチシリン感受性株〈MSSA株〉の場合を示す．このMRSA株はCP〈クロラムフェニコール〉とVCM〈バンコマイシン〉に感受性であり，薬剤を含むディスクの周りに阻止円が生じている．しかし，DMPPC〈メチシリン〉，GM〈ゲンタマイシン〉，JM〈ジョサマイシン〉，CPFX〈シプロフロキサシン〉，FOM〈ホスマイシン〉には非感受性で，阻止円の形成がみられない（DMPPCでディスクから離れた所にやや増殖が抑制されているが，MRSAの場合には，ときとしてこのような現象が観察される）．一方，MSSA株ではこれらすべての薬剤に感受性であるため，阻止円の形成が認められる．

4. 薬剤耐性

抗菌薬の抗菌性が発揮されれば，宿主体内で増殖している病原細菌の増殖自体が阻止されるため，抗菌薬は対症療法薬とは大いに異なる．しかし，抗菌薬の頻回な使用や長期の使用，患者の自己判断による使用の中止は，耐性菌出現の危険性を高める．ちなみに，ペニシリンGが単離された当初，抗菌性は絶大であった．しかし，まもなくペニシリンGの存在下でも増殖の阻止されない細菌が出現した．このように，抗菌薬の使用当初には感受性を示した菌株の細胞群の中に，その薬剤に感受性を示さなくなる細菌細胞が現れることがある．この場合，菌がその薬剤に対する**耐性**を獲得したという．また，（薬剤）耐性を獲得した菌を**（薬剤）耐性菌**という．

薬剤耐性を示す機序は図Ⅰ-5-4に示すように，3つに大別される．

①薬剤の不活性化：微生物が薬剤を不活性化する酵素の産生遺伝子を獲得し，その薬剤を分解あるいは化学修飾することにより，薬剤の抗微生物性を失わせたり，薬剤の作用点への薬剤の親和性を低下させたりする．

②作用点の変異：微生物の細胞に存在する薬剤の作用点で構造変化が起こり，作用点の薬剤への親和性を低下させたり，薬剤の標的となる酵素が多量に産生されることにより薬剤による失活作用を受けていない“無傷の”酵素によって微生物の代謝が営まれたりするため，薬剤存在下でも微生物の増殖が維持されようになる．

③薬剤蓄積量の減少：微生物の細胞膜などの透過性や輸送系の変化によって薬剤が微生物内部に入れなかったり，いったん微生物内に入った薬剤が排出ポンプによって微生物外に排出され，微生物内での薬剤の蓄積量が減少したりするため，微生物

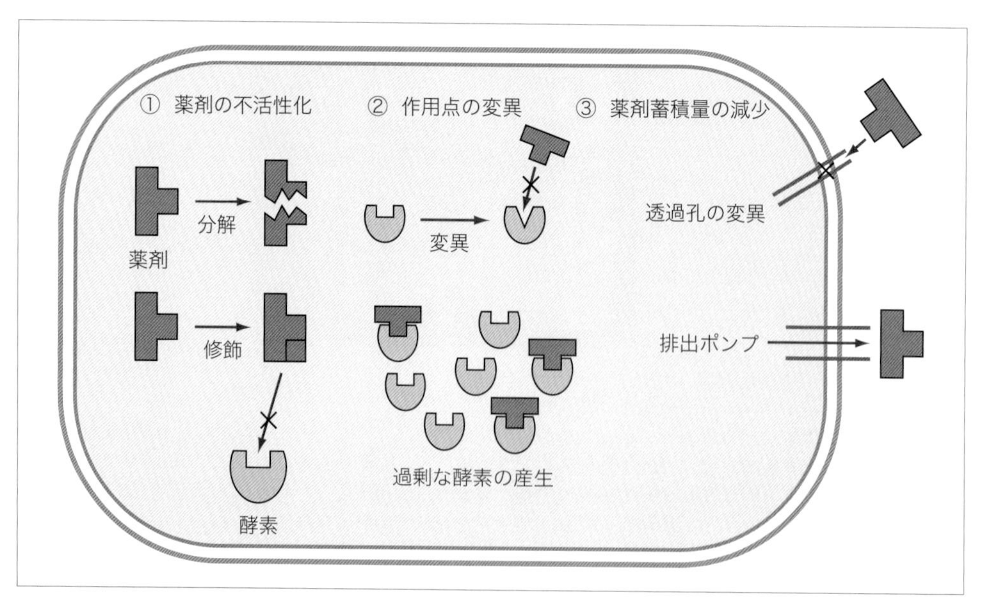

図Ⅰ-5-4 薬剤耐性機序

細菌は薬剤に対して種々の耐性機構をもっている．大きく耐性機構を分けると，①薬剤の不活性化，②作用点の変異，③薬剤蓄積量の減少がある．

*プラスミド
細菌のゲノムDNAから離れて存在し，独立して複製する小さな環状DNA．薬剤耐性や毒素生産性などに関わる遺伝子が存在します．ベクターとして遺伝子組み換え技術に多用されています．

*トランスポゾン
動く遺伝子すなわち染色体上を動き回ることができる特徴的な構造をもったDNAのこと．薬剤耐性遺伝子がトランスポゾンとして転移する場合があります．

*バクテリオファージの溶原
細菌に感染するウイルス．バクテリオファージに感染された細菌は，溶菌して死滅する場合とファージの遺伝子を取り込むことなどによって，薬剤耐性を獲得することがあります．

の増殖が維持される．

（薬剤）耐性獲得の機序は大きく2つに分類される．1つは，微生物が薬剤に曝露されることにより，微生物の遺伝子に突然変異が誘発され，耐性化を起こすというもの．もう1つは，耐性遺伝子を外来性に獲得するというものである．耐性遺伝子獲得の手段には，**プラスミド***，**トランスポゾン***，**バクテリオファージ**の溶原*などがある．

ある薬剤に耐性を示す微生物が，その薬剤と同一系統のすなわち化学構造の類似した薬剤に対しても耐性を示すことを**交差耐性**という．一方，同一系統を含む複数の系統の化学療法薬に同時に耐性を示すことを**多剤耐性**という．メチシリン耐性黄色ブドウ球菌〈MRSA〉，バンコマイシン耐性腸球菌〈VRE〉，AB菌〈*Acinetobacter baumanni*（アシネートバクター・バウマンニ）〉は代表的な**多剤耐性菌**であり，**院内感染**の原因菌として近年大きな社会問題となっている．国内医療施設で院内感染を引き起こす薬剤耐性菌のうち，MRSAが約90%を占める．

薬剤耐性は，ほとんどの薬剤・菌種で認められ，化学療法にとって最も重大な阻害因子である．微生物の耐性化を防ぐためには，抗菌薬などの化学療法薬を濫用（らんよう）しないことが重要である．

5. 副作用（有害作用）

薬には，開発時に期待された作用以外の作用，すなわち**副作用**を示すことがある．副作用は，ヒトに対して**有害な作用**を及ぼすことがある．したがって，抗菌薬の使用にあたっては，患者の症状や生理状態および他剤との併用状況などと併せ，この副作用をよく理解したうえで用いなければならない．

副作用には，クロラムフェニコールによる再生不良性貧血，テトラサイクリンによる新生児の歯の着色，ストレプトマイシンによる第Ⅷ脳神経障害（難聴など），アミカシンによる腎障害，およびリファンピシンによる肝障害など，直接的な臓器障害と，ペニシリン系薬・セファロスポリン系薬に対するアレルギー反応としてのアナフィラキシーショック（p.183参照）などがある．

AMR対策アクションプラン

新型コロナの影響は多大ですが，将来の薬剤耐性〈Antimicrobial Resistance：AMR〉の影響は，それ以上と警告されています．薬剤耐性は名前のとおり，元々は効果的だったのが，耐性ができて治療薬が効かなくなってしまった細菌やウイルスをさします．細菌やウイルスが薬剤耐性となった理由を学び，適切な対応法を理解し行動する必要性が推察できると思います．それらの学びと行動こそが，政府の定めた薬剤耐性〈AMR〉対策アクションプランとなります．

6. ウイルスに対する化学療法

1）抗ウイルス薬

ウイルスは**偏性細胞内寄生体**であるので，宿主細胞内でのみ増殖する（p.25 参照）．細菌，真菌，原虫のように，生体内に侵入しただけでは増殖できず，生体内の標的細胞内に侵入したうえで，宿主細胞の生理的機能に 100％依存して増殖する．そこで，抗ウイルス薬でウイルスの増殖を阻止することは，ヒトの細胞にも影響を及ぼす危険性が高い．そのため抗ウイルス薬の開発にあたっては，選択毒性を発揮させる作用点を見出すことが難しい．しかし近年，ウイルスに固有の酵素や増殖過程を標的としてウイルスの増殖のみを阻害する**抗ウイルス薬**が開発され，ウイルス感染症の治療に用いられている．なお，細菌感染症に用いる抗菌薬は，ウイルス感染症には無効である．

代表的な抗ウイルス薬およびその作用機序などを以下に示す．

(1) 抗ヘルペス薬

アシクロビルはウイルス感染細胞内に入った後，ウイルスの酵素によって変化を受け，ウイルス DNA の合成を阻害する．**単純ヘルペスウイルス**および**水痘（すいとう）・帯状（たいじょう）疱疹（ほうしん）ウイルス**（p.133-134 参照）による感染症に利用される．作用が強力であるにもかかわらず，副作用は比較的弱い．類似の作用機序をもつ薬には，バラシクロビル塩酸塩やファムシクロビルがある．

(2) 抗サイトメガロウイルス薬

ガンシクロビルの作用機序はアシクロビルと同様で，**ヒトサイトメガロウイルス**（p.135 参照）による感染症に使用される．副作用として好中球や血小板の減少および中枢神経症状（頭痛，けいれんなど）を起こすことがある．

(3) 抗インフルエンザウイルス薬

オセルタミビルリン酸塩，ザナミビル水和物，ラニナミビルオクタン酸エステル水和物は，**A 型**と **B 型**の**インフルエンザ**（p.142 参照）に有効で，ウイルスの表面にある酵素**ノイラミニダーゼ〈NA〉**を阻害し，増殖したウイルスが感染細胞から遊離するのを阻止することで，インフルエンザウイルスの宿主体内での感染拡大を阻止する．このほか，宿主細胞内でのウイルス核酸の合成を阻害するバロキサビルマルボキシルやファビピラビルが用いられる．

(4) 抗ヒト免疫不全ウイルス〈HIV〉薬

ビクテグラビルナトリウムやドルテグラビルナトリウムに代表される**ヒト免疫不全ウイルス〈HIV〉**（p.148 参照）の産生するインテグラーゼという酵素を阻害する“キードラッグ”と，エムトリシタビンに代表される HIV のもつ**逆転写酵素***を阻害する“バックボーン”の２剤を組み合わせて HIV の増殖を阻止するのが，標準的な治療法となっている．

***逆転写酵素**

HIV などのレトロウイルスは，自らのゲノム RNA を鋳型として DNA を合成し，宿主の DNA に組み込みます．この RNA から DNA への変換を司るのが，ウイルスのもつ逆転写酵素です．

(5) 抗 B 型肝炎ウイルス〈HBV〉薬

B 型肝炎ウイルス〈HBV〉（p.150 参照）の DNA を複製する DNA ポリメラーゼ

を阻害し，HBVの増殖を抑える．なお本剤は，ウイルス核酸に“類似した構造を有する薬”を意味する“核酸アナログ製剤”ともよばれる．ラミブジンが第一選択で用いられている．

(6) 抗C型肝炎ウイルス〈HCV〉薬

C型肝炎ウイルス〈**HCV**〉(p.152参照)による慢性肝炎の治療には，インターフェロンとリバビリンが使われてきた．しかし，2015年以降は，**ウイルスRNA**を複製するRNAポリメラーゼを阻害するソホスフビルとウイルスの増殖に必須なタンパク質を阻害するレジパスビルとを組み合わせた新薬が承認され，ほぼ100%の治癒が期待できるようになった．

7. 真菌および原虫に対する化学療法

1) 抗真菌薬

細菌と**真菌**(p.27参照)とは，**原核生物**と**真核生物**という大きな違いがあるため，細菌感染症に用いる抗菌薬は**真菌感染症**に対しては無効である．したがって，真菌による感染症には**抗真菌薬**が必要となる．しかし，真菌はヒトを含む動物と同じ真核細胞であるため，ウイルスの場合と同様，薬の選択毒性の及ぶ作用点をみつけるのが難しい．しかし，下に示す薬剤が開発され，頻用されている．歯科領域では，カンジダ属の菌，特に *Candida albicans* (p.155参照)に対する抗真菌薬が使用される．

(1) ポリエン系抗真菌薬

動物細胞の細胞膜はステロールとして**コレステロール**を含むが，真菌の細胞膜はコレステロールとは異なった構造をもつ**エルゴステロール**を含む(p.30，表Ⅰ-5-2)．そこでこの薬剤は，エルゴステロールのみに結合し，真菌の細胞膜のみを傷害して抗真菌性を発揮する．しかし，エルゴステロールはコレステロールと化学的に構造が類似しているため，薬の選択毒性は低い．したがって，副作用に注意する必要がある．**アムホテリシンB**，**ナイスタチン**，ピマリシンなどがあり，**口腔カンジダ症**(p.155参照)に対しては，**局所投与**が可能である．

(2) アゾール系合成抗真菌薬

この薬剤もエルゴステロールを標的とするが，エルゴステロールの合成を阻害することによって，真菌細胞の細胞膜を傷害する．この結果，ポリエン系と比べて副作用が弱い．イミダゾール系(ミコナゾール，ケトコナゾール)とトリアゾール系(フルコナゾール，イトラコナゾール)などがある．

(3) フルシトシン

この薬剤は，真菌DNAの合成を阻害する．副作用が少なく全身投与が可能である．酵母形真菌には効果が高いが，菌糸形真菌には抗菌性を示さない．

2）抗原虫薬

真菌の場合と同様に，宿主であるヒトと**原虫**（p.157 参照）とはともに真核生物であるため，その構造には相違点が少ない．そこで抗真菌薬同様，薬の示す選択毒性は低く，薬剤選択の幅も限られている．抗アメーバ薬であるメトロニダゾールは，膣トリコモナス症にも適用される．抗マラリア薬には，クロロキン，アトバコン・プログアニル合剤，プリマキン，およびアルテメテル・ルメファントリン合剤などがある．なお，抗寄生虫薬として分類されているイベルメクチン，この薬の基剤となったアベルメクチンは，大村 智博士が発見し，その功績で2015年にノーベル賞を受賞した．

参考文献

1）川端重忠，小松澤 均，大原直也，寺尾 豊編：口腔微生物学・免疫学　第5版．医歯薬出版，東京，2021.
2）吉田眞一，柳 雄介，吉開泰信編：戸田新細菌学　改訂34版．南山堂，東京，2013.
3）全国歯科衛生士教育協議会監修：最新歯科衛生士教本　疾病の成り立ち及び回復過程の促進 2 微生物学．医歯薬出版，東京，2011.

6章 消毒と滅菌

到達目標

❶ 消毒・滅菌の意義と原理を説明できる．
❷ 消毒法と滅菌法の種類と作用機序を説明できる．
❸ 院内感染の原因と予防法を説明できる．
❹ 標準予防策〈standard precautions〉を説明できる．
❺ 歯科臨床における消毒・滅菌および院内感染対策の重要性を理解できる．

1 定義

感染の予防には，医療器材を**無菌状態**にしたり，手指や衣服の**微生物**を除去したりすることが必須である．このために，**消毒**と**滅菌**がある．

消毒とは，少なくとも**病原微生物**を殺滅することをいう．すなわち，病原微生物の**栄養型***を殺滅することである．一方，滅菌とは病原性の有無にかかわらず，すべての微生物を殺滅または除去して無菌状態をつくることである．滅菌の結果，消毒では除去しきれなかった細菌の**耐久型***（すなわち細菌の**芽胞**）や**ウイルス**，真菌，原虫は，殺滅または除去される．

*栄養型
増殖し子孫を残す形：この形でいるときに微生物は**病原性**を発揮します．

*耐久型
休眠して外からの刺激に耐える形をいいます．

2 消毒法

100℃の**熱**を用いた**煮沸消毒法**と化学薬品を用いた**薬剤消毒法**とがある．対象物の性状や目的によって，適切な方法を選ぶ必要がある．

Link
『歯科診療補助論』p.32

1. 煮沸消毒法

細菌の芽胞以外のほとんどの病原微生物は，65℃以上の**湿熱**にさらされると**不活化**される．そこで煮沸消毒法では，対象物を100℃の熱湯の中で10～15分間煮沸する．ガラス製の注射器や，金属製の手術器具などの消毒に頻繁に用いられている．しかし，煮沸消毒法では芽胞は不活化されないので，無菌状態が必要な場合には，後述の**高圧蒸気滅菌法**などを用いる．

熱に対する微生物の抵抗性はその種によって異なる．例えば，牛乳への混入菌を不活化する場合には，60℃，30分間という**低温殺菌法**がとられている．近年では，132℃，2～10秒間で処理された高温瞬間殺菌牛乳の販売が主流である．

2. 薬剤消毒法

この方法では，**殺菌作用**をもつ化学薬品すなわち**消毒薬**を用いて対象物に存在する微生物を不活化する．消毒薬には多くの種類があり，その作用機序も有効な微生物種の範囲もさまざまである．そこで使用目的に応じ，消毒薬を適切に選択する必要がある．また，その不活化の効果は薬剤の濃度，作用時間，温度などによっても異なるので，使用条件に対する注意が必要となる．

1）消毒薬の種類と作用機序

頻用される消毒薬の水準，種類，およびその抗微生物スペクトルを表Ⅰ-6-1にまとめた．消毒薬は，**高レベル**［**高水準：グルタルアルデヒド，オルトフタルアルデヒド，過酢酸**］，**中レベル**［**中水準：消毒用エタノール，次亜塩素酸ナトリウム，ポビドンヨード**］，**低レベル**［**低水準：ベンゼトニウム塩化物，ベンザルコニウム塩化物，クロルヘキシジングルコン酸塩**，アルキルジアミノエチルグリシン塩酸塩］の３つの水準に分類されている．

(1) アルデヒド系（グルタルアルデヒド〈グルタラール〉，オルトフタルアルデヒド〈フタラール〉）

微生物のタンパク質を**変性**させることによって細胞に機能障害を起こさせ，微生

表Ⅰ-6-1　消毒薬の水準および抗微生物スペクトル

消毒薬 ＼ 微生物		細菌						真菌	ウイルス			
		グラム陽性菌			グラム陰性菌		結核菌		一般ウイルス	HBV	HCV HIV	ライノウイルス
		一般細菌	MRSA	芽胞	一般細菌	緑膿菌						
高水準（広域）	グルタラール，フタラール，過酢酸	◎	◎	◎	◎	◎	◎	◎	◎	◎	◎	◎
中水準（中域）	消毒用エタノール	◎	◎	×	◎	◎	◎	○	◎	×*	◎	×
	次亜塩素酸ナトリウム	◎	◎	○	◎	◎	○	◎	◎	◎	◎	◎
	ポビドンヨード	◎	◎	○	◎	◎	◎	◎	◎	○	◎	○
低水準（狭域**）	ベンゼトニウム塩化物	◎	○	×	◎	○	×	○	×	×	×	×
	ベンザルコニウム塩化物	◎	○	×	◎	○	×	○	×	×	×	×
	クロルヘキシジングルコン酸塩	◎	○	×	◎	○	×	○	×	×	×	×
	アルキルジアミノエチルグリシン塩酸塩	◎	○	×	◎	◎	○	○	×	×	×	×

（ICHG研究会編：歯科医療における国際標準感染予防対策テキスト滅菌・消毒・洗浄．医歯薬出版，東京，2021．改変）

消毒薬を抗微生物スペクトル別に分類すると，広域，中域，狭域の３つに分類される．
大まかに把握しておくことが望ましい．
◎：有効　○：効果弱い　×：無効
＊消毒用エタノールはHBVに対して有効との報告もあるが，ここでは厚生省保健医療局監修ウイルス肝炎研究財団編「ウイルス肝炎感染対策ガイドライン」を参考とした．
＊＊狭域スペクトルのベンゼトニウム塩化物，ベンザルコニウム塩化物，クロルヘキシジングルコン酸塩，アルキルジアミノエチルグリシン塩酸塩は一般細菌には有効であるが，緑膿菌等のブドウ糖非発酵菌が抵抗性を示す場合があるので注意する．また，調製後の綿球やガーゼ含有の分割使用は24時間以内に使用する．

表Ⅰ-6-2　次亜塩素酸ナトリウム

濃度および剤型	主な用途	取扱い上の注意	主な販売名
10％液	●血液・体液・排泄物等の有機物に汚染された器具・リネン類，環境の消毒（有効塩素濃度0.1～0.5％液：1,000～5,000 ppm）明らかな血液・排泄物の混在がある場合（0.5％液：5,000 ppm） ●医療用具の消毒（有効塩素濃度0.02～0.05％液：200～500 ppm）溶液に1分間以上浸漬するか，温溶液を用いて清拭する． ●手術室・病室・家具・物品等の消毒（有効塩素濃度0.02～0.05％液：200～500 ppm液を用いて清拭する）．	貯法：遮光して冷所保存．気密容器．	ハイポライト®10
6％液			ピューラックス® デキサント®消毒液6％
1％液	哺乳ビン，乳首の消毒 約80倍に薄めて1時間以上浸す． （0.0125％液：125 ppm）	貯法：直射日光を避け，なるべく涼しい所に密封して保管．他の容器に入れ替えないこと．	ミルトン® （一般用医薬品）

注）台所用漂白剤は約5～6％の次亜塩素酸ナトリウムと界面活性剤を含有し，環境の消毒等に使用できる．

（ICHG研究会編：歯科医療における国際標準感染予防対策テキスト滅菌・消毒・洗浄．医歯薬出版，東京，2021．）

物を不活化する．高レベル消毒が必要となる内視鏡の消毒などに使用される．金属は腐食させにくいが，刺激が強すぎるため人体への使用には適さない．なお，薬剤の希釈にあたっては，有毒なグルタルアルデヒド蒸気などの吸引に注意を要する．希釈製剤を使用することが望ましい．

(2) ハロゲン系（次亜塩素酸ナトリウム）

微生物の酵素を酸化して不活性化し，微生物を不活化する．**金属腐食性**があり，有機物が共存すると消毒活性を減弱させる．酸性環境では，有毒な塩素ガスを発生する．プラスチック，ガラス製品，血液，体液，排泄物などの消毒に使用される（表Ⅰ-6-2）．下水に流しても環境を汚染しない．

器具や器械類の消毒における第一選択薬であるが，酸化還元作用が強いため，歯科ではその金属腐食性に注意しなければならない．

(3) ハロゲン系（ポビドンヨード）

次亜塩素酸ナトリウムと同じハロゲン系であるため，類似の作用機序で，金属腐食性があり，共存有機物により効果が減弱する．術前の皮膚・粘膜の消毒など，主に生体の消毒薬として用いられる．ただし，ヨウ素過敏症の患者や甲状腺機能に異常のある患者への使用は禁忌である．

(4) アルコール系（消毒用エタノール，イソプロパノール）

微生物栄養型の細胞膜を透過して細胞内成分を変性・溶解することによる速効的な殺菌作用を示す．ただし芽胞を不活化することはできず，また，有機物に富んだ物質の内部には浸透しない．

注射部位の皮膚の消毒や体温計，医療器具の金属部位の消毒に使用される．プラスチックの劣化を招くことがあり，引火性もあるので，注意が必要である．ただし，消毒後，薬の成分は皮膚に残留しない．

Link
『薬理学』
p.176

I編 微生物学

(5) 陽イオン界面活性剤系（ベンザルコニウム塩化物，ベンゼトニウム塩化物）

微生物の代謝酵素の活性を阻害することにより，微生物の増殖を抑制する．逆性石けん（陽性石けん）であるため，硬水，陰性石けん（普通の石けん），有機物の共存によりその効果が減弱される．

皮膚および環境衛生に使用する．金属を腐食させやすい．なお，酸性環境では効果が低下，アルカリ性環境では逆に効果は向上する．

(6) 両性界面活性剤系（アルキルジアミノエチルグリシン塩酸塩）

陽イオン（殺菌作用）と陰イオン（洗浄作用）の両作用が期待される．中性付近で最も殺菌作用が強く，陰性石けんの共存により効果が減弱される．なお，べたつきがあるため，環境の消毒には適さない．

(7) 過酸化物系（過酸化水素，過マンガン酸カリウム）

発生する**活性酸素***が殺菌作用を示す．3％過酸化水素（**オキシドール**）は，薬剤を塗布した局所に存在するカタラーゼという酵素によって分解され，発泡性の活性酸素を遊離し，殺菌作用とともに発泡による機械的な洗浄作用を示す．一方 0.02〜0.05％の過マンガン酸カリウムは，うがいや尿道の粘膜，創面の洗浄に用いられる．

＊活性酸素
大気中に含まれる酸素分子が，より反応性の高い化合物に変化したものの総称．ほかの物質を酸化させる作用が非常に強い酸素のことをいい，微生物の殺滅にも用いられます．細胞に損傷を与えるため，がんや生活習慣病などさまざまな病気の発症に関与するといわれています．

(8) その他（クロルヘキシジングルコン酸塩）

グラム陰性菌よりもグラム陽性菌に対する殺菌作用のほうが強い．共存する陰性石けんおよび有機物によって効果が減弱される．金属を腐食させにくく，効果の持続性が高い．ただし，この薬品に対する過敏な患者がいるので，粘膜などに直接触れる器具などの消毒に用いた場合には，器具は滅菌水で洗浄してから使用する．

2）消毒薬の使い方

消毒薬は，適正に使用してこそ，その効果が発揮される．そこで，以下の３要素に注意して用いなければならない．また，消毒薬の有効期限を守り，原則として用時調製を行い，できるだけ速やかに使い切ることが肝要である．

(1) 濃度

用途ごとに使用濃度が指定されていれば，用途に合った濃度で使用する（例：表Ⅰ-6-2）．濃度が低すぎると効果が期待できなかったり，作用時間を長く設定しなければならなかったりする．逆に濃度が高過ぎると副作用が出たり，環境的・経済的な問題が生じたりする．

(2) 時間

消毒効果を発揮させるためは，微生物への作用時間を必要とされた時間以上とする．

(3) 温度

通常 20℃以上で使用する．温度が低いと十分な効果が得られない場合がある．

3. 温湯・熱湯消毒法

ウォッシャーディスインフェクターとよばれる機器を用いた強力な水流による洗浄と温湯，熱湯による洗浄・消毒のことである．タンパク質が熱変性を起こさない程度の微温湯を強力水流で噴射し，洗浄，さらに高温ですすぐことで微生物の希釈，除去ができる．対象物は熱に耐性な金属類，ゴム類，ガラス器具，プラスチック製品である．臨床現場で個々に実施される一次洗浄に比べて洗浄効果が高く，感染予防にも効果的である．ただし，**80℃，10分間の条件**が達成されない場合には，単に「洗浄しただけ」で，「滅菌はもちろんのこと，消毒も全く行われていない」と理解する必要がある．

3 滅菌法

滅菌には，**加熱**や**放射線照射**などの物理的な方法が頻繁に用いられる．これらの**滅菌法**は，効果が確実で有害物質の残留を心配する必要がなく，経済性にも優れているからである．一方，化学的な滅菌方法には後で述べる**エチレンオキサイドガス**〈**EOG**〉などを用いる方法もあるが，滅菌対象物への有害物質の残留や環境汚染の問題を伴う．なお，滅菌ができない器具や器械には，前述の消毒薬による化学的な消毒を行う（表Ⅰ-6-3）．

表Ⅰ-6-3　医療現場で用いられる滅菌法の特徴と適用

	高圧蒸気滅菌	低温プラズマ滅菌	EOG 滅菌	LTSF〈低温蒸気ホルムアルデヒドガス〉滅菌
滅菌時間	短い　10～50分	短い　75分	長い　2～24時間	長い　3～4時間
滅菌温度	高温　121～134℃	低温　45℃	低温　40～60℃	60℃
器材の寿命	損傷されやすい	長い	長い	長い
残留毒性	なし	なし	あり エアレーションが必要	なし
環境汚染	なし	なし	あり	なし
滅菌処理量	大	小	中	中
適　用	金属製手術器械，リネン類，ガーゼ，綿球，ガラス製品，手洗いブラシ，電動式手術器械 121℃なら特殊プラスチックや麻酔回路等も可	低温処理できるので，過酸化水素を吸着するガーゼ等繊維製品や液体を除いて広く適用がある．	縫合糸，縫合針，電気メスホルダー，コード，内視鏡，手術用器材，神経刺激電極，注射筒，人工血管，麻酔回路，プラスチック製品，除細動パドル，電動式手術器械	一般的滅菌パック

（ICHG 研究会編：歯科医療における国際標準感染予防対策テキスト滅菌・消毒・洗浄．医歯薬出版，東京，2021．改変）

1. 滅菌法の種類と機序

滅菌法には，①**加熱**（**乾熱**と**湿熱**），②**放射線照射**，③**紫外線照射**，④**濾過**などの物理的な方法と，⑤気化させたイオン（**プラズマ**）または化学物質（**ガス**）を用いる化学的な方法とがある．ただし紫外線照射では，紫外線の透過しない物質の内側は，滅菌されない．また，濾過法ではウイルスや一部の小型の細菌（リケッチア，クラミジア，マイコプラズマ）は除去できない．

1）加熱滅菌

加熱滅菌は，最も簡便で効果的な滅菌方法である．加熱には飽和蒸気中での加熱（湿熱）と大気中での加熱（乾熱）とがある．微生物は加熱によって，脱水され菌体のタンパク質が変性し，死に至る．栄養型の微生物は 100℃，5～30 分間の湿熱処理で死滅するが，細菌の耐久型である芽胞は，121℃，20 分間加熱しないと不活化されない．一般に，湿熱は乾熱よりも効果的かつ経済的である．加熱滅菌は以下のように分類される（図Ⅰ-6-1）．

(1) 火炎滅菌

アルコールランプやガスバーナーなどの火炎を使い，火炎の中で対象物を**焼却**して，微生物を殺滅する方法である．細菌実験で常用されている方法で，白金耳やピンセットに付着している細菌を殺滅したり，試験管などのガラス器具の管口を焼き，ガラス器具内への雑菌の侵入を防いだりする．白金耳は先端の細菌を直接扱う部分を，火炎の中に斜めに入れて灼熱するまで焼いたあと，白金耳の柄の金属部分も火炎の中に通し，試験管の中に入る部分が無菌となるよう処理する（図Ⅰ-6-2）．ピンセットなどは，95％エタノールに先端部を浸しておき，使用の直前に火炎中に保持することによって滅菌する．

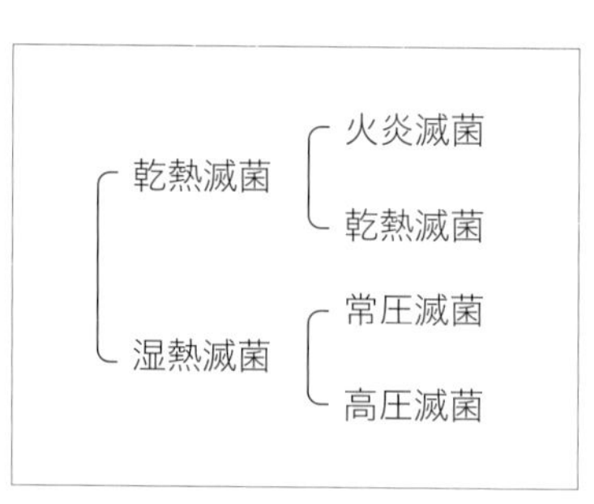

図Ⅰ-6-1 加熱による滅菌

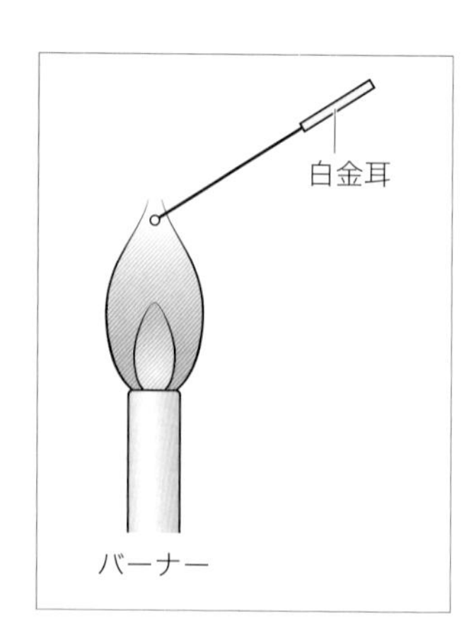

図Ⅰ-6-2 火炎滅菌
白金耳の滅菌方法．

図Ⅰ-6-3　乾熱滅菌器

（ヤマト科学株式会社提供）

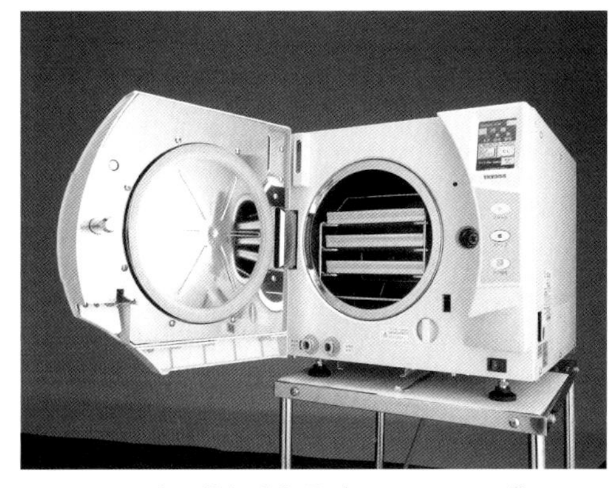

図Ⅰ-6-4　高圧蒸気滅菌器〈オートクレーブ〉

（株式会社湯山製作所提供）

表Ⅰ-6-4　オートクレーブによる滅菌の条件

温度	時間
115～118℃	30 分間
121～124℃	15～20 分間
126～129℃	10 分間
124～134℃	18 分間＋α

培養に用いる培地などでは 115℃で滅菌する必要がある場合がある．異常プリオンの混入の可能性がある場合は，134℃ 18 分間処理で異常プリオンの感染力を失わせることができる．

（川端重忠ほか編：口腔微生物学・免疫学　第 5 版．医歯薬出版，2021．）

(2) 乾熱滅菌

乾熱滅菌は，一般家庭で用いるオーブンと同じ構造の**乾熱滅菌器**（図Ⅰ-6-3）を用い，ガスや電気で大気を加熱し，庫内を 160℃・60 分もしくは 180℃・30 分間保ち，高温の空気ですべての微生物を不活化させる方法である．そのため，対象物は高温に耐える器材に限られる．主として試験管やシャーレ，ピペットなどのガラス器具や金属器具の滅菌に用いられる．

(3) 高圧蒸気滅菌

湿熱を用いる滅菌法の 1 つで，**高圧蒸気滅菌器**〈**オートクレーブ**，図Ⅰ-6-4〉を用い，高圧の蒸気で無菌状態を得る方法である．滅菌条件は**表Ⅰ-6-3** および**表Ⅰ-6-4** に示す通りであるが，**121℃，20 分間**の加熱により，芽胞をはじめ真菌やウイルスも含めたすべての微生物を殺滅することができる．最も確実な滅菌法である．また，**異常プリオン**混入の可能性がある場合でも，134℃で 18 分間処理することで，プリオンの感染性を失わせることができる．一般に，培地類は通常の高圧蒸気滅菌法で滅菌される．オートクレーブの運用費は安価であり，蒸気に対する注意（火傷および機器の破裂）を除けば危険性も低い．そこで，実験室のみならず，歯科医療の現場で最も頻繁に用いられる方法となっている．

2）その他の滅菌

(1) 放射線滅菌

放射線を照射することで，微生物内でタンパク質の不可逆的な変性や遺伝子の断裂を起こさせ，微生物を不活化する方法である．一般に，放射性同位元素であるコバルト60〈^{60}Co〉から放射される**ガンマ〈γ〉線**が用いられる．放射線は透過性が高いので，包装内部の対象物の滅菌も可能である．また，照射自体では滅菌対象物に熱が発生しないので，熱に不安定な物質の滅菌にも利用される．しかし，放射線照射には，高価で大がかりな設備が必要で，滅菌装置の取り扱いにも国家資格や特別な手技を要するため，使用は設備のある場所に限られる．プラスチック製の医療器具や細胞培養用器材などの滅菌に，主に用いられている．

(2) ガス滅菌（表Ⅰ-6-3）

ガスを用いて微生物のタンパク質を変性させ，微生物を不活化させる方法である．主として**エチレンオキサイドガス〈EOG〉**やホルムアルデヒドガスを用いることにより，細菌の芽胞の不活化が可能となる．ゴムやプラスチック製品などの加熱できないものの滅菌にも有効である．また，プラスチックの薄膜を通過するので，プラスチックで密封包装された対象物を滅菌できる．しかし，これらのガスは引火性と爆発性をもつうえ，滅菌残留物に発がん性や催奇性といった毒性も強く，また滅菌後は6時間以上放置し，空気と接触させ（エアレーション），ガスが完全になくなった後でないと滅菌対象物を使用することができないなど，注意が必要である．また，即効性にも欠けるため，近年では，後述する低温プラズマ滅菌法に置き替えられつつある．

(3) 濾過滅菌（除菌）

液体や気体を，細菌の芽胞よりも小さな孔径のフィルターを通過させることで，対象物から細菌を除去する方法である．しかし，マイコプラズマ，リケッチア，クラミジアなどの小型細菌やウイルスは，これら濾過フィルターの孔径よりも小さい細胞を含んでいたり，ビリオンであったりするので，完全に除去することができない．そのため**濾過滅菌法**は，厳密には「滅菌」とはいえない．古くは，素焼きや珪

オートクレーブの滅菌温度

歯科診療室で，毎日のように使うオートクレーブの設定温度は，120℃でも125℃でもなく121℃です．その根拠は，芽胞を殺滅できる最低温度となっているからです．もちろん，121℃以上でも滅菌できますが，余分に加熱する時間と冷ます時間，その電気代が無駄になります．正しく学ぶと，時短でエコとなります．

藻土の筒やアスベスト板などがフィルターとして使用されていたが，現在は濾過膜の穴が正確にそろえられたセルロースアセテート膜などが使われている．加熱によって変質するような薬液や血清などを除菌するのに有効な方法である．

(4) 紫外線滅菌

紫外線は，核酸を不可逆的に損傷させ，微生物を不活化させる殺菌作用をもつ．波長 260 nm 付近の殺菌灯とよばれる低圧水銀ランプを用いる．実験室や手術室の表面，器具の表面，手術室の空気の無菌化に用いられる．しかし，紫外線は透過性が低く，作用が照射面にしか及ばないため，影となった部分や対象物内部の微生物は不活化されない．また，照射線量，照射距離，照射時間によって効果は大きく左右される．プラスチック製品を劣化させるという難点もある．殺菌灯を直視したり，紫外線を皮膚に照射したりしないような注意も必要である．

(5) 低温プラズマ滅菌法 (表Ⅰ-6-3)

過酸化水素水に高周波エネルギーを与え，発生した**フリーラジカル***は，核酸や脂質を破壊するため殺菌効果を発揮する．約 45℃の低温，相対湿度が約 10%という低湿度で処理するため，多くの金属製品や非金属で熱や湿度によって変質しやすい製品の滅菌に用いられる．ただし，プラズマを吸着してしまうセルロースとプラズマが浸透しない液体の滅菌には，使用できない．そこで，対象物をセルロース製の滅菌バッグに入れたり，濡れたまま滅菌チェンバー内に入れたりしてはいけない．

*フリーラジカル
奇数個の電子をもった不安定な状態の分子のこと．一般的に短時間しか存在しませんが，反応性に富みます．宿主に対しても寄生体に対しても破壊的に作用します．

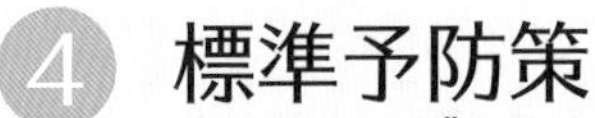

4 標準予防策〈スタンダード・プレコーション：standard precautions〉

1．感染症と院内感染対策

1) 歯科診療上留意すべき感染症

院内感染は，医療機関の受診者が，院内に存在する**感染源**から感染し，原疾患とは別に発症すること，および，医療従事者が院内で感染し，発症することをいう．

歯科診療で口腔領域以外の感染症を有する患者が来院した際には，**院内感染対策**を施しながら歯科治療を行うことができる場合と，歯科治療を行わず内科への受診を奨めたり，保健所宛てに届出を行ったりしなければならない場合とに大別される．前者の疾患には血清肝炎（HBV，HCV などによる)，HIV 感染症，成人 T 細胞白血病〈ATL〉，MRSA 感染症，緑膿菌感染症，梅毒などがあり，後者には結核，(新型および季節性）インフルエンザなどがある．

2）歯科臨床における院内感染対策

歯科診療では歯周治療や抜歯などの観血的処置が日常的に行われる．一方，手指，歯科医療用装置・器具，印象を含む技工物，さらには撮影時にエックス線フィルムが唾液に暴露されたり，口腔粘膜と接触したりすることは避けられない．このことは，歯科診療では粘膜表面や唾液中あるいは血液中に存在する微生物によって歯科医療従事者が汚染されることを意味する．さらに近年では，救急治療室の患者への歯科治療の要求度が高まった結果，医科一般の感染源に対処する必要性も増加している．そこで，歯科医療従事者も，**標準予防策**〈standard precautions〉の意義と手技とを充分に理解し，これを実践しなければならない．

院内感染発生の条件には，一般の感染症同様，以下の３つがあげられる（図Ⅰ-2-2参照）．

① **感染源**：「ヒトに病原性を示す微生物を保有するヒトを含めた動物や物体」が存在すること
② **感染経路**：「感染源から感受性宿主へ病原性微生物が到達する道筋」が存在すること
③ **感受性宿主**：「ある病原性微生物の感染を許してしまうヒト」が存在すること

これらの１つでも欠ければ，（院内）感染は発生しない．したがって，３条件のいずれかを遮断することが，院内感染に対する対策となる．医療機関を訪れる感染症患者の多くは彼ら自体が感染源で，健常者と比較すると感染症に対する免疫機能の低い感受性宿主（易感染性宿主）である可能性が高い．この観点から，最適な院内感染対策は，上記３つのうちの「**感染経路の遮断**」となる．

感染経路には直接的なものと間接的なものがある．室内換気の励行や治療用グローブなど**個人用保護具**〈personal protective equipment：**PPE**〉の着用は，直接的な「感染経路の遮断」に該当する．一方，治療用器具，印象・技工物などの接触媒介物の消毒・滅菌は，間接的な「感染経路の遮断」に該当する．1980年代までは，院内感染が多数報告されていた．しかし，**ディスポーザブル〈使い捨て〉PPE**製品の使用が日常化し，滅菌・消毒法が確立された現在では，歯科診療における院内感染は激減している（図Ⅰ-6-5A）．

院内感染対策の原則は，以下に概説する標準予防策である．

3）標準予防策〈standard precautions〉

標準予防策とは，患者に由来する血液および血液混入の可能性のあるもの，すべての体液，排泄物，分泌物（ただし汗を除く），損傷のある皮膚，および粘膜そのもの，またはそれらと接触したものをすべて**感染性物質**として扱うという基本的概念に基づく**感染予防策**のことで，院内感染対策の原則となっている．

標準予防策を歯科臨床にあてはめれば，「すべての患者を潜在的感染源とみなし，

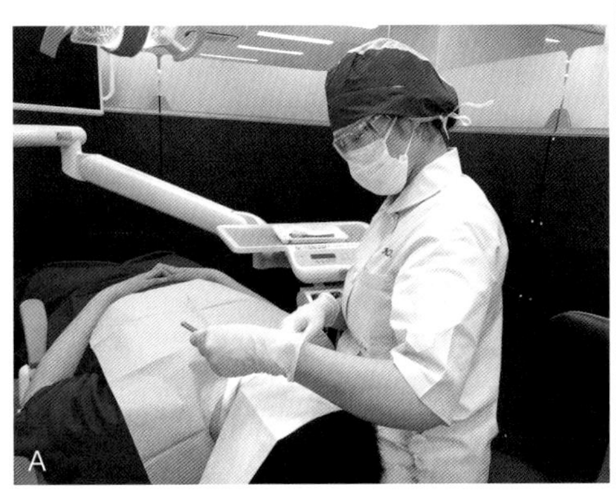

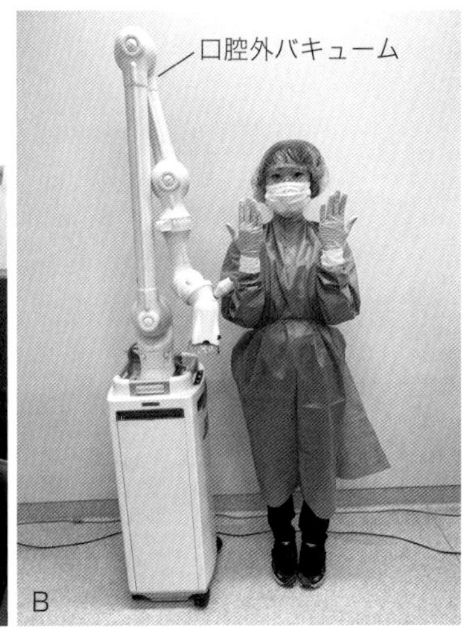

図Ⅰ-6-5　**標準予防策**

A：口腔内診察時の装備．ゴム製グローブとマスクを装着したうえで，さらにゴーグルまたはフェイスガードを着用する．

B：エアロゾル発生処置時の感染防護策．術者も診療介助者もゴム製グローブ，マスク，ゴーグルおよびキャップを装着し，診療用ガウンを着用する．さらに施術中には口腔外バキュームを稼働させ，発生するエアロゾルの拡散を防止する．

血液，唾液，口腔粘膜に接触したものを感染性物質とみなして対処する」となる．具体的には，患者の血液や唾液による**接触感染**および**飛沫感染**を含む**エアロゾル感染**を，グローブ，マスク，ゴーグル，フェイスガードの着用により防御する（図Ⅰ-6-5B）．また，患者の血液，唾液あるいは口腔粘膜と接触した歯科医療用装置・器具，印象体を含む技工物，さらにはエックス線フィルムを介しての接触感染を防ぐことである．すなわち，歯科医療用装置・器具として，ディスポーザブル製品（メスの替刃，注射針・注射筒，ガーゼなど）を適切に使用し，それらを**安全廃棄**する．そして，ミラーおよびピンセットなどの滅菌，および治療ユニット，技工物，エックス線フィルムの消毒を徹底する．

参考文献

1）ICHG 研究会編：歯科医療における国際標準感染予防対策テキスト滅菌・消毒・洗浄．医歯薬出版，東京，2021.
2）川端重忠，小松澤 均，大原直也，寺尾 豊編：口腔微生物学・免疫学　第 5 版．医歯薬出版，東京，2021.
3）中込治監修/神谷 茂，錫谷達夫編：標準微生物学　第 13 版．医学書院，東京，2018.
4）全国歯科衛生士教育協議会監修：最新歯科衛生士教本　疾病の成り立ち及び回復過程の促進 2　微生物学．医歯薬出版，東京，2011.

II 編
口腔微生物学

1章 口腔環境と常在微生物

到達目標
❶ 口腔環境の特殊性について概説できる.
❷ 感染における唾液の役割について概説できる.
❸ 口腔常在微生物叢について概説できる.

1 微生物と口腔環境

1. 唾液とペリクル

1）唾液

唾液の1日あたりの分泌量は1～1.5Lで，表Ⅱ-1-1のような生理機能がある．唾液はこれらの機能により，口腔機能を維持している．特に口腔の感染防御において重要なのは，①自浄作用，②抗菌作用，③緩衝作用，④再石灰化作用である．

(1) 自浄作用

口腔内の食物残渣，浮遊細菌，細菌の凝集塊などは唾液の流れ（フロー）により，洗い流される．これを**唾液の自浄作用**という．口腔乾燥症などで唾液の分泌量が低下したヒトでは，食物残渣や口腔細菌が停留し，プラーク形成量が顕著に増大する．その結果，う蝕，歯周病の発症リスクおよび口臭が増加する．

(2) 抗菌作用

唾液の有機成分には抗菌活性をもつものが多い．それらの作用について表Ⅱ-1-2にまとめる．

バイオフィルムとデンタルプラーク

細菌が産生して外に排出した糖に埋め込まれ，固体面に付着・不動化された細菌の集団をバイオフィルムといいます．バイオフィルムは環境，生体内など細菌，水，固体がある場所で形成されます．生体のバイオフィルムのうち，口腔に形成されるものを口腔バイオフィルムといいます．そのうち，特に歯面に形成されるものを，デンタルプラーク〈歯垢〉またはプラークといいます．う蝕と歯周病はデンタルプラークにより発症するため，口腔バイオフィルム感染症に位置づけられています．本書では「プラーク」を使用しています．

表Ⅱ-1-1 唾液の主な生理機能

①自浄作用：口腔内を洗浄する作用
②抗菌作用：口腔内微生物の増殖を抑制する作用
③緩衝作用：口腔内pHを中性に保つ作用
④再石灰化作用：酸で脱灰したエナメル質表面の修復・再石灰化作用
⑤潤滑作用：エナメル質・口腔粘膜の機械的損傷からの保護作用
⑥消化作用：唾液のα-アミラーゼによるデンプン分解作用
⑦溶解作用（味覚作用）：食物中の味物質の唾液への溶解，味蕾の受容体との結合と味覚感受作用
⑧食塊形成作用：ムチン・水分による食塊形成と咀嚼・嚥下の補助作用
⑨粘膜修復作用（粘膜保護作用）：唾液の組織増殖因子，生理活性物質による口腔内の創傷治癒および抗炎症作用

その他，排泄作用（体内に投与された薬物・化学物質の排泄），水分代謝作用（脱水状態に対応），歯質保護作用（ペリクルの形成）などがある．

表Ⅱ-1-2　唾液の有機成分の作用

種類	分子名	作用
糖タンパク質	ムチン	物理的バリア機構や微生物の凝集により感染を防ぐ.
カルシウム反応性タンパク質	高プロリンタンパク質〈PRP〉	エナメル質の脱灰を抑制し，再石灰化を促進する．歯面に吸着しペリクルを形成する．歯石形成を阻害する.
	スタセリン	歯石形成阻害，エナメル質脱灰抑制，再石灰化促進，歯面への吸着とペリクル形成に関与する.
	ヒスタチン	強い抗真菌作用がある．歯周病原細菌のプロテアーゼ活性を阻害する.
酵素（酵素系抗菌因子）	α-アミラーゼ	唾液の主要な消化酵素．ペリクル形成に関与する.
	リゾチーム	細菌の細胞壁に作用し，抗菌効果を発揮する.
非酵素系抗菌因子	ラクトフェリン	鉄結合性タンパク質．細菌の生育を阻害する.
	分泌型 IgA	唾液中で細菌やウイルスを凝集し，嚥下により排除する.
	シスタチン	細菌由来のシステインプロテアーゼを阻害することにより，歯周組織などの破壊を抑制する.
	β-ディフェンシン	微生物の細胞膜に作用する抗菌ペプチド.

(3) 緩衝作用

唾液の重炭酸イオンやリン酸イオンなどは口腔内の pH に変化が起きたとき，中性に戻す作用がある．これを**唾液の緩衝能**という．特に重炭酸イオンは最も強い緩衝作用がある．唾液 pH は安静時に 6.8〜7.0 と中性に近いが，酸性の飲食物の摂取や口腔細菌の発酵による酸の産生などにより酸性に傾く．これに対して唾液は緩衝液として働き，口腔内環境を中性に保ち，う蝕などの予防に働く．

(4) 再石灰化作用

う窩の形成に至る前の初期病変では，脱灰と再石灰化が繰り返される動的な状態にある．歯面のプラーク下では酸の蓄積によりエナメル質は脱灰される．そのプラークを除去した後，過飽和のカルシウムイオンとリン酸イオンを含む唾液にエナメル質が暴露されると，脱灰されたエナメル質の再石灰化が起こる（**図Ⅱ-1-1**）．脱灰と再石灰化のバランスにより，歯の表面はう蝕から守られている．脱灰と再石灰化のバランスが破たんして不可逆的なレベルの脱灰が起こると，再石灰化では修復できないう窩の状態となる．

2）ペリクル

ペリクル〈獲得被膜〉とは，口腔内で歯の表面に形成される薄膜状の沈着物である．厚さは 0.3〜1.0 μm で，歯冠のほぼ全域を覆う，主に唾液の糖タンパク質に由来する有機成分からなる非水溶性の被膜である．細胞や細菌を含まず，無構造である．エナメル質への付着は強固であるため，洗口や口腔清掃では除去できない．

(1) ペリクルの構成成分

アミノ酸，唾液タンパク質などのタンパク質，糖質，唾液のカルシウムイオンや

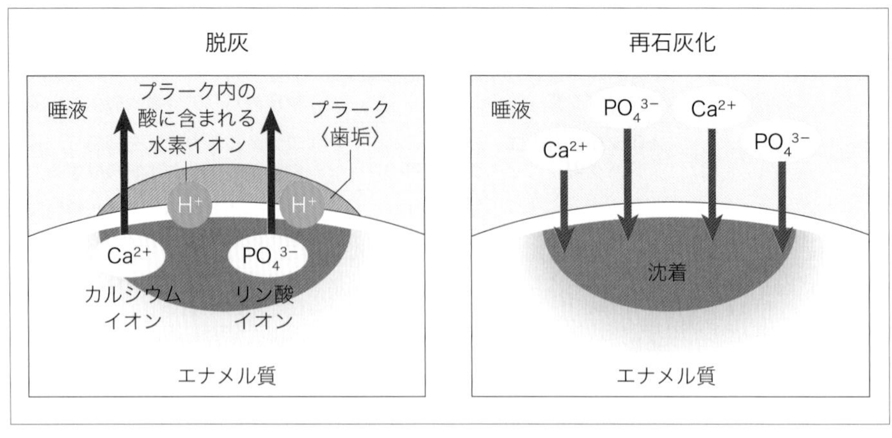

図Ⅱ-1-1 エナメル質の脱灰と再石灰化

リン酸イオンなどの無機成分が含まれる.

(2) ペリクルの構造（図Ⅱ-1-2）

ペリクルは形成位置により，表面下ペリクル（エナメル質内部に侵入する網目構造），表面ペリクル（エナメル質表面に形成される層），表面上ペリクル（表面ペリクル上にさらに唾液タンパク質が蓄積する層）がある．表面上ペリクルは色素が沈着し，しばしば褐色がかった色調を呈するので，着色ペリクルともいわれる．この着色はステインとして審美上の障害となる.

(3) ペリクルの生理機能

ペリクルは歯に対する保護作用と口腔細菌の付着を誘導する作用をもつ．つまり，ペリクルはう蝕発症に関する防御作用（①②）と促進作用（③④）の二面性をもつ.

①歯面への酸の透過性を低下させエナメル質の脱灰を抑制する.

②歯面から外へのカルシウムイオンやリン酸イオンの拡散を妨げ，エナメル質を再石灰化する.

③歯面への細菌の付着を選択的に誘導し，プラーク形成の土台となるため，う蝕

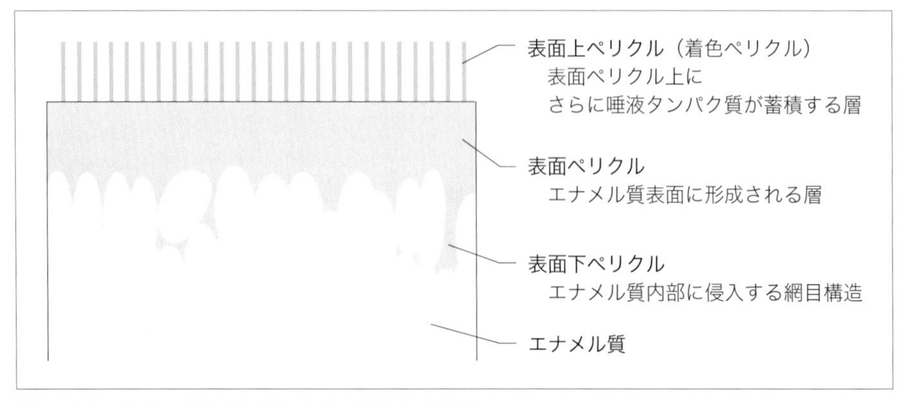

図Ⅱ-1-2 歯面上の形成位置によるペリクルの構造

CLINICAL POINT

う蝕の進行

う蝕とは明らかに認められるう窩（実質欠損）のことをさしますが，歯質からカルシウム塩とリン酸塩が失われるプロセスとみることができます．脱灰と再石灰化は一日に何度も繰り返し起こり，それらの動的平衡が崩れ，脱灰が再石灰化を上回ったときにヒドロキシアパタイトの溶解（結晶学的う蝕），エナメル小柱の崩壊（組織学的う蝕），エナメル質の表層下脱灰を経て，う窩を生じます．

や歯周病の原因となる（p.75-76，図Ⅱ-2-2 参照）．

④ペリクルのアミノ酸や糖はプラーク細菌の栄養源となり，プラーク細菌の生育を促進する．

ほかに，口腔内に露出した象牙細管を塞ぎ，外部から歯面への冷温熱を防御し，知覚過敏の抑制や，咬合面での対合歯の接触に際しての潤滑剤としての作用により，エナメル質の機械的損傷を防いでいる．

2. 歯肉溝滲出液

1）歯肉溝滲出液の由来

歯肉溝滲出液は歯肉固有層（結合組織）の毛細血管から，結合組織に滲出した血漿成分が歯肉溝に流出したものである．歯肉溝滲出液は最終的に口腔内に拡散し，唾液に混入する（図Ⅱ-1-3）．

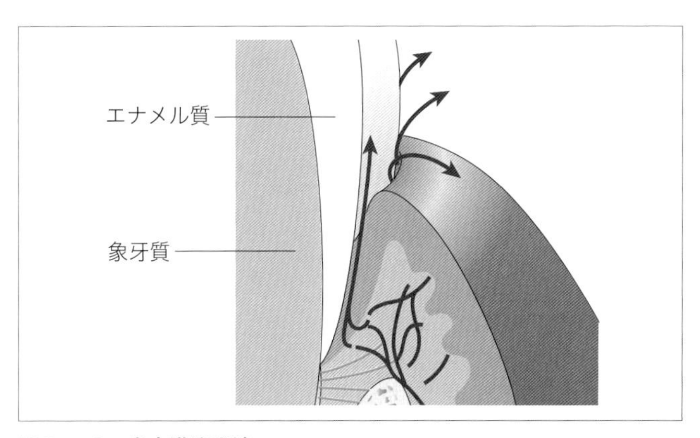

図Ⅱ-1-3 歯肉溝滲出液

歯肉溝滲出液の滲出経路を示す模式図．毛細血管由来の血漿成分が歯肉溝に滲出し，歯肉溝滲出液となる．

（下野正基：新編　治癒の病理　臨床の疑問に基礎が答える．医歯薬出版，2011．改変）

2）性状

歯肉溝滲出液の量は，歯肉に炎症があると毛細血管の拡張や透過性が亢進するため増加する．歯肉溝滲出液の pH は 6.9〜8.7 である．

3）組成

滲出液中の液体成分にはプロテアーゼなどの酵素が含まれている．これらの酵素活性は炎症により破壊された細胞や炎症により増加した細菌由来であるため，歯周疾患の炎症の程度を反映している．その他，液性因子として，抗体，補体が血清と同程度存在する．

細胞成分で主なものは，好中球と剥離した上皮細胞である．好中球の数は炎症に伴い増加するが，健常な歯肉の付着上皮でも，広い細胞間隙に多数の好中球が存在し，歯肉溝に近づくにつれて数は増加している．好中球および歯肉溝滲出液中の液性因子である抗体，補体などは歯肉溝における生体の防御機構として働いている．

3．常在菌叢

1）口腔微生物の生態系

口腔内には 8,000 種を超える微生物が存在すると考えられている．このように，口腔の多種多様な常在微生物からなる集団を**口腔常在微生物叢**，または**口腔フローラ**という．細菌だけをさす場合には，**口腔常在細菌叢**または**口腔細菌フローラ**という．

口腔環境は解剖学的な特殊性があるため，下部消化管の腸内フローラと比較して微生物の種類が多い．定着細菌数は口腔より腸管のほうが多く，グラム湿重量あたり，腸管は口腔の 100 倍の細菌が定着していると考えられている．

2）口腔環境の特殊性

口腔内は部位によって著しく異なる，多彩な環境を形成している．これらのことが口腔フローラの多様性・複雑性を生み出している．

COFFEE BREAK　プロバイオティクス

乳酸菌などフローラのバランスを改善する微生物およびそれらを含む食品をプロバイオティクスといいます．口腔領域でも，ミュータンスレンサ球菌の発育を抑制する *Lactobacillus* 属や *Bifidobacterium* 属がプロバイオティクスへの応用に期待されています．

(1) 軟組織と硬組織の共存

歯肉縁上の組織は硬組織である歯のみだが，歯肉縁下の組織である歯肉溝は軟組織である歯肉と硬組織である歯から構成される．口腔内には，ほかに舌，頬粘膜，口蓋の軟組織などが存在する．

(2) 酸素分布

歯肉縁上は好気的環境であり，歯肉縁下は嫌気的環境である．

(3) 組織液（唾液，歯肉溝滲出液）

歯肉縁上には唾液が，歯肉縁下には歯肉溝滲出液という由来の異なる体液が存在する．

(4) 唾液の抗菌成分

唾液中の抗菌作用をもつタンパク質やペプチドは，外部から侵入する病原微生物から口腔粘膜を守るための化学的バリア（p.165 参照）としての働きが強い．唾液由来の分泌型 IgA も歯面や粘膜面での防御に働く（表Ⅱ-1-2）．

(5) 歯肉溝滲出液中の抗菌成分

歯肉溝滲出液は歯肉毛細血管から滲出する血漿成分である．よって，自然免疫に関連する抗菌成分とともに，獲得免疫の結果，産生される抗菌成分（IgG 抗体など）が存在する．

3) 口腔環境の生理的因子

(1) 温度と湿度

常に 37℃前後（体温）に保たれている．歯肉縁上は唾液，歯肉縁下は歯肉溝滲出液で十分な湿潤状態が得られているため，微生物が生息するのに適した環境である．

(2) pH

唾液の緩衝作用により口腔の pH は 6.8〜7.0 の中性に保たれている．口腔細菌の生育に至適な pH は 6.5〜7.5 の中性域であるため，口腔細菌の発育に適した pH である．

(3) 酸素分圧

口腔は好気性から嫌気性と，酸素要求性の異なる，あらゆる細菌に対応できる環境である．プラークの酸素分圧は形成初期から成熟するにつれて低下する．このことはプラークが成熟すると嫌気的部位の割合が高くなり，嫌気性菌が増殖しやすい環境になることを意味する．健康な歯肉溝滲出液では酸素分圧は比較的高いが，深い歯周ポケットでは低くなり，嫌気性菌の増殖に適した環境となる．

(4) 栄養素

口腔常在菌の発育に必要な栄養素は，唾液と歯肉溝滲出液から供給されている．歯肉縁上プラークの細菌は主に唾液タンパク質が栄養源となる．歯肉縁下プラークの細菌の栄養源は歯肉溝滲出液由来のタンパク質である．

4）口腔フローラの成立

胎児は無菌状態で発育するため，口腔フローラの形成は出産時から始まる．次のような過程を経て口腔フローラが成立する．

①母親の産道の常在細菌叢に暴露する．

②歯が未萌出の新生児の口腔内は *Streprococcus salivarius* などの口腔レンサ球菌が優勢である．

③これらの細菌の定着により，局所の酸素分圧，pH，栄養分が変化する．それにより，新たな微生物が定着する．このような変化を繰り返し，口腔の常在細菌叢を構成する微生物は質，量ともに変化して，複雑になる．

④新生児に，萌出歯面と歯肉の間に歯肉溝が生じ，微生物にとって環境はさらに複雑になる．

5）口腔フローラの修飾と成熟

歯の萌出後，口腔フローラは大きな変化を受ける．

①歯面に最初に定着するのは，早期定着菌とよばれる *Streprococcus sanguinis*, *Streprococcus gordonii*, *Streprococcus oralis* と *Streprococcus mitis* などのレンサ球菌群である．

②次に，早期定着菌である放線菌（*Actinomyces viscosus* や *Actinomyces naeslundii*）が定着する．

③続いて *Prevotella* 属や *Porphyromonas*，および *Treponema denticola* のようならせん状菌を含む嫌気性グラム陰性桿菌群がプラークに定着する．これらの細菌群を後期定着菌という．これらの嫌気性グラム陰性桿菌群は，好気性菌の相対的割合を減らしながら増加していく．

④最終的にはきわめて多彩な菌種よりなる安定なコロニーが生じる．正常なヒトの口腔フローラはこれに該当する．

6）口腔細菌に影響を与える因子

口腔の細菌数に変動を及ぼす因子を表Ⅱ-1-3 に示す．

7）口腔フローラの部位と細菌の分布（表Ⅱ-1-4）

舌背，唾液，歯面，歯肉溝のいずれの部位でも通性嫌気性グラム陽性球菌である *Streptococcus* 属が最大の比率を占めている．その割合は培養可能菌数の約 1/3 程度である．なかでも，ミュータンスグループ（p.73 参照）は主に歯面で生息し，舌背や唾液では少ない．ミティスグループは歯面に最も多いが，ほかの部位でも広くみられる．*S. salivarius* をはじめとするサリバリウスグループは舌背や唾液に多く認められるが，歯面のプラークや歯肉溝にはみられない．アンギノーサスグループは歯肉溝に最も多く，次いで歯面にみられるが，唾液や舌背にはみられない．このように，レンサ球菌のなかでもグループにより生息部位が全く異なる．

表Ⅱ-1-3　口腔の細菌数に影響を及ぼす因子

細菌数に変動を及ぼす因子	内容
日内変動	睡眠中は最大となり，食後は減少する（図Ⅱ-1-4）.
食物中の糖類の摂取	酸産生能の強いレンサ球菌や乳酸桿菌が増加する.
義歯の使用（図Ⅱ-2-7 参照）	義歯材料（レジン）に親和性の強い *Candida albicans* が増加する.
抗菌薬の長期投与	細菌数は一時的に減少するが，菌交代症を誘発し抗菌薬に抵抗性の細菌種が増加する.
唾液分泌量の低下	加齢や疾患による唾液分泌量の低下は，口腔の自浄作用を低下させ，細菌の増殖を促進する.

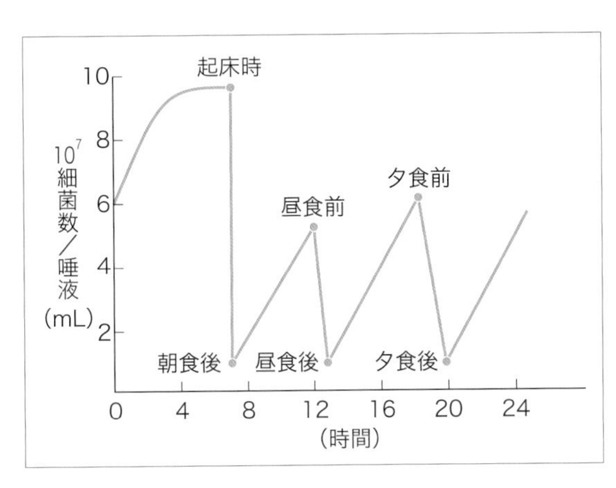

図Ⅱ-1-4　唾液中細菌数の日内変動
（W. A. Nolte : Oral Microbiology with Basic Microbiology and Immunology, 4th ed. 1982 より）

表Ⅱ-1-4　ヒト口腔フローラと細菌の分布

細菌群	細菌の分布（%）			
	舌背	唾液	歯面	歯肉溝
球菌				
通性嫌気性グラム陽性球菌	44.8	46.2	28.2	28.8
レンサ球菌	38.3	41.0	27.9	27.1
ミュータンスグループ	±	－～＋	±～＋＋＋	－～＋＋
ミティスグループ	＋＋	＋＋	＋＋＋	＋＋
サリバリウスグループ	＋＋＋	＋＋＋	－	－
アンギノーサスグループ	－	－	＋	＋＋
偏性嫌気性グラム陽性球菌	4.2	13.0	12.6	7.4
通性嫌気性グラム陰性球菌	3.4	1.2	0.4	0.4
偏性嫌気性グラム陰性球菌	16.0	15.9	6.4	10.7
桿菌				
通性嫌気性グラム陽性桿菌	13.0	11.8	23.8	15.3
偏性嫌気性グラム陽性桿菌	8.2	4.8	18.4	20.2
通性嫌気性グラム陰性桿菌	3.2	2.3	－	1.2
偏性嫌気性グラム陰性桿菌	8.2	4.8	10.4	16.1
スピロヘータ	－	－	－	1.0

（Hamada S and Slade HD : Biology, Immunology, and cariogenicity of *Streptococcus mutans*. *Microbiol Rev*, 44(2) : 331-384, 1980）

グラム陰性偏性嫌気性球菌の *Veillonella*（ベイヨネラ）属は舌背や唾液に多い（偏性嫌気性については p.33 参照）．偏性嫌気性桿菌はグラム陽性・陰性を問わず，歯肉溝，次いで歯面に多くみられる．偏性嫌気性桿菌の増加は歯肉炎や歯周炎の発症リスクの増加と関連している．口腔スピロヘータは運動性のらせん菌であり，歯肉溝の特徴的な常在菌である．歯周炎の活動性が上昇すると増加する．

2 口腔常在微生物

ヒトの口腔内には500を超す細菌種が存在する．各細菌は，その特性に応じて，舌背，唾液，歯面，歯肉溝などの自らに適した生息場所を築いている．このように，生態系のなかで，特定の生物種が生息する部位を生息部位（ニッチ）という．

1．プラーク〈歯垢〉と唾液の微生物叢

1）プラーク

プラークは歯面のペリクル上に形成された細菌および細胞間基質（マトリックス）からなる粘着性の構造物である．歯の小窩裂溝，隣接面の接触点間，頬舌側平滑面の歯頸部，歯肉溝・歯周ポケット内部の歯根面など，解剖学的に自浄作用が及ばない不潔域に形成されやすい．プラークは形成部位により大きく歯肉縁上プラークと歯肉縁下プラークに分けられる．

2）唾液の微生物叢

唾液腺から分泌された直後の唾液中に，細菌は存在しない．唾液中の細菌は，外界から入ってきた細菌や，歯や粘膜から剥がれ落ちた細菌である．食事などの口腔内環境の変化にかかわらず，唾液細菌叢には特定の細菌種が認められる．唾液の細菌叢という点では，一定の平衡状態が保たれている．唾液中に最も多い細菌はレンサ球菌であり，なかでも *S. salivarius* が高頻度にみられる．これらの細菌種は舌背などに存在することから，唾液中の主要細菌は舌背などの口腔内の各部位に由来している．唾液中の細菌はレンサ球菌以外に，*Actinomyces* 属，*Nocardia*（ノカルディア）属，*Rothia*（ロティア）属，*Corynebacterium*（コリネバクテリウム）属など通性嫌気性のグラム陽性桿菌や，嫌気性のグラム陰性桿菌である *Veillonella* 属などが主なものである．

唾液の細菌数には日内変動があり，一日のうち，起床直後が最も多い．起床時において，唾液には 1 mL あたり約 10^8 の細菌が存在する．睡眠時は唾液分泌量が低下するため，起床時に唾液中の細菌数が最大となるためである．それに対し，食事直後が最も少ない．食事による咀嚼嚥下により分泌される唾液量が増加し，細菌が嚥下により飲み込まれることで唾液中の細菌数が減少するためである．唾液細菌叢を詳細にみると，優勢菌種の大部分の細菌数が24時間周期の概日リズムがあるこ

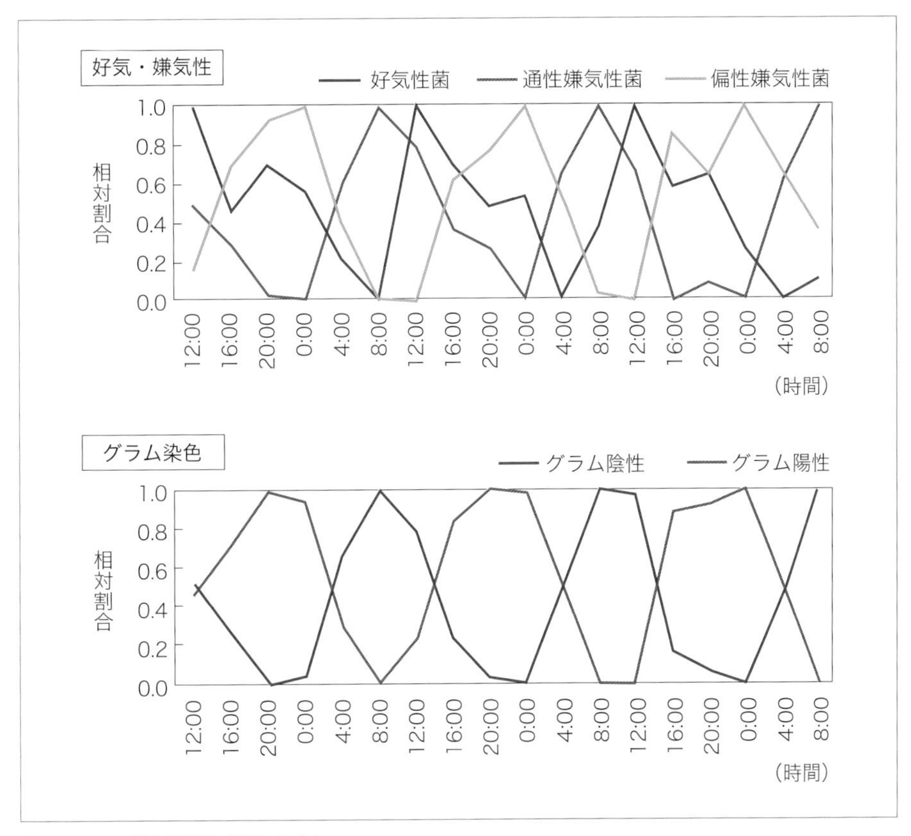

図Ⅱ-1-5　唾液細菌と概日リズム

(Takayasu L., et al. Circadian oscillations of microbial and functional composition in the human salivary microbiome DNA Research, 24, 261-270, 2017.)

とが明らかにされている．レンサ球菌などのグラム陽性菌は夕方4時から午前2時に増え，グラム陰性菌は午前4時から正午の間に増えるなど，細菌種により増減する時間帯が異なることも報告されている（図Ⅱ-1-5）．

2. 口腔レンサ球菌

口腔レンサ球菌はグラム陽性のレンサ球菌であり，特にCO_2存在環境でよく生育する通性嫌気性菌である．口腔レンサ球菌はミティスグループ，サリバリウスグループ，アンギノーサスグループ，ミュータンスグループの4つに分類される．

口腔レンサ球菌を分離するために，Mitis-Salivarius（ミティス－サリバリウス）〈MS〉培地（p.35，表Ⅰ-4-2参照）が選択培地として使用される．

1）ミュータンスグループ

1924年にJ. K. Clarkeにより，ヒトのう蝕病巣から*Streptococcus mutans*が初めて分離された．1960年代に実験動物でう蝕を誘発できたことがきっかけとなり，再び*S. mutans*への関心が高まった．それに伴い，サルやラットなどの実験動物にう蝕を誘発し，ソルビトールとマンニトールの発酵能をもつレンサ球菌をミュータンスレンサ球菌とよぶようになった．ヒトのミュータンスレンサ球菌は *S. mutans* と *S. sobrinus*（ソブリヌス）である．糖を含む培地で乳酸を生成し，培地の最終pHは4.0付近まで低下する．

S. mutans はミュータンスレンサ球菌のなかで最も高頻度に（80〜90%）ヒト口腔から分離される．*S. sobrinus* は *S. mutans* に次いでヒト口腔より分離される（10〜20%）．

2）ミティスグループ

ミティスグループのうち，ヒト口腔より分離される菌種は，*S. mitis*, *S. oraris*, *S. gordonii*, *S. sanguinis* の４菌種である．これら４菌種は歯面，歯肉縁上プラーク，歯肉溝など広く口腔内に分布する．う蝕誘発能はないが，歯の萌出後または歯面清掃後に，歯面のペリクルに直接結合する．比較的早期に歯面に定着し，プラーク形成に重要な役割を果たす（早期定着菌）．過酸化水素を産生し，歯面でほかの細菌を排除すると考えられている．ミティスグループは感染性心内膜炎（p.103参照）の原因菌である．*S. sangunis* は歯肉縁上プラーク中で最も数が多い細菌種である．

3）サリバリウスグループ

S. salivarius を含む３菌種からなる．*S. salivarius* の主たる生息部位（ニッチ）は舌背，咽頭であり，プラーク中にはみられない．唾液中のレンサ球菌の40〜60%を占める．MS寒天培地でのコロニーは大きく，平滑である．

粘膜面への付着能をもつ．う蝕誘発能を含め，病原性はほとんどない．

4）アンギノーサスグループ

アンギノーサスグループには *S. anginosus*（アンギノーサス）, *S. constellatus*（コンステラタス）, *S. intermedius*（インターメディウス）の３菌種が含まれる．歯肉縁下プラークから高頻度で検出される．特に *S. anginosus* は嫌気的条件下でよく増殖する．唾液や舌背にはほとんどみられない．口腔や全身の膿瘍から分離されており，感染性心内膜炎の原因菌として知られる．

参考文献

1）川端重忠ほか編：口腔微生物学・免疫学　第５版．医歯薬出版，東京，2022.
2）全国歯科衛生士教育協議会編：最新歯科衛生士教本　疾病の成り立ち及び回復過程の促進２　微生物学．医歯薬出版，東京，2011.
3）早川太郎ほか編：口腔生化学　第５版．医歯薬出版，東京，2011.
4）安井利一ほか編：口腔保健・予防歯科学．医歯薬出版，東京，2017.
5）池尾　隆ほか編：スタンダード生化学・口腔生化学　第３版．学建書院，東京，2016.
6）下野正基：新編　治癒の病理 臨床の疑問に基礎が答える．医歯薬出版，東京，2011.
7）Hamada S and Slade HD：Biology, Immunology, and cariogenicity of *Streptococcus mutans*. *Microbiol Rev*, 44(2)：331-384, 1980.
8）Takayasu L., et al. Circadian oscillations of microbial and functional composition in the human salivary microbiome DNA Research, 24, 261-270, 2017.

2章 バイオフィルムとしてのプラーク〈歯垢〉

到達目標
❶ プラーク（バイオフィルムとして）の形成とその微生物叢を概説できる．
❷ バイオフィルム感染症を概説できる．

1 形成機序と成熟

1. プラークの形成過程

プラーク（バイオフィルム）は，以下の４段階にて形成され成熟する．すなわち，①**ペリクル〈獲得被膜〉**の歯面形成，②口腔常在細菌の初期付着，③初期プラークの形成，④プラークの成熟である（図Ⅱ-2-1）．

2. バイオフィルムとしてのプラーク形成と細菌の共凝集

歯面のペリクルは，唾液中に多く分布する口腔常在細菌（主に *Stretococcus* 属）と分子間力や電荷を介して接した後，その中で特異性の高い付着因子を保有する細菌と強く結合する．次いで，う蝕原性細菌の *Streptococcus mutans* などが**表層線毛〈PAc〉**を介して，初期定着細菌へ疎水結合する．*S. mutans* の**グルコシルトランスフェラーゼ〈GTF〉**は，**スクロース**を基質とし，不溶性と水溶性の**グルカン**（グルコースの重合体）を合成する．グルカンは粘着性の多糖体であるため，*S. mu-*

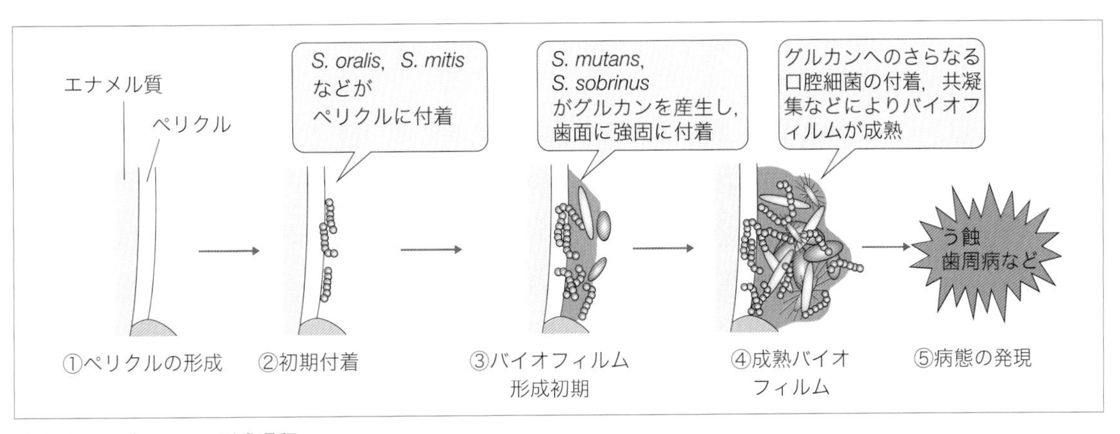

図Ⅱ-2-1　プラークの形成過程

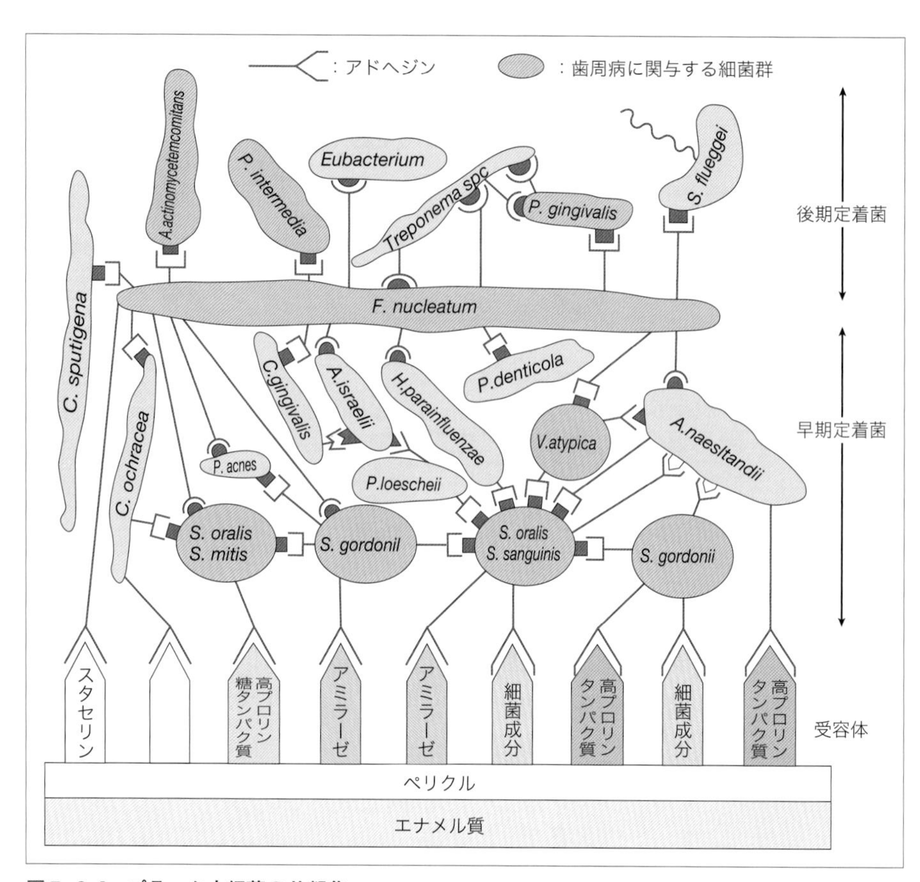

図Ⅱ-2-2 プラーク中細菌の共凝集

(Kolenbrander. 1993)

tans を含めたプラーク細菌をより強固に歯面へ付着させる．そして，グルカンは，その他の細菌種との結合にも寄与し，プラーク構成細菌の種類が増加する．

Fusobacterium nucleatum（フゾバクテリウム ヌクレアタム）がプラークに取り込まれると，その共凝集能の高さから，さらにさまざまな細菌をプラークに結合させる仲立ちをする．この際，プラークがグルカンによって覆われていると，酸素の透過性が低くなり嫌気的な環境も現れ始める．歯周病原細菌の *Porphyromonas gingivalis* などの偏性嫌気性菌も共凝集することとなり，プラークに厚みと代謝産物の多様性，そして病原性が生じる（図Ⅱ-2-2）．

このように，細菌群が細菌の産生する多糖体で覆われ，そして環境中に付着し細菌集団として生育する場合，**バイオフィルム**と称する．

3. プラーク細菌種の経時的変化

バイオフィルムとしてのプラーク中では，成熟に伴い酸素分圧の低下や細菌代謝産物の増加が起こる．そのため，プラーク中の細菌は，経時的に好気性菌から嫌気性菌へと優性種が変化していく（図Ⅱ-2-3）．それに伴いプラークの病原性も，低

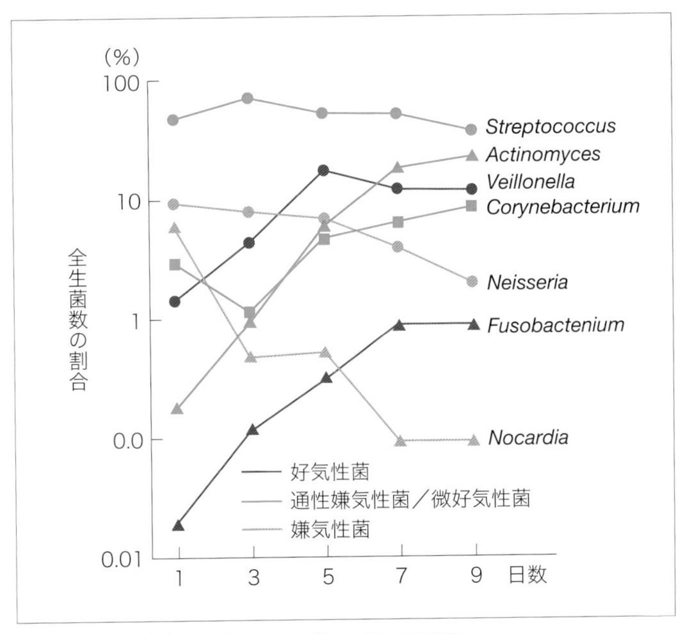

図Ⅱ-2-3　歯肉縁上プラーク細菌種の経時的変化

(Ritz HL, Avch. Oral Biolgy 12(2)：1561-1568, 1967.)

病原性，う蝕原性，そして歯周病原性へと増悪化する．

(1) 歯肉縁上プラーク

歯肉辺縁よりも切縁，咬合面側に付着しているプラークを**歯肉縁上プラーク**という．歯肉縁上プラークの細菌の栄養源は，主に唾液成分と食事由来の糖質である．このような環境から，歯肉縁上プラークには糖を栄養源として利用できる糖分解性細菌が多い．

歯肉縁上プラークの微生物のうち約70％は細菌であり，そのほかに真菌や歯肉アメーバ，口腔トリコモナスといった原虫などが存在する（p.154-158参照）．歯肉縁上部は口腔内の空気と接しているため，歯肉縁上プラーク表層は酸素が侵入しやすい好気的環境である．プラークが厚みを増すにつれ，プラーク内部には酸素が到達しにくくなり，嫌気的環境の割合が増加する．

プラーク形成初期にはプラーク内部の好気的環境の割合が高く，嫌気性菌と比べ好気性菌の割合が高い．プラークが成熟し，厚みを増すと，内部は嫌気的環境の割合が高くなる．これは，内部の好気性菌が酸素を消費するため，プラーク内部の酸素が枯渇し，嫌気性菌の割合が増加することによる．そのため，プラークの成熟につれ，好気性菌は減少し，嫌気性菌の占める割合が高くなる．最終的にはきわめて多彩な細菌から構成される安定した細菌叢となる（図Ⅱ-2-1，図Ⅱ-2-3）．

❶ 歯肉縁上プラークの病原性

歯肉縁上プラークは歯冠部のプラークと歯頸部に形成される辺縁のプラークに分けられる．いずれの歯肉縁上プラークも，う蝕の原因となる．同時に，歯肉溝付近に付着・堆積する辺縁のプラークは歯肉炎の原因となる．辺縁のプラークを構成する

主な細菌には *Streptococcus sanguinis*, *Streptococcus oralis*, *Streptococcus mutans* などグラム陽性球菌と *Actinomyces viscosus*, *Actinomyces naeslundii*, *Actinomyces*（アクチノマイセス） *israelii*（イスラエリ） などグラム陽性桿菌がある．これらの細菌の栄養源は，唾液成分に加え，剥離した上皮細胞，多型核白血球や細菌の死骸などである．

歯肉辺縁に堆積したプラークは歯肉に限局した炎症を惹起する．歯肉辺縁に起こった炎症により，腫脹・発赤などがみられる．歯肉辺縁の炎症による歯肉上皮下の毛細血管の拡張により，歯肉溝滲出液の量が増加する．歯肉上皮の腫脹は歯肉溝を嫌気的環境にする．このような変化は，歯肉縁下プラークの主な構成細菌であるグラム陰性嫌気性菌の生育にとって有利な環境を形成する．

(2) 歯肉縁下プラーク

歯肉溝内や歯周ポケット内など，歯肉辺縁よりも根尖側に付着しているプラークを**歯肉縁下プラーク**という．歯肉縁下は口腔の自浄作用や食物，唾液の影響を受けにくく，血漿成分を由来とする歯肉溝滲出液が供給されており，歯肉溝滲出液と歯肉剝離上皮は歯肉縁下プラークの細菌の栄養源となる．歯肉縁下に生息する細菌の栄養源は主にタンパク質やアミノ酸である．糖非分解性の細菌も多い．歯肉縁上部と比較して歯と歯肉に囲まれ，外界への開口部が小さいため酸素の侵入が少なく，嫌気的環境である．歯肉縁下プラークには嫌気性菌の割合が高い．

歯肉縁下プラークの細菌の中にはプロテアーゼをもつものがあり，歯肉溝滲出液や歯肉剝離上皮のタンパク質はペプチドまで分解される．ペプチドは細菌の産生するペプチダーゼによりアミノ酸まで分解される．アミノ酸はこれら細菌の栄養源として利用される．

❶ 歯肉縁下プラークの病原性

歯肉溝・歯周ポケットは口腔の自浄作用を受けにくいため，細菌が停滞しやすい．歯肉炎により形成された歯肉溝や歯周ポケットは嫌気的環境となるため，嫌気性細菌が定着・増殖して組織為害性の強い酵素や代謝産物を産生する．歯肉の腫脹により歯肉上皮細胞間の結合が緩み，その間隙から細菌の上皮下への侵入が起こる．侵入した細菌に対し，免疫応答と炎症反応が起こり，歯肉上皮下では炎症性サイトカインの産生が高まる．これらの免疫反応や炎症は細菌だけでなく，歯周組織に対しても傷害的に働く．歯肉縁下プラークは歯周組織の炎症性破壊に直接的にも，間接的にも関与する．歯肉縁下プラークを構成する細菌はほとんどがグラム陰性嫌気性桿菌であり，*Porphyromonas gingivalis*, *Tannerella*（ターネレラ） *forsythia*（フォーサイシア）, *Treponema denticola*, *Prevotella*（プレボテーラ） *intermedia*（インターメディア）, *Fusobacterium nucleatum*, *Aggregatibacter*（アグレガチバクター） *actinomycetemcomitans*（アクチノマイセテムコミタンス）, *Capnocytophaga*（キャプノサイトファガ） などが多く存在する．

4. プラークの石灰化と歯石形成

プラークが唾液由来のカルシウムやリン酸に曝（さら）され続けると，死滅した細菌などにリン酸カルシウムが沈着する．これを**石灰化**とよぶ．**歯肉縁上プラーク**は，マト

表Ⅱ-2-1　**歯肉縁上歯石と歯肉縁下歯石の比較**

	歯肉縁上歯石	歯肉縁下歯石
成　分	プラーク由来の細菌とマトリックスが石灰化	炎症反応によるアルカリホスファターゼの作用により，歯周ポケット内成分が石灰化
由　来	唾液	血清成分（歯肉溝滲出液）
沈着量	多い	少ない
構　造	層状	無構造
好沈着部位	大唾液腺開口部（下顎前歯部舌側，上顎臼歯部頬側）	なし（歯周ポケット内の歯根面）
色　調	白色または淡黄色	暗褐色または暗緑色
硬　度	比較的もろい	硬い
除　去	容易	困難

（川端重忠，小松澤均，大原直也，寺尾　豊編：口腔微生物学・免疫学　第5版．医歯薬出版，2021.）

リックスも石灰化され，歯面エナメル質に結合する．**歯肉縁下プラーク**は，歯周ポケット由来の血清成分も取り込みながら石灰化し，歯根セメント質へ強固に結合する．それぞれ**歯肉縁上歯石**と**歯肉縁下歯石**とよび，臨床上の性状が異なる（**表Ⅱ-2-1**）．

2 バイオフィルムとバイオフィルム感染症

1. バイオフィルムの組成

バイオフィルムの形成過程で構成組成は変化するが，約80%は水分であり，約20%がタンパク質や炭水化物などの固形物である．また，バイオフィルム組成の由来は，約半分が細菌で，残りの半分が**マトリックス**である．マトリックスは細菌を覆う構造物のことをさし，細菌が産生するグルカンなどの多糖体と唾液由来のタンパク質から構成される．

2. バイオフィルムの性状と機能

バイオフィルム表層はマトリックスで被覆されており，環境中の抗菌物質や免疫，あるいは化学薬品などから内部の細菌群を保護する．その内部は，外界から透過する酸素分圧と栄養素に偏りが生じ，多様な細菌種が偏在して生育している．そして，多様な細菌種の生命活動により，代謝産物とpHにもバイオフィルム中での偏りが起こる（図Ⅱ-2-4，図Ⅱ-2-5）．

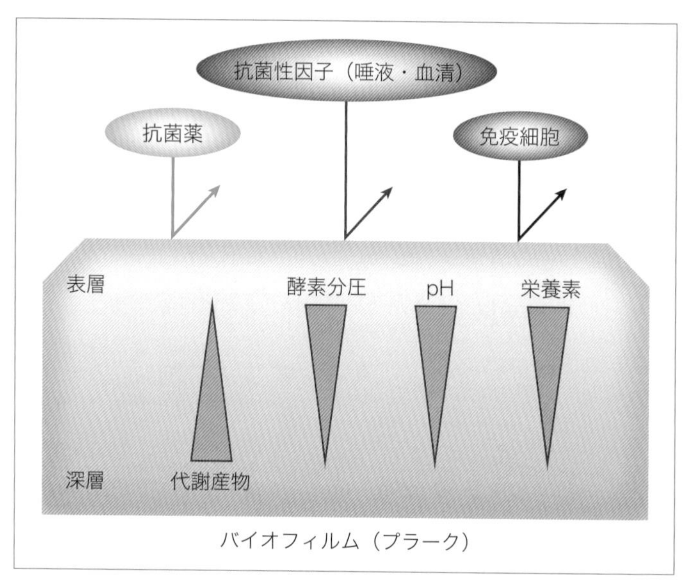

図Ⅱ-2-4 バイオフィルムの性状

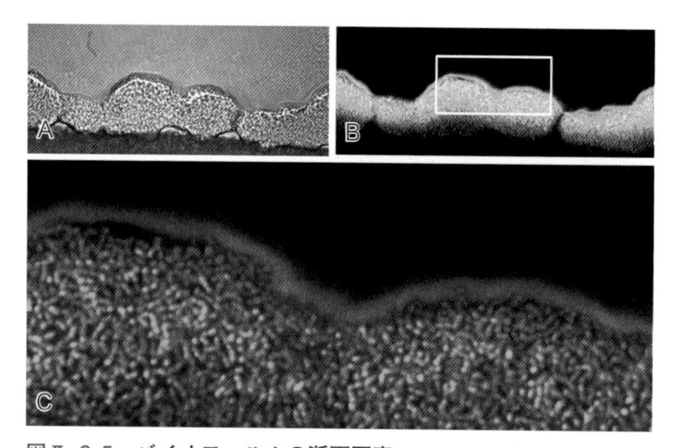

図Ⅱ-2-5 バイオフィルムの断面写真
（新潟大学・竹中彰治博士のご厚意による）
A：バイオフィルムの光学顕微鏡像．B：バイオフィルムの生死染色後の蛍光顕微鏡像．生菌が緑色，死菌が赤色に観察される．C：写真Bの拡大像．

3. クオラムセンシング

バイオフィルム中の細菌はマトリックスに保護される一方で，その体積に増殖できる規模を規定される．過剰に増菌すると，栄養素の枯渇や代謝産物の蓄積により，バイオフィルム中の細菌全体が死滅する恐れが生じる．そこで，細菌は低分子ペプチドなどを分泌し，細菌間の密度を相互に感知する．この感知用の低分子ペプチドなどを**オートインデューサー〈AI〉**とよぶ．そして，細菌密度に応じ，増殖や発現する遺伝子産物を調節する．あたかも，細菌同士で会話するかのような情報伝達系を**クオラムセンシング**とよぶ．

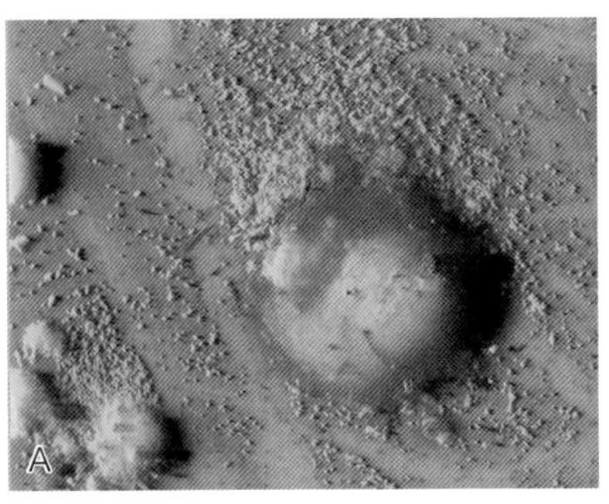

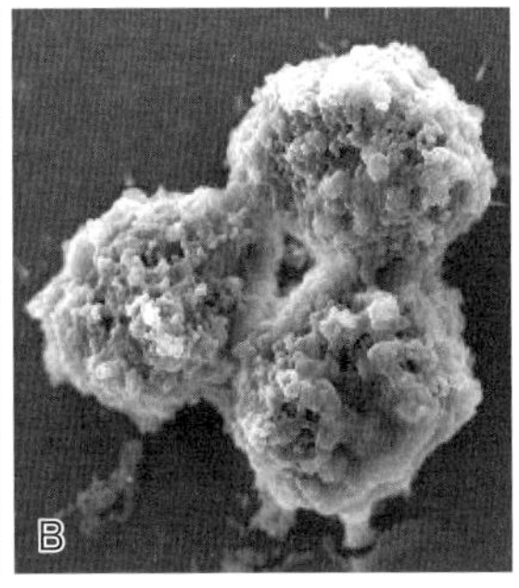

図Ⅱ-2-6　バイオフィルムの３次元イメージ．蛍光顕微鏡写真（A）と走査型電子顕微鏡写真（B）

（新潟大学・竹中彰治博士のご厚意による）

A：バイオフィルムの生死染色後の蛍光顕微鏡像（３次元像）．生菌が緑色，死菌が赤色に観察される．写真の上下方向に通路状のスペースが認められる．B：バイオフィルムの電子顕微鏡像．中心部に流路状の構造が観察される．

クオラムセンシングの作用で，バイオフィルムには栄養や水分を得るための通路や，代謝産物を排出する流路が形成される（図Ⅱ-2-6）．

4. バイオフィルム感染症

口腔内におけるバイオフィルムはプラークであることから，歯科のバイオフィルム感染症はう蝕と歯周病が代表例である．口腔内に植立されたインプラントにバイオフィルム感染が生じると，**インプラント周囲炎**が発症する．義歯床レジン部に，真菌と口腔細菌から成るバイオフィルムが形成されると，**義歯性カンジダ症**が発症する（図Ⅱ-2-7）．

医科領域のバイオフィルム感染症としては，体内に設置される医療機器（カテーテルやペースメーカーなど）にバイオフィルムが形成され，発症する．この際の病原菌としては，院内感染において注意すべき細菌のMRSA〈メチシリン耐性黄色ブドウ球菌〉，PRSP〈ペニシリン耐性肺炎球菌〉，MDRP〈多剤耐性緑膿菌〉，VRE〈バンコマイシン耐性腸球菌〉などが多く検出される．バイオフィルムで保護されるうえ，すべて抗菌薬に耐性を示す細菌であることから，難治化しやすい．それぞれの細菌の特徴は，Ⅲ編１章で述べる．さらには，抜歯後などに血流から移行した口腔細菌が，最終的に心臓弁へ菌塊（疣贅（ゆうぜい））を形成して発症する**感染性心内膜炎**もある．以上の疾患については，Ⅱ編５章でも詳細に説明する．

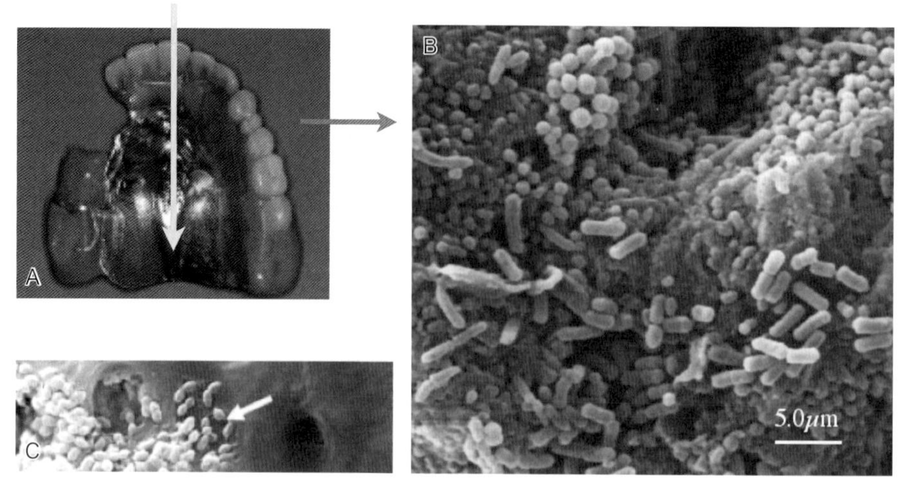

図Ⅱ-2-7　バイオフィルム感染症としての義歯性カンジダ症

（新潟大学・竹中彰治博士のご厚意による）

A：使用済みの義歯．B：義歯表面に形成されたバイオフィルムの電子顕微鏡像．さまざまな形態の細菌のほか，写真左側には糸状の真菌も観察される．C：写真Aの義歯を黄色矢印方向に切断し，レジン部の断面を電子顕微鏡で撮影した．矢印で示すように，レジンの小孔内には各種微生物の侵入が観察される．

身近なバイオフィルム

水道の蛇口を触ってみると，ぬるぬるとしたゼリー状のフィルム構造物を感じることがあります．それこそが，バイオフィルムです．洗剤や薬剤でも殺滅は困難ですが，ブラシなどで刷掃すれば除去は簡単です．多くの場合，水回りのバイオフィルムは，緑膿菌に由来します．緑膿菌は院内感染をよく起こすのでp.121を確認し，歯科医院の水回りはブラシで刷掃することを覚えておきましょう．

なお，Watnick, Kolter, J. Bacteriol 182：2675, 2000にて，固体表面に接着した微生物と，その産生ポリマーをあわせて“バイオフィルム”と名付けられましたが，語源は不明です．

3章 う蝕の細菌学

到達目標

❶ う蝕の発生機序について説明できる.
❷ う蝕の病理学的特徴について説明できる.
❸ う蝕原性細菌と病原因子について説明できる.

1 う蝕の発生機序

う蝕は地域，人種を問わず頻度が高い疾患で，歯周病と並んで歯科の二大疾患といわれる．う蝕は「歯面に付着したう蝕原性細菌が，栄養源として摂取した糖質を発酵して有機酸を産生し，それによって，エナメル質，象牙質，セメント質といった歯の硬組織が破壊される感染症」である．う蝕は乳歯でも永久歯でも起こるが，乳歯は永久歯と比べると石灰化度が低いため，う蝕に対する抵抗性が低く，う蝕を発症しやすい．う蝕は，発生した歯の部位によって，歯冠部う蝕と（歯）根面う蝕に大別される（図Ⅱ-3-1）.

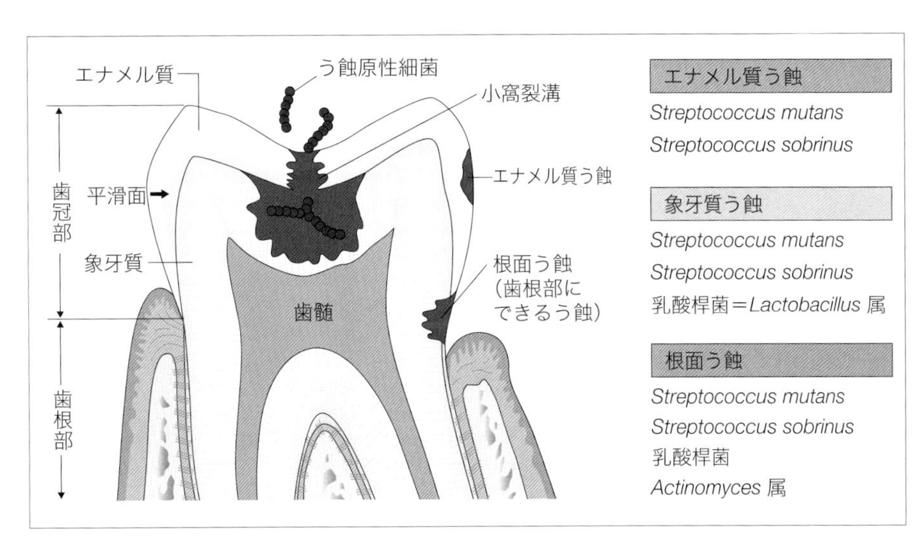

図Ⅱ-3-1　う蝕部位と原因菌

歯冠部はエナメル質に覆われており，小窩裂溝や隣接面がう蝕になりやすい．象牙質におけるう蝕では痛みが生じ，さらに進行すると，歯髄に炎症が起こる歯髄炎となる．エナメル質う蝕と象牙質う蝕では，う蝕の進行に関与する菌に違いがある可能性が指摘されている．

1. 歯冠部う蝕

歯冠部はエナメル質に覆われているため，歯冠部う蝕はエナメル質う蝕から始まる．エナメル質う蝕は，歯の形態によって平滑面う蝕と小窩裂溝う蝕に分けられる．平滑面では，ブラッシングが十分にされないことの多い歯頸部や隣接面がう蝕の好発部位となる．小窩裂溝では溝が深い部分が好発部位である．う蝕によってエナメル質が脱灰された初期の状態では，歯の表面が白濁した白斑として観察される．初期の脱灰で実質欠員がない場合は，プラークコントロールによって口腔環境を改善すると，唾液成分によって歯の再石灰化が起こることが多い．環境が改善されずに脱灰がさらに進むと，エナメル質の実質欠損が起こる．実質欠損が起きた場合，再石灰化によって再生されることはない．う蝕がエナメル質にとどまる限りは，痛みが生じることはない．う蝕がエナメル質から象牙質に進展すると，象牙質う蝕となり，痛みが生じる．象牙質う蝕がさらに進行すると，歯髄に炎症が起こる歯髄炎につながる．

2. 根面う蝕

中高年や高齢者などでは，歯周病によって，本来歯肉に埋まっている根面が露出することがある．根面は本来薄いセメント質で覆われているが，う蝕が発症すると容易にセメント質下の象牙質に達する．

2 う蝕原性細菌と病原因子

1. う蝕原性細菌

ヒトのう蝕の主要な病原菌は ***Streptococcus mutans*** と *Streptococcus sobrinus* というレンサ球菌であることが明らかにされている．これらのう蝕原性のレンサ球菌はミュータンスレンサ球菌〈Mutans streptococci〉と総称されている．ヒトの口腔にはミュータンスレンサ球菌以外のレンサ球菌も生息している．それらは遺伝子レベルでの解析からグループ分けされている．アンギノーサスグループ（*Streptococcus anginosus* など），サリバリウスグループ（*Streptococcus salivarius* など）およびミティスグループ（*Streptococcus sanguinis*, *Streptococcus mitis* など）のレンサ球菌がそれで，ミュータンスグループのレンサ球菌（ミュータンスレンサ球菌）とあわせて，ヒトの口腔には4グループのレンサ球菌が生息している（**表Ⅱ-3-1**）．4グループのレンサ球菌はヒトの口腔内で棲み分けており，ミュータンスレンサ球菌はプラーク中に，アンギノーサスグループのレンサ球菌は歯肉縁に近いプラーク中に，サリバリウスグループのレンサ球菌は舌表面や唾液中に，また，ミ

表Ⅱ-3-1　口腔レンサ球菌群とヒト口腔における分布

口腔レンサ球菌群	細菌種	ヒト口腔における分布			
		唾液	舌表面	歯面	歯肉溝
ミュータンスグループ (mutans group)	*Streptococcus mutans* *Streptococcus sobrinus*	−〜＋	±	±〜＋＋＋	−〜＋＋
ミティスグループ (mitis group)	*Streptococcus sanguinis* *Streptococcus gordonii* *Streptococcus oralis* *Streptococcus mitis*	＋＋	＋＋	＋＋＋	＋＋
サリバリウスグループ (salivarius group)	*Streptococcus salivarius* ストレプトコッカス ベスティブラリス *Streptococcus vestibularis*	＋＋＋	＋＋＋	−	−
アンギノーサスグループ (anginosus group)	*Streptococcus anginosus* ストレプトコッカス インターメディウス *Streptococcus intermedius*	−	−	＋	±

ティスグループのレンサ球菌はプラーク中にも舌表面や唾液中にも生息している．これらの口腔レンサ球菌のうち，明確なう蝕原性を示すのはミュータンスレンサ球菌のみで，ほかのレンサ球菌はう蝕の原因菌とはなりにくい．

ミュータンスレンサ球菌群は，歯冠部う蝕および根面う蝕のいずれにおいても，病巣の形成に関与しているが，特にエナメル質う蝕で分離頻度が高い．その一方で，象牙質う蝕では，ミュータンスレンサ球菌だけでなく，乳酸桿菌である *Lactobacillus* 属や *Actinomyces* 属の関与が指摘されている．すなわち，う蝕が歯髄炎の原因となるまでミュータンスレンサ球菌群が終始重要な働きをしていない可能性が考えられる．このようにヒトのう蝕原性細菌の全貌についてはいまだ不明な点も多い．しかし，ミュータンスレンサ球菌群がう蝕原性細菌として最も注目され，多くの研究結果が蓄積されている．ヒト口腔から分離されるミュータンスレンサ球菌群はごく一部の例外を除けば *S. mutans* と *S. sobrinus* であり，歯科臨床の視点から考えた場合，この２つの細菌種の性状の差を理解することが大切である．

1）*Streptococcus mutans*

ヒトから分離されるミュータンスレンサ球菌の80〜90％が *S. mutans* である．血液寒天培地では γ 溶血（非溶血性）を示し，スクロース含有のMS〈ミティスサリバリウス〉寒天培地上でラフ型のコロニーを形成する（図Ⅱ-3-2A）．大気下でも生育できるが，二酸化炭素の存在下あるいは嫌気条件下のほうが生育は良好である．多くの糖を基質として乳酸発酵を行い，液体培地の最終pHは4.0程度まで低下する．抗菌薬のバシトラシンに耐性を示すことから，MSB寒天培地（15％スクロースやバシトラシンが添加されたMS寒天培地，p.35，表Ⅰ-4-2参照）を選択培地とすることで口腔からの分離が容易に行える．

S. mutans は３種の**グルコシルトランスフェラーゼ〈GTF〉**という酵素を産生する．水溶性グルカンのみを合成する１種のGTFは菌体外に分泌され，不溶性グル

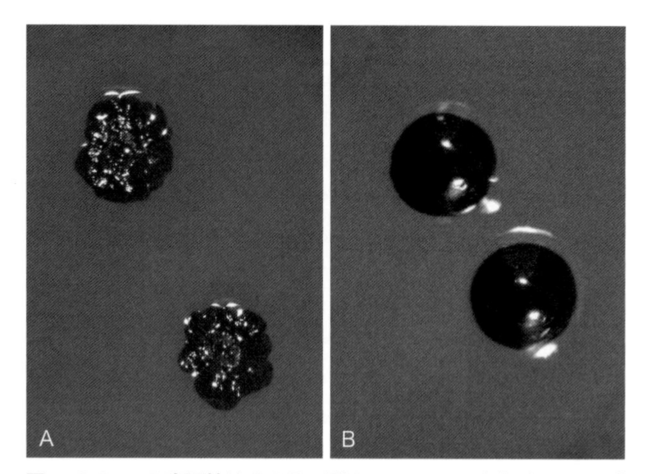

図Ⅱ-3-2　MS 寒天培地上のラフ型の S. *mutans*（A）とスムーズ型の S. *sobrinus*（B）のコロニーの形態

（川端重忠，小松澤 均，大原直也，寺尾 豊編：口腔微生物学・免疫学 第5版．医歯薬出版，2021.）

カンを合成する2種のGTFは主に菌体に付着している．*S. mutans* のGTFは本細菌がエナメル質の平滑面に定着するうえで決定的な役割を果たしており，本細菌の重要なう蝕原性因子の1つと考えられている．

1%のスクロースを含んだ液体培地で培養すると，*S. mutans* は不溶性グルカンを産生して試験管壁に強固なバイオフィルムを形成する．これは，ほかの非う蝕原性の口腔レンサ球菌と鑑別するのにきわめて簡便で効率のよい手法である．*S. mutans* は菌体外にGTFだけでなく，フルクトシルトランスフェラーゼ〈FTF〉を産生し，スクロースからフルクトースの多量体であるフルクタンを合成する．合成されるフルクタンは水溶性である．

S. mutans はほかの口腔レンサ球菌と同様に，菌体内にもグリコーゲン様多糖を合成する．菌体内の多糖体合成にはスクロースを必要とせず，グルコースなどが培地中に過剰に存在することで菌体内の多糖体が合成される．

2）*Streptococcus sobrinus*

ヒトから分離されるミュータンスレンサ球菌群の10～20%を占める．*S. mutans* と同様にスクロースから不溶性グルカンを合成することでガラス管壁などの平滑面に強固なバイオフィルムを形成する．MS寒天培地上ではスムーズ型のコロニーを形成するため，*S. mutans* のコロニーとは区別できる（図Ⅱ-3-2B）．また，ラフィノース（糖質）に対する発酵能がないなど *S. mutans* とは異なった性状を示す．

スクロースからの不溶性グルカン合成能を示すことは *S. mutans* と同じであるが，*S. sobrinus* にはグルカン合成酵素であるGTFが4種類あり，スクロースを含まない液体培地では，これらのすべての酵素は菌体に付着せずに菌体外に遊離する．不溶性グルカンを合成するのはその中でも1つの酵素だけである．GTFの数

表Ⅱ-3-2　ミュータンスレンサ球菌群の *Streptococcus mutans* と *Streptococcus sobrinus* の性状の差

	血液寒天培地での溶血性	MS 寒天培地上のコロニー形状	貯蔵多糖の合成	GTF の種類	スクロースから合成される主なグルカン
S. mutans	γ溶血（非溶血性）	ラフ	グリコーゲン様多糖合成能（+） フルクタン合成能（+）	GTF-B	不溶性グルカン
				GTF-C	不溶性グルカン
					水溶性グルカン
				GTF-D	水溶性グルカン
S. sobrinus	α溶血（緑色の環帯）または γ溶血	スムーズ	ほとんど合成しない	GTF-I	不溶性グルカン
				GTF-U	高分子可溶性グルカン
				GTF-T	水溶性グルカン
				GTF-S	低分子可溶性グルカン

だけでなく，タンパク質の一次構造が *S. mutans* のものとは大きく異なっている点で，*S. sobrinus* と *S. mutans* は個別の細菌種に分類されるのが適切であると考えられている．動物実験では *S. sobrinus* は *S. mutans* よりもう蝕原性がやや強く，ヒトでは平滑面う蝕との関連性が強いといわれている．また，細胞内にグリコーゲン様多糖をほとんど合成しない点も *S. mutans* とは異なっている（表Ⅱ-3-2）．

2. ミュータンスレンサ球菌群のう蝕原性因子

ミュータンスレンサ球菌群（*S. mutans* と *S. sobrinus*）におけるう蝕原性因子を表Ⅱ-3-3 に，う蝕病原機序を図Ⅱ-3-3 に示した．ここでは主に，ミュータンスレンサ球菌における各う蝕原性因子が，どのようにう蝕の形成に関与するかを記載する．

1）菌体表層成分とペリクルの相互作用

ミュータンスレンサ球菌群がう蝕を誘発するためには，本菌群がほかの口腔細菌とともに歯の表面に付着集積しなければならない．このプラーク形成初期過程に関与するミュータンスレンサ球菌群の付着因子としては，菌体表層に存在する線毛様タンパク質抗原，レクチン様物質，リポタイコ酸などがあげられる．なかでも，PAc や PA*g* などのタンパク質抗原は，菌体に疎水性を付与している主成分であり，ペリクルとの疎水性相互作用を介して，本菌群を歯面に付着集積させる主要な初期付着因子である．

2）不溶性グルカンの産生と固着

ミュータンスレンサ球菌群に特有の酵素群 GTF は，歯面に弱く付着した初期プラークをスクロースの存在下で歯面に強く固着させ，拡散障壁能の高いう蝕原性プラークに変えていくうえで，重要な役割を果たす．特に付着力の強い不溶性グルカンの産生に関わる GTF は，研究時の実験う蝕の誘発に重要である．

表Ⅱ-3-3　ミュータンスレンサ球菌群の主なう蝕原性因子

ミュータンスレンサ球菌群の主なう蝕原性因子	
初期付着能	菌体表層タンパク質（PA*c*, PA*g*），線毛など
固着・集落化能	不溶性グルカン合成酵素
酸産生能	糖代謝による乳酸，酢酸，ギ酸などの産生
形成されたプラークのう蝕原性を維持する因子	
拡散障壁能（酸蓄積能）	不溶性グルカン合成酵素など
酸性環境下での耐酸性	H^+-ATPase（プロトンポンプ）など
飢餓環境下での酸産生能	菌体内グリコーゲン様多糖の合成・分解系
	菌体外水溶性グルカンの合成・分解系
	菌体外フルクタンの合成・分解系

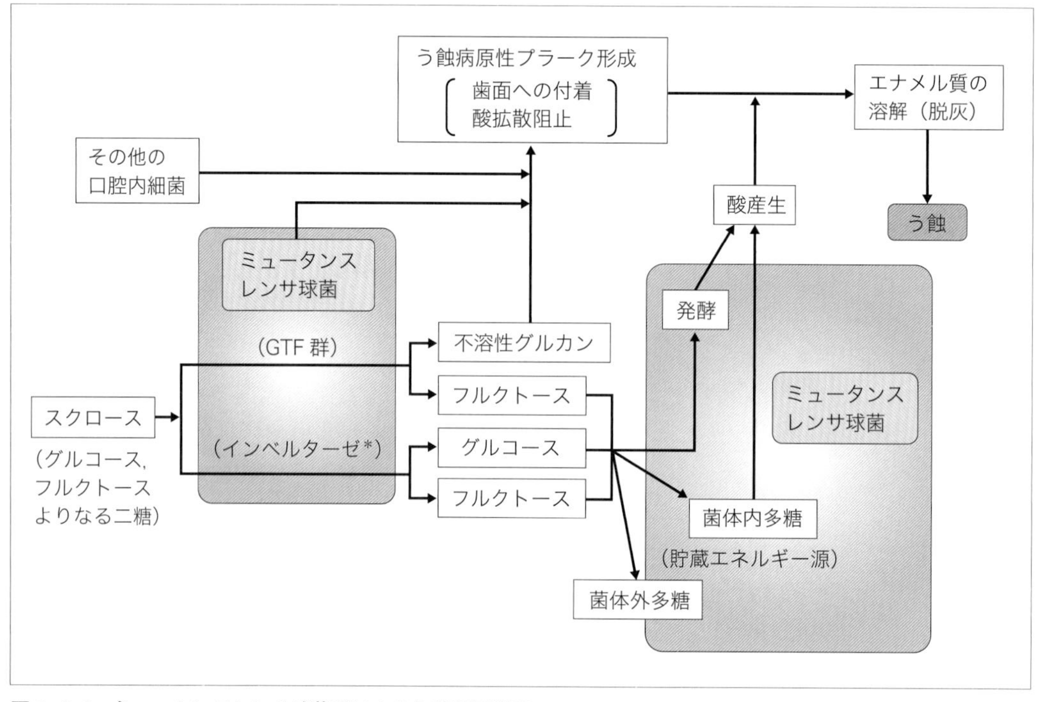

図Ⅱ-3-3　ミュータンスレンサ球菌群によるう蝕病原機序

グルコシルトランスフェラーゼ〈GTF〉はスクロース存在下で不溶性グルカンを合成する．不溶性グルカンはプラークを歯面に強く固着させ，プラーク内における酸の保持を助ける．耐酸性をもつミュータンスレンサ球菌群は，酸性環境においても糖質を代謝し続け，増殖しながらさらに酸を産生し，エナメル質を脱灰する．

＊インベルターゼ

スクロース〈砂糖・ショ糖〉をグルコース〈ブドウ糖〉とフルクトース〈果糖〉に分解する酵素です．あるいは，その働きをさします．

3）酸産生と耐酸性

プラーク中のミュータンスレンサ球菌群は，グルコースやスクロースのような糖の供給を受けると，これを代謝して急速に乳酸，酢酸，ギ酸などの有機酸を産生し，その結果，プラーク局所の pH は著しく低下する．酸産生はミュータンスレンサ球菌群の重要なう蝕原性因子の 1 つである．しかしながら，唾液の洗浄・緩衝作用により，このような酸性環境も徐々に中性環境へと回復する．プラーク内の酸性環境を長時間保つこともう蝕誘発のためには必要な条件であり，この役目を担っているのがミュータンスレンサ球菌群によって合成される不溶性グルカンである．

不溶性グルカンをマトリックスとするバイオフィルムとしてのプラークは，その中で産生された酸がプラーク外へ拡散し，それを中和する唾液がプラーク内に流入するのを妨ぐことで，酸性環境を長時間保つことを可能にする．したがって，スクロースから不溶性グルカンを合成するGTF酵素群はプラークの形成過程のみならず，う蝕誘発過程でプラークの拡散障壁能（あるいはプラーク内での酸蓄積能）を担う重要な因子である．

次に，重要なう蝕原性因子として，耐酸性があげられる．ミュータンスレンサ球菌群を含め，プラーク内の細菌によって産生された酸によりプラーク内はpH 5以下となる．ミュータンスレンサ球菌群はそのような酸性環境の中でも増殖し，酸を産生し続ける能力を有する．この耐酸性は*Lactobacillus*属には及ばないものの，プラークを構成するほかのレンサ球菌や根面う蝕の原因菌としてあげられる*Actinomyces*属などと比較して最も強い．ミュータンスレンサ球菌群の耐酸性を担う主要な因子は，酸性環境下で強力に働くプロトンポンプ，すなわちH^+を菌体外に排出し菌体内を中性に保つ働きをする細胞膜上のH^+-ATPaseである．

4）貯蔵多糖の合成

酸産生の発酵基質となる糖のプラーク内濃度は食事時に著しく高まるが，食事後急減し，食間には利用できる糖がほとんどない状況を呈する．しかし，ミュータンスレンサ球菌群は，そのような飢餓時においても，酸産生（エネルギー生産）を続行できるいくつかの機構をもっている．飢餓環境下での酸産生を可能にするミュータンスレンサ球菌群の因子としては，グリコーゲン様の菌体内多糖を合成して貯蔵し飢餓時に分解利用する能力，エネルギー源となるグルコースやフルクトースを菌体外に水溶性グルカンあるいはフルクタンの形で貯蔵し飢餓時に利用する能力などがあげられる．

CLINICAL POINT

嗽（うがい）ではダメなんでしょうか？

口腔バイオフィルム〈プラーク〉は，*S. mutans*が産生する不溶性グルカンで歯面へ強固に付着します．不溶性グルカンは，文字どおり水に難溶性であることから，機械的に刷掃しないかぎり剥離（はくり）できません．しかも，バイオフィルムの特性上，薬剤などの浸透も妨ぎます．つまり，洗口液や抗菌薬を用いた嗽（うがい）であっても，*S. mutans*を成分とする口腔バイオフィルムを完全に除去することはできません．

③ 病因論に基づくう蝕予防法

う蝕の予防には，第1に萌出後の歯表面を細菌の攻撃から保護すること，第2にう蝕原性細菌すなわちミュータンスレンサ球菌の感染と歯面での定着・増殖を予防すること，第3にスクロースをはじめとする発酵性糖質の摂取を抑制すること，第4にプラーク生態系をう蝕の起こりにくい環境に変えることなどの手段が考えられる（表Ⅱ-3-4）.

第1のう蝕予防法，すなわち歯面・歯質の強化には，フッ化物の塗布や，不潔になりやすい咬合面の小窩裂溝部分を小窩裂溝填塞材〈シーラント〉で物理的に遮断する方法などがある.

第2のう蝕予防法，すなわちミュータンスレンサ球菌の排除には，ブラッシングなどによる物理的プラークコントロールが最も有効であるが，さらに消毒薬や抗菌薬の使用などによってその効果が高められる．また，GTFの阻害作用をもつウーロン茶由来のポリフェノールの経口摂取などの有用性も証明されている.

第3のう蝕予防法，すなわちスクロースの排除としては，代用甘味料の利用である．代用甘味料としては，①アスパルテームなどの人工甘味料，②パラチノースやトレハロースなどのスクロースの構造異性体，③キシリトール，ソルビトール，マルチトールといった非・低発酵性の糖アルコール，④イソマルトースやパノースを高濃度に含有するオリゴ糖や，カップリングシュガーなどのGTFの作用を妨げるオリゴ糖があり，その特性に応じて実用化されている.

第4のう蝕予防法，すなわちプラークバイオフィルムの環境の転換には，発酵性糖質の摂取習慣の改善やフッ化物などの薬剤によるプラーク生態系環境の改善があげられる.

表Ⅱ-3-4　病因論からみたう蝕予防

①　歯質・歯面の強化 ・フッ化物の応用（歯面塗布，洗口，歯磨剤の使用） ・小窩裂溝填塞〈フィッシャーシーラント〉
②　ミュータンスレンサ球菌の排除 ・機械的なプラーク（バイオフィルム）の除去 ・化学的なプラーク（バイオフィルム）の除去
③　スクロースの排除 ・スクロース摂取量の抑制 ・代用甘味料の利用
④　プラークバイオフィルムの環境の転換 ・発酵性糖質の摂取習慣の改善 ・薬剤による環境の転換（フッ化物）

4章 歯周病の細菌学

到達目標
❶ 歯周病の分類と疫学について説明できる．
❷ 歯周病の病理学的特徴について説明できる．
❸ 歯周病原細菌とその病原因子について説明できる．
❹ 歯周組織が破壊される機序について説明できる．

1 歯周病の分類と疫学

歯周病は歯周疾患ともよばれ，**歯肉**，**歯根膜**，**セメント質**および**歯槽骨**により構成される**歯周組織**（図Ⅱ-4-1）に起こる疾患の総称である．非プラーク性歯肉病変を除くと，プラーク中の細菌によって引き起こされる**感染性炎症性疾患**である．炎症が歯肉のみに発生する**歯肉炎**と，歯根膜，セメント質および歯槽骨にまで炎症が広がった**歯周炎**に大別される（表Ⅱ-4-1）．炎症発生の引き金となるのは細菌であるが，細菌に対する生体側の免疫応答により疾患が進行し，結合組織や歯槽骨が破壊される．さらに，喫煙やストレスなどのリスク因子が加わることで，病態が複雑化する．自覚症状のないまま病状が進行することが多く，わが国における永久歯の抜歯原因の1位である．

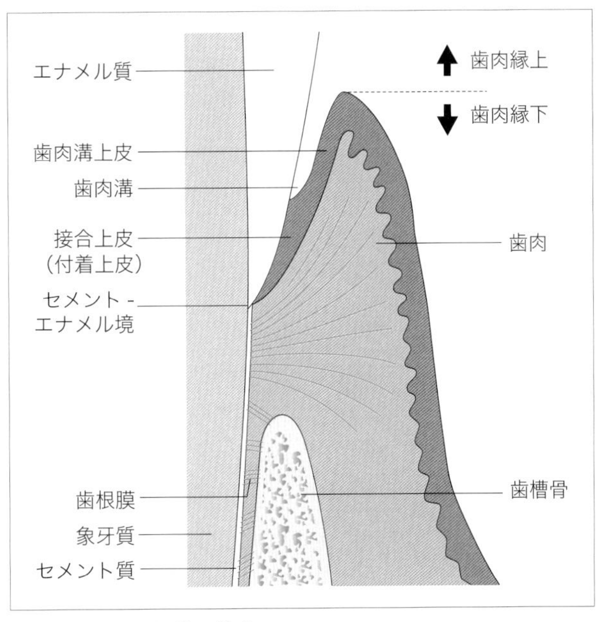

図Ⅱ-4-1　歯周組織の構造

表Ⅱ-4-1　病態による歯周病分類

歯肉病変	1. プラーク性歯肉炎 2. 非プラーク性歯肉病変 3. 歯肉増殖
歯周炎	1. 慢性歯周炎 2. 侵襲性歯周炎 3. 遺伝疾患に伴う歯周炎
壊死性歯周疾患	1. 壊死性潰瘍性歯肉炎 2. 壊死性潰瘍性歯周炎
歯周組織の膿瘍	1. 歯肉膿瘍 2. 歯周膿瘍
歯周-歯内病変	
歯肉退縮	
咬合性外傷	1. 一次性咬合性外傷 2. 二次性咬合性外傷

（特定非営利活動法人日本歯周病学会編：歯周治療のガイドライン 2022）

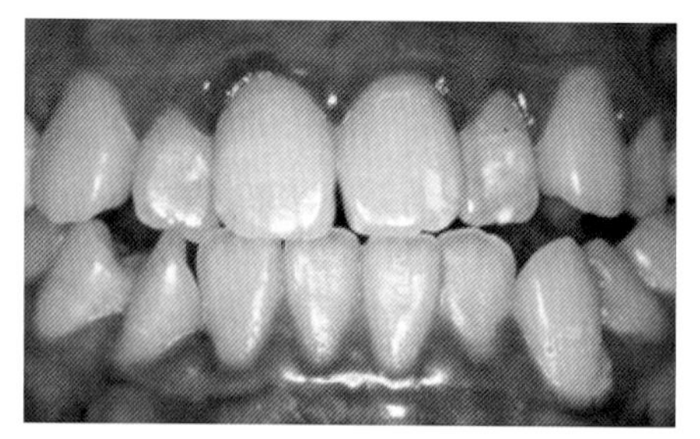

図Ⅱ-4-2　プラーク性歯肉炎（19 歳女性）
（新潟大学・吉江弘正名誉教授のご厚意による）

1. 歯肉炎

歯肉炎のうち，臨床現場で多く遭遇するのは**プラーク性歯肉炎**である．臨床的に正常な歯肉は，薄いピンク色を呈し，歯間乳頭は固く引き締まっている．正常な歯肉にプラークが蓄積して 10〜20 日経過すると，歯間乳頭や歯肉辺縁に発赤や腫脹が出現する（図Ⅱ-4-2）．同部位は，ブラッシングやプロービング*による機械的刺激により容易に出血する．歯肉炎では，このような臨床的な変化が現れていても，結合組織の破壊や歯槽骨の吸収は認められない．また，口腔衛生管理を徹底し，プラークを除去すれば，歯肉炎は顕著に改善する．

*プロービング
プローブとよばれる器具を歯周ポケットに挿入して，ポケットの深さなど歯周組織の状態を診査することをプロービングとよびます．

プラーク性歯肉炎以外の歯肉病変として，非プラーク性歯肉病変と歯肉増殖があげられる．非プラーク性歯肉病変には，特異細菌，ウイルス，真菌，粘膜皮膚病変，アレルギー，外傷，遺伝などによる病変が分類される．歯肉増殖は，歯肉組織のコラーゲン線維の過剰増生による歯肉肥大であり，遺伝性歯肉線維腫症と薬物性歯肉増殖症に分けられる．薬物性歯肉増殖症を発症させる代表的な薬物は，抗てんかん薬であるフェニトイン，免疫抑制薬のシクロスポリン，および高血圧患者に用いるカルシウム拮抗薬のニフェジピンなどである．口腔衛生状態が不良で，薬物の投与期間が長い場合に薬物性歯肉増殖症の発症リスクが高まる．

2. 歯周炎

歯周炎は，歯肉の発赤，腫脹に加え，歯根膜や歯槽骨まで炎症が波及したもので，**アタッチメントロス**や**歯槽骨吸収**が生じた状態である（図Ⅱ-4-3）．アタッチメントロスとは，歯肉の上皮性付着および結合組織性の付着が破壊され，接合上皮の位置がセメント-エナメル境を超えて根尖方向へ移動した状態であり，結果として歯

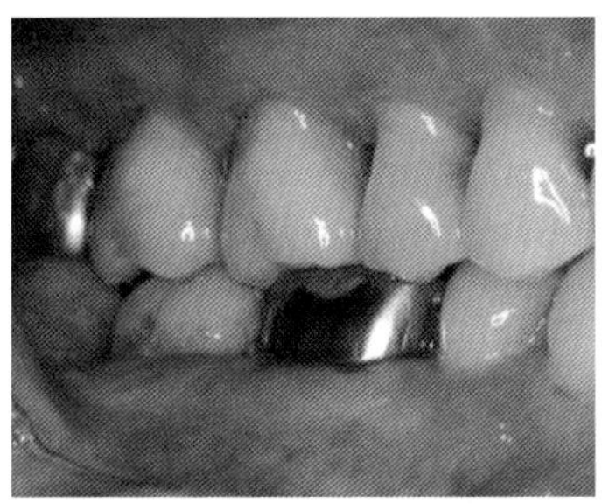
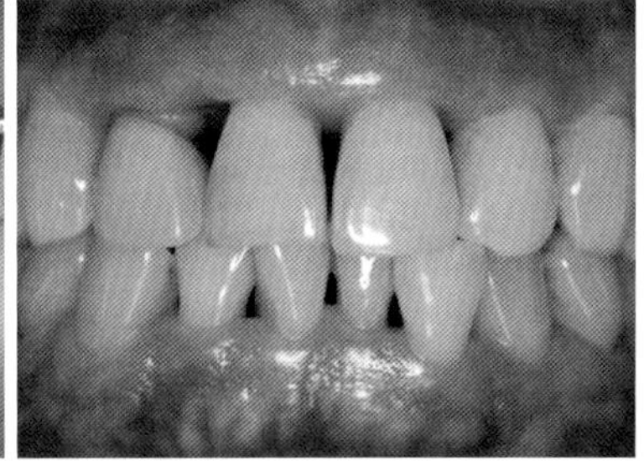
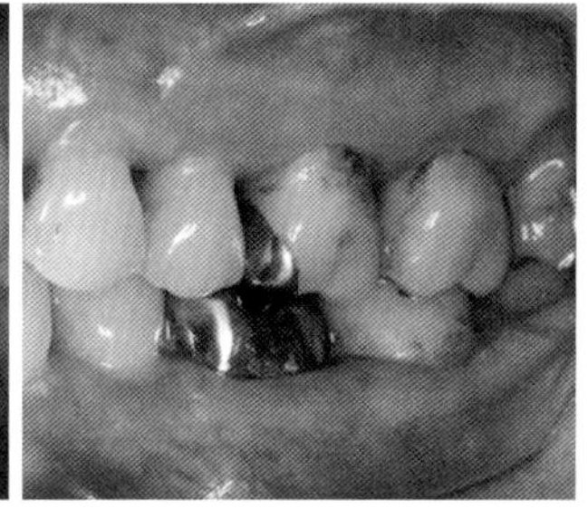

図Ⅱ-4-3　**慢性歯周炎（58 歳男性）**（新潟大学・吉江弘正名誉教授のご厚意による）
口腔内写真．臼歯部歯肉の発赤，腫脹および全顎的な歯肉退縮を認める．

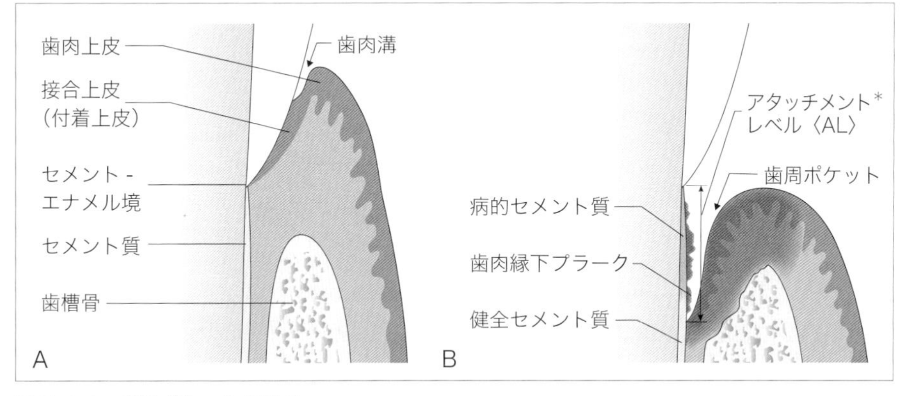

図Ⅱ-4-4　**歯周ポケットの形成**
A：臨床的に正常な歯肉．
B：歯周炎．歯周ポケット底が根尖側に存在し，歯槽骨の吸収がみられる．

＊**アタッチメントレベル**
歯根表面における接合上皮の位置を表す指標で，セメント-エナメル境から歯周ポケット底部までの距離のことをさします．歯周炎の悪化によりアタッチメントレベルは増大します．

肉溝が病的に深くなり，**歯周ポケット**が形成される（図Ⅱ-4-4）．歯周ポケット内では歯肉縁下プラークが形成され，グラム陰性嫌気性菌が増殖し，結果として歯周組織に炎症反応が起こる．歯周組織の破壊が進行すると，歯の病的な動揺が生じる．このような歯周組織の破壊は，一定の速度で直線的に生じるのではなく，病状が急激に悪化する活動期と，病状の進行しない休止期を繰り返して進行すると考えられている．

慢性歯周炎は最も一般的にみられる歯周炎である．通常，35 歳以降の成人において発症することから，以前は成人性歯周炎とよばれていた．歯周ポケットの形成に伴い，歯肉縁下歯石が高頻度で認められる．慢性歯周炎における歯周組織の破壊の量は，局所的な因子であるプラークの蓄積量と一致する．一方，歯周組織破壊の進行速度は比較的遅く，慢性に経過する．

侵襲性歯周炎*は，全身的には健康であるが急速なアタッチメントロスおよび歯槽骨吸収を特徴とする（図Ⅱ-4-5）．一般的に，プラークの付着量は少ない．侵襲性歯周炎は，10～30 歳代での発症が多いことから，以前は早期発症型歯周炎もしくは若年性歯周炎とよばれていた．家族内集積*を認める場合があり，生体防御機能や免疫応答の異常が認められるなどの二次的な特徴が認められる．プラーク中に

＊**侵襲性歯周炎**
アメリカ歯周病学会とヨーロッパ歯周病学会は，2017 年に歯周病の新国際分類を決定し，慢性歯周炎と侵襲性歯周炎を「歯周炎」として 1 つの分類にまとめました（『歯周病学』参照）．

＊**家族内集積**
病気などが特定の家族内または家系内に高い頻度で認められることです．

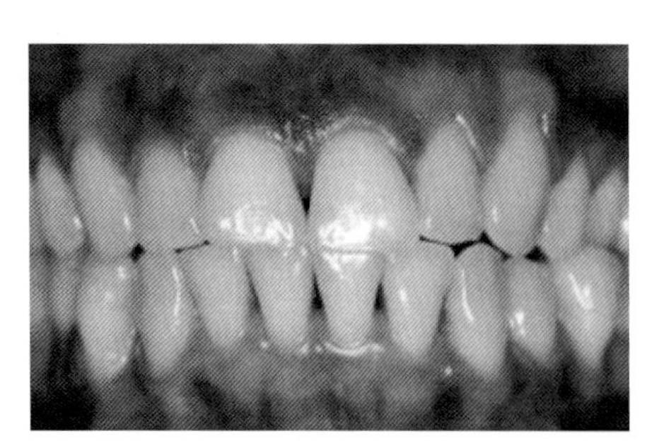
図Ⅱ-4-5 侵襲性歯周炎（23 歳女性）
（新潟大学・吉江弘正名誉教授のご厚意による）

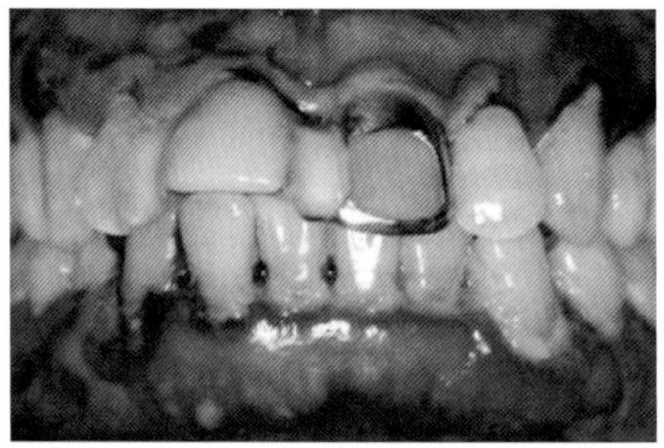
図Ⅱ-4-6 壊死性潰瘍性歯周炎（56 歳男性）
（新潟大学・吉江弘正名誉教授のご厚意による）

おいて *Aggregatibacter actinomycetemcomitans* の検出比率が上昇することから，侵襲性歯周炎への関与が考えられている．第一大臼歯と切歯に限局した病変を有する限局型侵襲性歯周炎と，それ以外の部位にも病変を有する広汎型侵襲性歯周炎の 2 つの病型に分類されている．

3. 壊死性（えしせい）歯周疾患

＊偽膜
壊死した粘膜面にフィブリンが析出し，好中球の浸潤なども加わって形成された白色〜黄白色の膜様物のことをさします．

壊死性歯周疾患は，歯間乳頭などの歯周組織に潰瘍，壊死，灰白色の偽膜*形成，出血，強い疼痛を特徴とする疾患である（図Ⅱ-4-6）．壊死性潰瘍性歯肉炎および壊死性潰瘍性歯周炎に分類される．病因は十分に解明されていないが，口腔清掃不良に加えて，強いストレス，栄養障害，喫煙などが壊死性歯周疾患の発症に関与すると考えられている．また，ヒト免疫不全ウイルス〈HIV〉（p.148 参照）感染者や白血病患者の口腔内所見として認められることがある．*Prevotella intermedia*，スピロヘータ〈spirochetes〉，*Fusobacterium* 属などが壊死性歯周疾患の発症に関与するとの報告がある．

4. 歯周病の疫学

令和 4 年歯科疾患実態調査によると，歯周ポケットを有する者の割合は，25〜34 歳の年齢階級で約 33％であるのに対し，55〜64 歳では約 48％であり，年齢が高くなるにつれて歯周病の有病率が増加する．以降の年齢階級では喪失歯数が増加することが示されている．また，歯周病の初期症状である歯肉出血を有する者の割合は，全世代で 35〜50％程度であり，加齢とともに増加あるいは減少する傾向は認められない．

② 歯周病原細菌と病原因子

口腔内細菌叢は生体内でも特に複雑であり，数百種類以上の細菌種の存在が報告されている．一般的に，プラークの成熟は歯頸部，隣接面および臼歯部において早い．プラークの成熟過程では，各段階において特徴的な細菌群が存在する．初期プラークにはレンサ球菌を中心としたグラム陽性菌が優位であり，成熟プラークではグラム陰性嫌気性菌の割合が増加する．

プラークが形成される部位によっても細菌構成に違いが生じ，歯肉縁上プラークではグラム陽性球菌が優勢であるが，歯肉縁下プラークでは偏性嫌気性グラム陰性桿菌が増加する．歯肉縁下プラーク中に生息する細菌種と歯周病との関連について研究が進められ，**歯周病原細菌**とよばれる細菌群が，歯周炎の発症および増悪に関与すると考えられている．米国歯周病学会が歯周病原細菌として想定される細菌をまとめた(表Ⅱ-4-2)．

Socransky（2002年）らは，歯周組織が健康な人および歯周炎患者の歯肉縁下プラーク中に生息する細菌種を解析し，歯周炎と関連して分離される細菌種を明らかにした．すなわち，深い歯周ポケットや歯肉出血と強く関連して分離される**Red Complex〈レッドコンプレックス〉**(***Porphyromonas gingivalis***，***Tannerella forsythia***，および***Treponema denticola***)，歯周ポケットの増加と関連して分離されるオレンジコンプレックス（*Prevotella intermedia*, *Fusobacterium nucleatum*, *Campylobacter rectus*（カンピロバクター レクタス）など）およびほかの4つのグループに分類した（図Ⅱ-4-7)．以下に代表的な歯周病原細菌の特徴について解説する．

表Ⅱ-4-2　歯周病原細菌

多くの文献により学術的根拠の示された歯周病原細菌
Aggregatibacter actinomycetemcomitans
Porphyromonas gingivalis
Tannerella forsythia
複数の文献により学術的根拠の示された歯周病原細菌
Campylobacter rectus
Eubacterium nodatum
Fusobacterium nucleatum
Parvimonas micra（*Peptostreptococcus micros*）
Prevotella intermedia
Prevotella nigrescens
Streptococcus intermedius
Treponema denticola

（米国歯周病学会，1996）

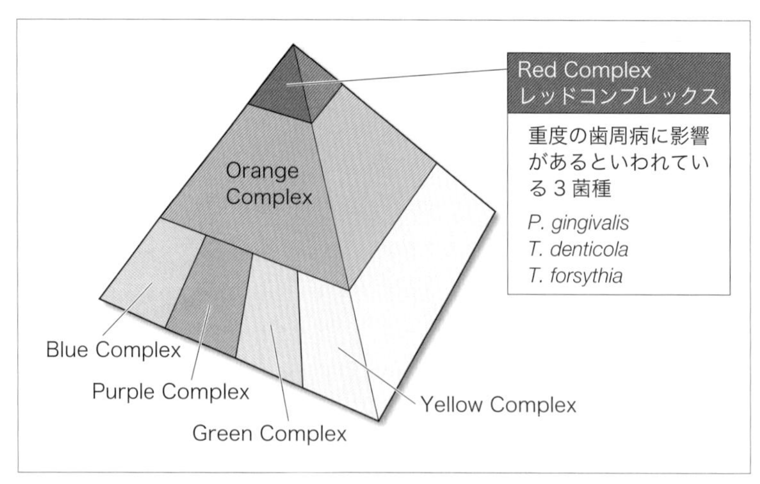

図Ⅱ-4-7 **Red Complex〈レッドコンプレックス〉**（Soransky SS & Haffajee AD（2002）Dental biofilms：difficult therapeutic targets. Periodontology 2000, 28：12-55）

口腔内に存在している数百種類の細菌を，歯周病への関連が高い順に分類し，ピラミッド状に模式図化したもの．Red Complex とよばれる3菌種は，ピラミッドの頂点に位置し，重度の歯周炎に最も影響を及ぼしているといわれている．

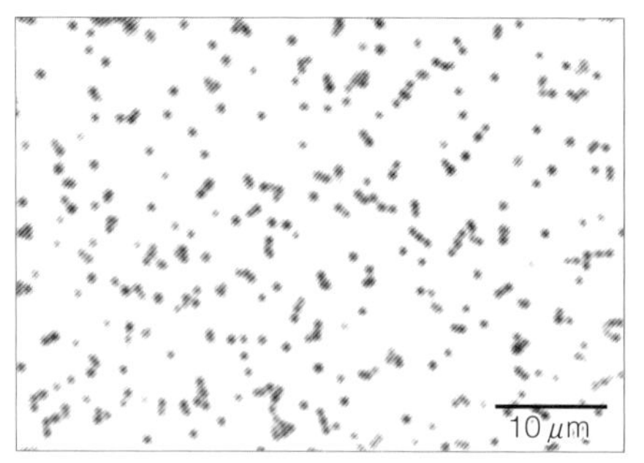

図Ⅱ-4-8 ***P. gingivalis* のグラム染色像**

（川端重忠，小松澤 均，大原直也，寺尾 豊編：口腔微生物学・免疫学 第5版．医歯薬出版，2021.）

図Ⅱ-4-9 **血液寒天培地上の *P. gingivalis* のコロニー**

1. *Porphyromonas gingivalis*

P. gingivalis は偏性嫌気性のグラム陰性桿菌で（図Ⅱ-4-8），慢性歯周炎患者の歯肉縁下プラークから高頻度で検出される．血液を添加した寒天培地上で培養すると，黒色のコロニーを形成する（図Ⅱ-4-9）．

P. gingivalis は莢膜（きょうまく）と線毛を有し，それぞれ免疫細胞からの回避および歯肉上皮細胞への付着に関与する．本菌の外膜成分である LPS（p.15 参照）は，免疫細胞の表面に存在する Toll（トル）様受容体〈TLR〉（p.167 参照）により認識され，炎症反応を惹起する．また，**ジンジパイン**とよばれるプロテアーゼを産生し，細胞外基質，サイトカイン（p.166 参照），免疫グロブリン（p.171 参照）などのヒトタンパク質を分解することにより，歯周組織を破壊すると考えられている．

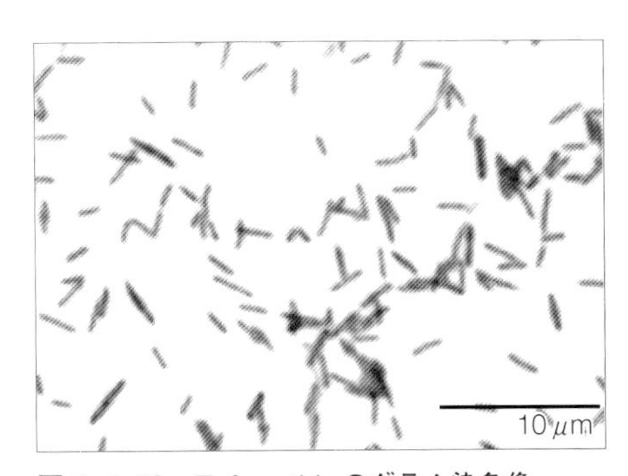

図Ⅱ-4-10　*T. forsythia* のグラム染色像
（川端重忠，小松澤 均，大原直也，寺尾 豊編：口腔微生物学・免疫学　第5版．医歯薬出版，2021.）

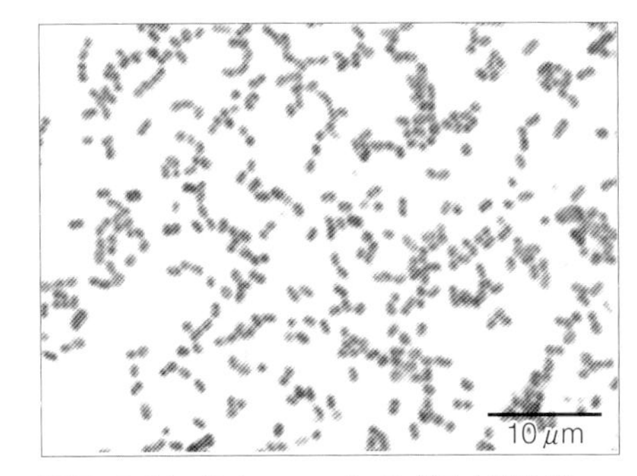

図Ⅱ-4-11　*P. intermedia* のグラム染色像
（川端重忠，小松澤 均，大原直也，寺尾 豊編：口腔微生物学・免疫学　第5版．医歯薬出版，2021.）

2. *Tannerella forsythia*

T. forsythia は偏性嫌気性のグラム陰性桿菌で（図Ⅱ-4-10），*P. gingivalis* と同じく慢性歯周炎患者の歯肉縁下プラークから高頻度で検出される．血液寒天培地上で非常に小さなコロニーを形成するが，黒色色素は産生しない．病原因子として，LPS およびプロテアーゼを有する．

3. *Treponema denticola*

T. denticola はスピロヘータに属し，偏性嫌気性のグラム陰性らせん菌である．慢性歯周炎患者の歯肉縁下プラークから検出され，寒天培地上で白色コロニーを形成する．鞭毛（べんもう）を有しており，活発に運動する．デンティリシンとよばれるプロテアーゼを産生し，細胞外基質，サイトカイン，免疫グロブリンなどのヒトタンパク質を分解する．

4. *Prevotella intermedia*

P. intermedia は偏性嫌気性のグラム陰性桿菌で（図Ⅱ-4-11），血液寒天培地上で黒色のコロニーを形成する．慢性歯周炎や壊死性潰瘍性歯肉炎患者の歯肉縁下プラークから検出される．女性ホルモンであるエストロゲンやプロゲステロンにより本菌の発育が促進されることから，思春期関連歯肉炎や妊娠関連歯肉炎の発症とも関連すると考えられている．病原因子として，LPS とコラゲナーゼ*を有する．

＊コラゲナーゼ
コラーゲンをより小さなペプチド断片に切断する酵素で，プロテアーゼの一種です．

5. *Aggregatibacter actinomycetemcomitans*

A. actinomycetemcomitans は通性嫌気性のグラム陰性桿菌で（図Ⅱ-4-12），CO_2 の存在下では好気的に培養ができる．慢性歯周炎のほか，侵襲性歯周炎患者から分

細菌名の変遷

歯周病原細菌の1つである *Tannerella forsythia* は，世代によって学んだ菌名が異なります．はじめに，Forsyth Dental Center（現 Forsyth 研究所）の Anne Tanner らにより発見され，*Bacteroides forsythus* と命名されました（1986年）．遺伝子配列等が詳細に解析されるようになると，*Bacteroides* 属ではない新属名が相応しいと判明し，発見者とその所属研究所の名前に由来する *Tannerella forsythensis* へと変更されました（2002年）．しかし，国際的な細菌命名の規約が整備されると，*Tannerella forsythia* へ再変更され，現在に至ります．

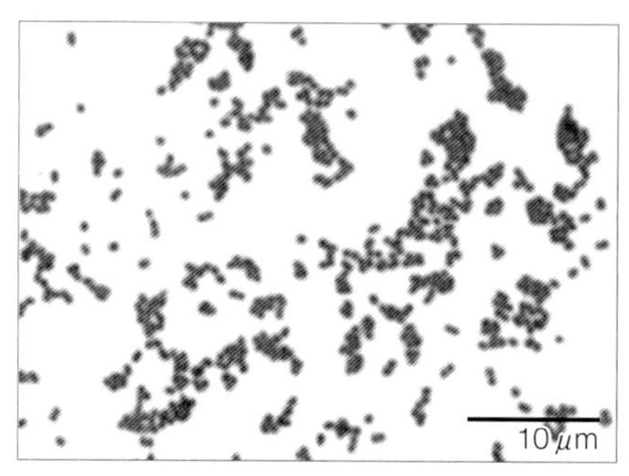

図Ⅱ-4-12　*A. actinomycetemcomitans* のグラム染色像

（川端重忠，小松澤 均，大原直也，寺尾 豊編：口腔微生物学・免疫学　第5版．医歯薬出版，2021.）

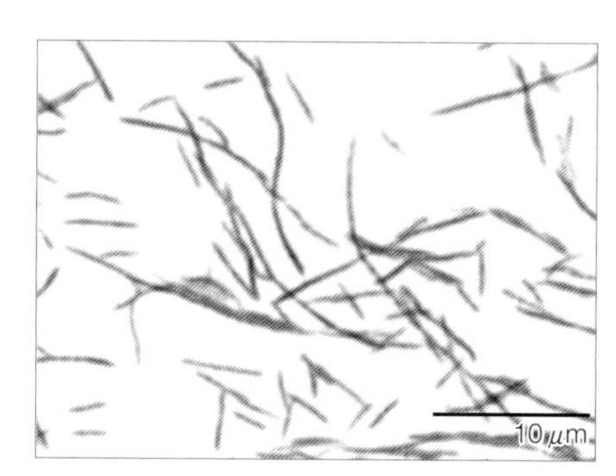

図Ⅱ-4-13　*F. nucleatum* のグラム染色像

菌体は幅 0.4～0.7 μm，長さ 3～20 μm で，菌体の両端が尖ったような紡錘状の桿菌である．

（川端重忠，小松澤 均，大原直也，寺尾 豊編：口腔微生物学・免疫学　第5版．医歯薬出版，2021.）

離される．病原因子として LPS，線毛，**ロイコトキシン**などを有する．ロイコトキシンはヒト好中球やマクロファージなどの免疫細胞に作用して細胞死を誘導する．

6. *Fusobacterium nucleatum*

F. nucleatum は菌体の両端が尖ったような紡錘状の偏性嫌気性のグラム陰性桿菌で（図Ⅱ-4-13），ヒト口腔内に常在し，歯周炎病巣からも検出される．本菌は，菌体表層のレクチン様タンパク質により種々の細菌と結合することで，プラークの形成に重要な役割を果たす．

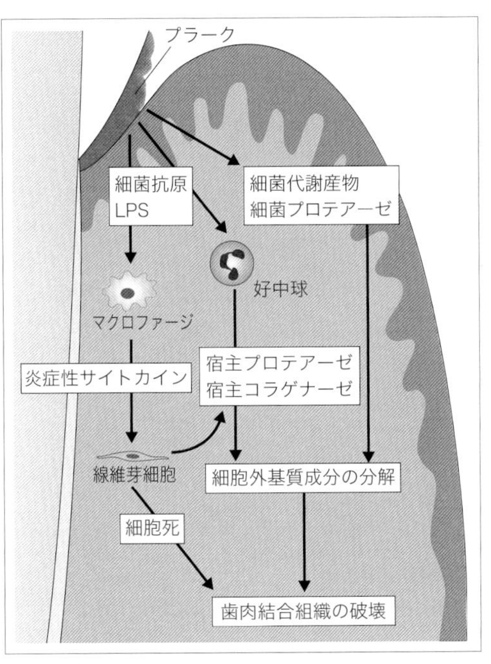

図Ⅱ-4-14 **歯肉結合組織破壊のメカニズム**

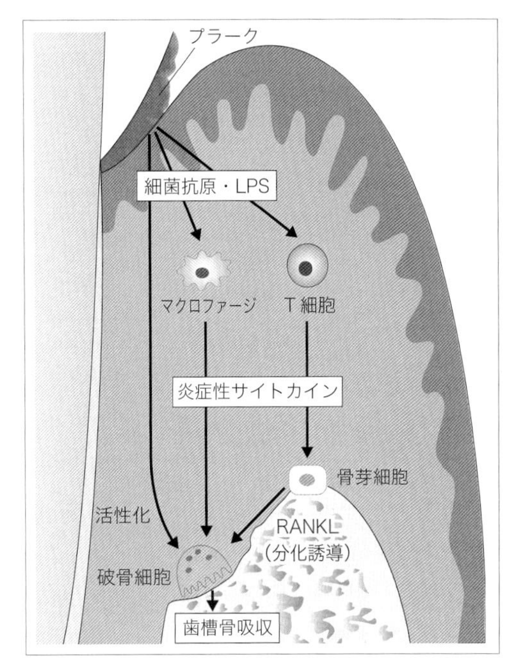

図Ⅱ-4-15 **歯槽骨吸収のメカニズム**

③ 歯周組織の破壊機序

歯周病はプラークにより引き起こされる歯周組織の炎症性病変である．歯肉縁下ポケットにプラークが形成され，歯周病原細菌が増加すると，LPS などの細菌性因子が恒常的に放出され，歯肉上皮に炎症を誘導する．炎症が起きると，歯肉組織に存在する毛細血管は拡張し，組織に流入する血液量が増加する．さらに，血漿が血管外に漏れ出て歯肉組織中に蓄積し，臨床的な歯肉組織の腫脹が出現する．また，好中球などの炎症性細胞が血管内から炎症部位である歯肉組織に移動する．歯肉上皮細胞間に存在する空隙は広がり，歯肉組織への細菌の侵入が可能となる．歯肉上皮バリアを突破した歯周病原細菌は，プロテアーゼを放出することで，歯周組織を破壊する．続いて，組織に蓄積した好中球，リンパ球，マクロファージなどの炎症性細胞が産生するプロテアーゼやコラゲナーゼなどの酵素，サイトカイン（p.166 参照），ケミカルメディエーターなどの作用により歯肉結合組織が破壊される（図Ⅱ-4-14）．

LPS などの細菌性因子を認識すると，歯肉組織中に存在するマクロファージなどの宿主細胞は，**炎症性サイトカイン**を産生する．炎症性サイトカインが骨芽細胞に作用すると，**RANKL**（ランクル）* とよばれる分子が骨芽細胞の表面に発現する．また，LPS が骨芽細胞に直接作用することで RANKL を誘導することも知られている．RANKL は，破骨前駆細胞の有する RANKL 受容体（RANK（ランク））* に結合することで，破骨前駆細胞を**破骨細胞***へと分化させる．炎症性サイトカインにより活性化した破骨細胞により，歯槽骨が吸収される（図Ⅱ-4-15）．

＊ RANKL と RANK
ヒトの骨は，古い骨を破壊しつつ新しい骨をつくり，生まれ変わりを続けて正常性を保っています．その骨の破壊を担うのが破骨細胞です．RANKL は，破骨細胞の働きなどを促進するタンパク質で，その受容体である RANK に結合することで機能が活性化します．

＊破骨細胞
複数の核を有する巨大な多核細胞です．活性化するとプロテアーゼや酸を産生して骨を溶解します．

歯周病原細菌と腸内環境

大腸癌を発症した患者と健康なヒトの腸内細菌を比較したところ，大腸癌の患者では *Fusobacterium nucleatum* のような歯周病原細菌が多くみつかると報告されています．さらに，大腸癌のマウスに抗菌薬を投与し，腸内 *F. nucleatum* を減少させると，癌の増殖が抑制されることも示されています．*F. nucleatum* は，口腔から腸内へ移行すると推測されることから，口腔環境をよくすることは全身の健康維持にも寄与すると考えられています．

4 病因論に基づく歯周病予防法

歯周病の第一次予防においては，健康増進として生活習慣の改善および禁煙などがあげられる．特異的予防として，各個人よるセルフケア（プラークコントロール）に加え，歯科医師や歯科衛生士によるプロフェッショナルケア（スケーリングなど），地域・職場・学校などの集団を対象としたコミュニティケア（歯周病検診や歯科健康医療に基づく広報活動など）があげられる．これらのうち，プラークコントロールは歯周治療における最も重要な予防法であり，治療法でもある．

参考文献

1）Socransky SS and Haffajee AD（2002）Dental biofilms：difficult therapeutic targets. Periodontology 2000. 28：12–55.
2）Zambon JJ（1996）Periodontal diseases：microbial factors. Ann Periodontol. 1：879–925.
3）村上伸也，申　基喆，齋藤　淳，山田　聡編：臨床歯周病学　第3版．医歯薬出版，東京，2020.
4）川端重忠，小松澤　均，大原直也，寺尾　豊編：口腔微生物学・免疫学　第5版．医歯薬出版，東京，2021.
5）須田立雄，早川太郎監修／髙橋信博，宇田川信之ほか編著：口腔生化学　第5版．医歯薬出版，東京，2018.
6）特定非営利活動法人日本歯周病学会編：歯周病治療のガイドライン2022．医歯薬出版，東京，2022.

5章 その他の口腔感染症

到達目標
❶ 微生物が原因で口腔に症状を現す疾患を概説できる．
❷ 口腔微生物が原因で全身に症状を現す疾患を概説できる．

1 義歯性カンジダ症

1．原因と病態

原因の真菌（*Candida albicans* など）は，義歯床の材料であるレジンに付着しやすい．義歯の清掃が不十分であると，口腔細菌とバイオフィルムを形成し，義歯床粘膜面に強固に付着する．そして，その義歯を口腔に装着すると，義歯床下の粘膜面へ真菌感染する機会が生じる．免疫が十分に作動していれば感染することは少ないが，義歯装着者の多くは免疫機能の低下した高齢者である．そのため，しばしば日和見感染が成立する．義歯を装着すると刺激が粘膜面に伝わりにくいため，自覚症状を感じにくく悪化もしやすい．**義歯床下粘膜に一致した粘膜の発赤**（紅斑）と炎症が特徴である．

2．義歯性口内炎の分類

義歯性口内炎は，肉眼的所見により以下に分類される．

【Newton 分類】

Ⅰ型：口蓋粘膜の一部に発赤・炎症が認められる．

Ⅱ型：義歯床下粘膜の広範囲に及ぶ発赤・炎症が認められる．

Ⅲ型：口蓋中央部に，炎症性乳頭過形成が認められる．

3．予防と治療法

義歯の清掃と口腔衛生管理が**義歯性カンジダ症**の予防となる．治療には，**ポリエン系薬**（**アムホテリシン B** など）および**アゾール系薬**（**イミダゾール**など）の外用薬と内服薬がそれぞれ用いられる（p.155 参照）．*C. albicans* による義歯性カンジダ症の予防には，抗真菌薬や次亜塩素酸ナトリウムなどの消毒薬が添加されている洗浄液を使用することが望ましい．また，高齢者に多い誤嚥性肺炎の発症要因の 1 つには，義歯に付着する細菌群もあげられる．義歯の洗浄方法を指導する際には，各メーカーの洗浄液に含まれる消毒薬の特徴を理解する（p.52 参照）．

② 誤嚥性肺炎

1. 原因と病態

飲食物や唾液が，気管に入ってしまうことを誤嚥という．そして，誤嚥が原因で起こる肺炎を**誤嚥性肺炎**とよぶ．飲食物などが食道ではなく気管に入ってしまった場合，若くて健康であれば，咳反射などで気管から異物を排出できる．しかし，加齢などで反射機能などが低下すると，口腔由来の異物を気管から排除できず，肺組織へと落下させてしまう．多くの場合，この異物には口腔の常在細菌が混入している．

口腔にはさまざまな細菌が存在し，常在細菌叢を形成している．口腔の常在細菌は，口腔内では低病原性であるが，別の組織へ移行すると高い病原性を発揮することがある．これを**内因感染**とよぶ（p.10 参照）．誤嚥性肺炎の原因菌は，口腔内に存在する**肺炎球菌**〈*Streptococcus pneumoniae*〉や**黄色ブドウ球菌**〈*Staphylococcus aureus*〉であることが多い．

2. 誤嚥性肺炎の主な症状

誤嚥性肺炎では，①発熱，②激しいと咳と膿性痰，③呼吸不全，④肺雑音のような症状を呈すことが多い．しかし，一部患者では，これらの症状がなく，体調不良などの非特異的な症状のみの場合もある．そのため，誤嚥や嚥下機能低下が確認されている場合は，胸部エックス線所見や白血球増加による肺炎診断などが必要となる．また，図Ⅱ-5-1 に示すような高リスク患者でも，誤嚥性肺炎を疑う．

高齢者，あるいは脳卒中などの基礎疾患で寝たきりの患者では，口腔内の清掃が

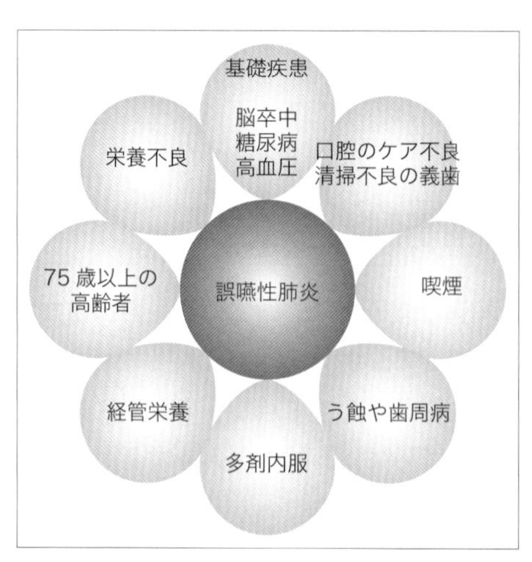

図Ⅱ-5-1 誤嚥性肺炎とその増悪因子
（日医工株式会社ホームページ改変）

CLINICAL POINT 口腔衛生管理と肺炎予防

誤嚥性肺炎で死亡する患者は，年間4万人以上で，その多くが高齢者です．高齢者の肺炎予防には，23価肺炎球菌ワクチンが接種されるものの，感染予防効果は30%もありません．一方で，歯科衛生士・歯科医師による口腔衛生管理は，75%もの予防効果が認められたとの報告もあります．

（日本感染症学会：65歳以上の成人に対する肺炎球菌ワクチン接種に関する考え方（第4版　2023年3月24日））

不十分になることがある．あるいは，う蝕や歯周病を放置している場合，誤嚥すると肺炎の原因となる口腔内細菌が多く，増殖することとなる．さらに，栄養不良や免疫低下，および喫煙や多剤の内服も，誤嚥性肺炎の発症に関与する．

3. 誤嚥性肺炎の増悪因子

誤嚥性肺炎は，「嚥下機能が低下した者に生じる肺炎」ともいえる．その増悪因子を図Ⅱ-5-1に示す．

4. 予防と治療法

専門的な口腔清掃（口腔衛生管理）が予防に効果を発揮する．嚥下機能の回復トレーニングおよび食事メニューの改善（誤嚥しにくいものに変更するなど）も有効である．65歳以上の高齢者やハイリスク者には，23価肺炎球菌莢膜ポリサッカライドワクチン（p.114参照）が接種される．治療は，アンピシリン・スルバクタムによる抗菌薬療法が第一選択となる．

3 感染性心内膜炎

1. 原因と病態

感染性心内膜炎は心内膜に生じる感染症であり，血流に入った細菌が損傷のある心臓弁（あるいは人工弁）に到達することで発生する．僧帽弁や大動脈弁に弁破壊と弁膜症が生じることが多い．突然の高熱，心拍数の上昇，および疲労の症状を呈す．心臓弁が穿孔し，重大な逆流が生じることもある．その場合は，ショック状態となり，腎臓などの臓器機能不全を合併することもある．

心臓弁上に形成された菌（疣贅（ゆうぜい））は崩壊すると塞栓となり，血流に乗ってほかの

その抗菌薬，本当に要りますか？

感染性心内膜炎を予防するため，抜歯後には抗菌薬を処方します．旧来の歯科臨床では当然のことでした．しかし，薬剤耐性菌の増加に伴い，適切な抗菌薬使用の徹底が求められています．易感染性宿主（p.10参照）でない限り，抜歯前の口腔清掃と消毒，滅菌器具による抜歯操作，そして術後の消毒を徹底すれば，抗菌薬の使用は回避できることもあります．

臓器で閉塞や感染巣形成を引き起こす．塞栓の付着部位では感染症が生じるほか，脳へ続く動脈が閉塞すると脳卒中を発症し，心臓へ続く動脈が閉塞すると心筋梗塞が起こる．

発症要因の1つとして，**歯科における観血的処置（抜歯やスケーリング・ルートプレーニング〈SRP〉）**が報告されている．そのため，誤嚥性肺炎と同じく，口腔の常在細菌による内因性感染に分類される．

2. 予防と治療法

歯科における予防法は，観血的処置前の口腔衛生管理や術野の消毒となる．抜歯翌日の患部の観察と消毒も重要である．心臓弁の損傷や人工を弁装着するなどのハイリスク患者には，抗菌薬を術前と処置後に処方する．感染性心内膜炎，あるいは疑われる場合は入院となり，高用量の抗菌薬投与を行う．

4 インプラント周囲炎

1. 原因と病態

インプラント周囲ポケットのプラーク付着の亢進に伴い，周囲歯肉の炎症が生じる．適切な清掃が実施されないと，インプラント周囲にポケットが形成される．ポケット深部に嫌気性菌が増殖すると，炎症が深部に拡大し歯槽骨の吸収が生じる．歯槽骨の吸収に伴い，咬合性外傷*が発生すると，さらに歯槽骨破壊が進行し，インプラント体の動揺や脱落を引き起こす．

プラーク細菌群のメタゲノム解析*から，天然歯の歯周病と**インプラント周囲炎**では，同様の細菌種が存在することが示されている．偏性嫌気性の *Porpyromonas* 属，*Fusobacterium* 属，および *Treponema* 属が高頻度に検出され．これらの複合感染症であると考えられる．また，一部の患者からは，*Prevotella* 属や *Streptococcus* 属も分離される．しかしながら，インプラント周囲炎の細菌叢では，天然

＊咬合性外傷
歯をかみ合わせたときの咬合力により，歯を支える歯肉や歯槽骨に病的なダメージが生じた状態をさします．かみ合わせの悪さや強すぎる咬合力に起因する場合を一次性咬合性外傷とよび，歯槽骨の吸収により通常の咬合力でダメージが生じた場合を二次性咬合性外傷とよびます．

＊メタゲノム解析

ゲノムは，１つの生命体に含まれる遺伝情報のすべてをさします．メタゲノム解析では，プラークなどの細菌集団に含まれる全細菌の全遺伝情報を調べます．歯周病などの複合感染症では，プラーク細菌全体の活動性を解析する試みが進められています．

歯の歯周病とは異なる細菌種の遺伝子発現パターンが解析されている．つまり，両疾患の間では生息する細菌性は類似していても，活動する細菌種には違いがあると示唆されている．そのため，インプラント周囲炎に対する抗菌治療では，天然歯の歯周病と違う抗菌薬が奏効することもある．

2. 予防と治療法

歯科衛生士・歯科医師による清掃器具を用いた歯面清掃（プラーク除去，PTC）による機械的清掃を行い予防する．発症時には，メトロニダゾールやアモキシシリンなどの抗菌薬の処方を行う．重症例では，炎症性肉芽組織を外科的に除去し，さらに汚染されたインプラント体の表面を露出させ，薬剤にて消毒する．併せて，インプラント体の表面のプラークや歯石を機械的に除去する．

III 編

病原微生物学

1章 主な病原細菌

到達目標
❶ 主な病原細菌の性状と病原因子，感染機構を説明できる．
❷ 主な病原細菌感染症の病態および予防・治療法を説明できる．

主な病原細菌を表Ⅲ-1-1 に示す．

1 グラム陽性球菌

1．黄色ブドウ球菌（図Ⅲ-1-1，図Ⅲ-1-2）

1）性状と特徴，検査

ブドウ球菌はグラム陽性の球菌であり，菌体がブドウの房状に集合して観察されることから，命名された．現在までに，50種以上の菌種が報告されているが，歯学・医学的に重要なものは，黄色ブドウ球菌〈*Staphylococcus aureus*〉，表皮ブドウ球菌〈*Staphylococcus epidermidis*〉，腐生ブドウ球菌〈*Staphylococcus sarprophyticus*〉である．これら3菌種はすべてがカタラーゼ陽性*であり，黄色ブドウ球菌のみがコアグラーゼ陽性*でもあり，類縁菌との鑑別に使用される．多くのヒトの皮膚，鼻腔や口腔などに3菌種のいずれか，あるいは複数種が定着している．主に接触感染するほか，一部は飛沫でも感染する．

黄色ブドウ球菌は約半数のヒトから検出され，歯科臨床においては院内感染の主な起因菌として知られる．免疫機能が低下した高齢者，乳幼児，入院患者，および

＊カタラーゼ
過酸化水素を分解し，酸素と水に変える化学反応を触媒する酵素．

＊コアグラーゼ
フィブリノーゲンをフィブリンに変化させ，血漿を凝固させる酵素．黄色ブドウ球菌は，周囲を凝固した血漿で覆うことでヒト免疫から逃れます．

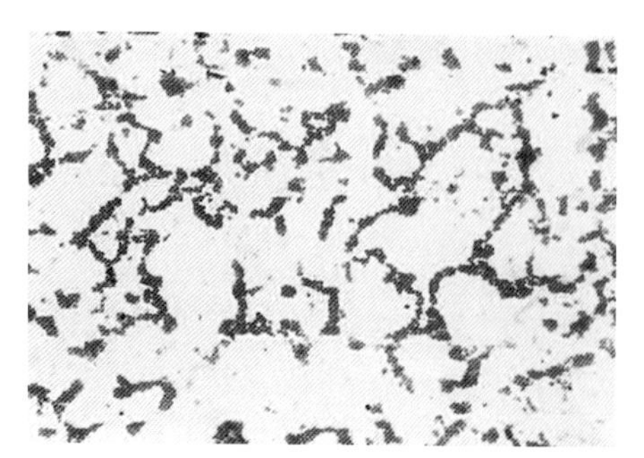
図Ⅲ-1-1 黄色ブドウ球菌のグラム染色像〔アメリカ疾病予防管理センター（CDC：Centers for Disease Control and Prevention）〕

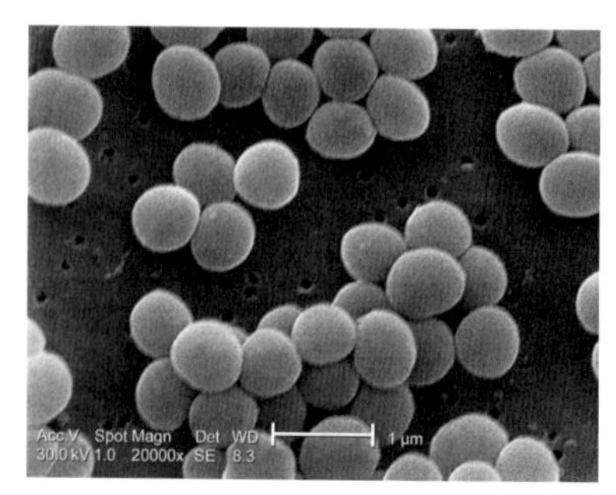

図Ⅲ-1-2 黄色ブドウ球菌の走査型電子顕微鏡像〔CDC〕

表Ⅲ-1-1　主な病原細菌

グラム染色性	形態	代表的な細菌
グラム陽性	球菌	黄色ブドウ球菌〈*Staphylococcus aureus*〉 化膿レンサ球菌〈*Streptococcus pyogenes*〉 B 群レンサ球菌〈*Streptococcus agalactiae*〉 肺炎球菌〈*Streptococcus pneumoniae*〉 腸球菌〈*Enterococcus* 属〉
	桿菌	結核菌〈*Mycobacterium tuberculosis*〉 破傷風菌〈*Clostridium tetani*〉 ボツリヌス菌〈*Clostridium botulinum*〉 放線菌〈*Actinomyces* 属〉
グラム陰性	球菌	髄膜炎菌〈*Neisseria meningitidis*〉
	桿菌	緑膿菌〈*Pseudomonas aeruginosa*〉 レジオネラ ニューモフィラ〈*Legionella pneumophila*〉 ヘリコバクター ピロリ〈*Helicobacter pylori*〉 大腸菌〈*Escherichia coli*〉 マイコプラズマ属〈*Mycoplasma* 属〉 クラミジア属〈*Chlamydia* 属〉 リケッチア属〈*Rickettsia* 属〉
	らせん菌	梅毒トレポネーマ〈*Treponema pallidum*〉

糖尿病患者などの**易感染性宿主**に**日和見感染**（p.11 参照）を起こすことがある．

2）予防と治療法

近年では抗菌薬の不適切な使用などにより，**薬剤耐性菌**である**メチシリン耐性黄色ブドウ球菌**〈**MRSA**：methicillin-resistant *S. aureus*〉の分離頻度が高まっており，治療が困難になっている．MRSA にはバンコマイシンが奏効するものの，過去には**バンコマイシン耐性黄色ブドウ球菌**〈**VRSA**：vancomycin-resistant *S. aureus*〉が分離されたこともあり，抗菌薬に頼らない消毒と滅菌が感染予防には重要となる．MRSA を含めた黄色ブドウ球菌の感染対策には，消毒用エタノール，ポビドンヨード，グルタラール，ならびに各種界面活性剤の使用が有効である．また，滅菌器具の使用も有効であるため，Ⅰ編 6 章の消毒・滅菌の理解に努める．

抗菌薬を使用する際には，薬剤感受性試験を行い，適切な使用薬剤を選択する．MRSA には，バンコマイシンのほか，テイコプラニンやリネゾリドなども使用される．なお，ワクチンは実用化されていない．

3）病態と病原因子

(1) 食中毒

7～10％の食塩存在下でも生育できるほか，耐熱性かつ耐酸性の**腸管毒〈エンテロトキシン〉**を産生するため，食中毒の原因菌となる．エンテロトキシンは，嘔吐作用とスーパー抗原*活性を有する．

＊スーパー抗原
ヒトの免疫を撹乱させる細菌毒素．その結果，産生細菌は免疫を回避できるほか，ヒトは撹乱された自己の免疫により傷害を受けます．

院内感染の悪玉四天王

国内の医療施設で院内感染を引き起こす薬剤耐性菌は，以下の4菌種で，全体の約99％を占めます．そのうち，MRSAが約90％を占めます．

1位 MRSA〈メチシリン耐性黄色ブドウ球菌〉
2位 PRSP〈ペニシリン耐性肺炎球菌〉
3位 MDRP〈多剤耐性緑膿菌〉
4位 VRE〈バンコマイシン耐性腸球菌〉

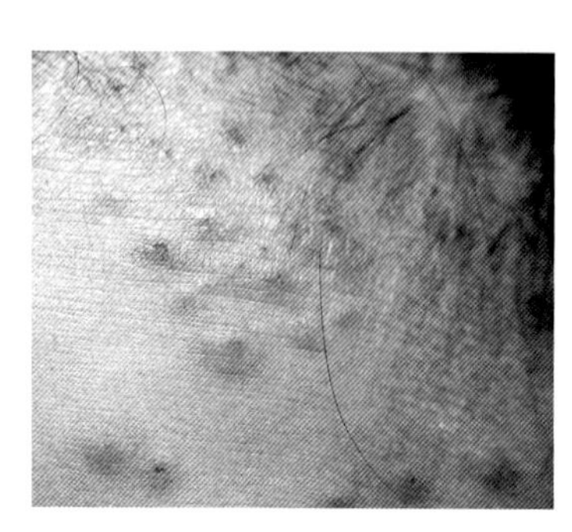

図Ⅲ-1-3　黄色ブドウ球菌感染による膿痂疹〈とびひ〉

(2) 限局性化膿性疾患

皮膚に膿痂疹〈とびひ〉や毛包炎などを引き起こす（図Ⅲ-1-3）．病巣が1つの毛包周囲に限局する場合は癤*，複数の毛包に及び癤が集合した場合は癰*とよぶ．

＊癤と癰
癤は「おでき」の一般名で知られ，黄色ブドウ球菌などの細菌感染により生じる皮膚膿瘍です．癰は複数の癤が皮下でつながった病変です．

(3) 全身性疾患

生体深部に敗血症や菌血症，骨髄炎を起こすほか，細菌性心内膜炎を引き起こすこともある．高齢者，ならびにインフルエンザウイルスや麻疹ウイルス感染の二次感染では，肺炎を生じさせることもある．

(4) 表皮性皮膚炎

表皮剝脱性毒素を産生し，皮膚組織の細胞間接着を担うデスモクレインを分解することで，表皮剝離や水疱を伴う熱傷様皮膚炎を引き起こす．乳幼児に症状が現れると，全身的に波及しRitter病とよばれる．

(5) 毒素性ショック症候群

スーパー抗原活性を有する毒素性ショック症候群毒素〈TSST-1：toxic shock syndrome toxin-1〉などの作用により，高熱やショック，多臓器不全などの重篤な症状を呈することがある．

2. 化膿レンサ球菌（図Ⅲ-1-4，図Ⅲ-1-5）

1）性状と特徴，検査

レンサ球菌はグラム陽性の球菌であり，菌体が一列に連結して連鎖状で観察され

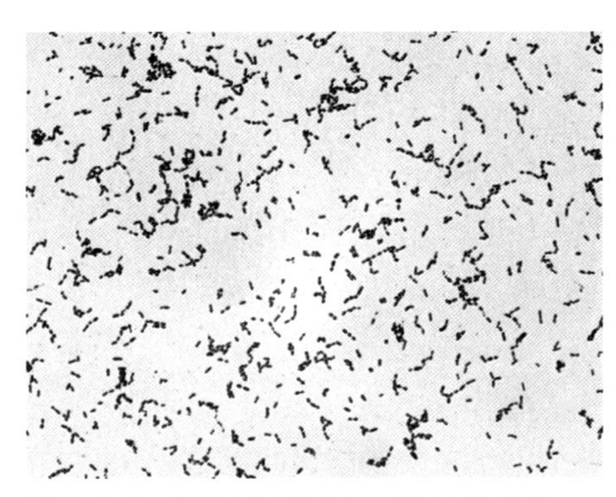

図Ⅲ-1-4　化膿レンサ球菌のグラム染色像

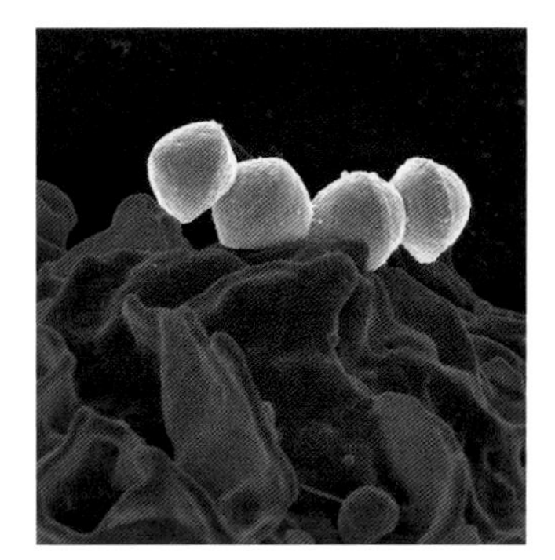

図Ⅲ-1-5　化膿レンサ球菌の走査型電子顕微鏡像〔CDC〕

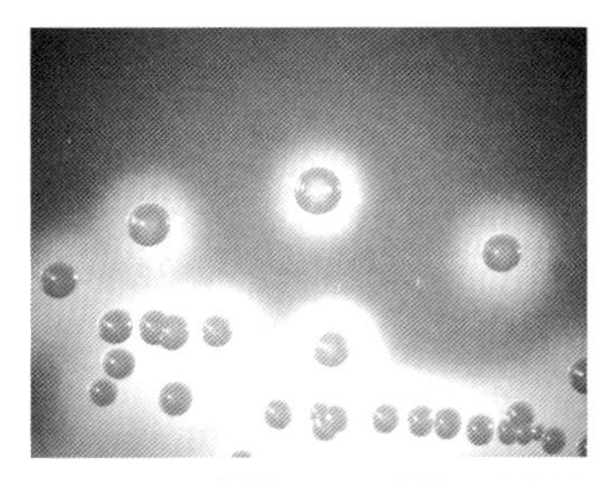

図Ⅲ-1-6　化膿レンサ球菌の完全溶血〈β溶血〉像

図Ⅲ-1-7　イムノクロマト法による化膿レンサ球菌の迅速診断キット
（デンカ株式会社提供）

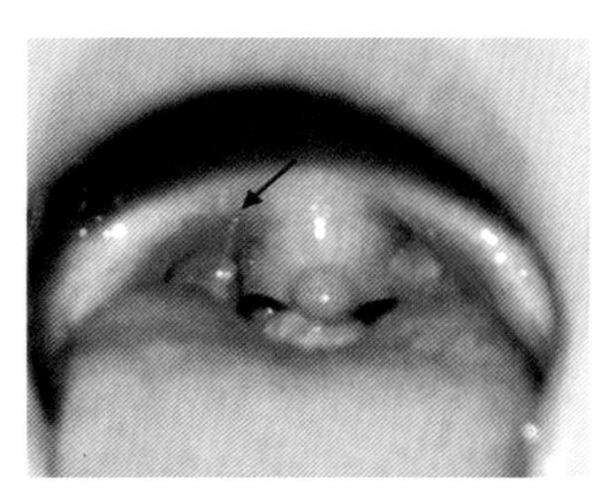

図Ⅲ-1-8　化膿レンサ球菌感染による扁桃炎

ることから，命名された．化膿レンサ球菌〈*Streptococcus pyogenes*〉の名前は，膿痂疹から分離されたことに由来する．Lancefield（ランスフィールド）の群別でA群に分類されるため，**A群レンサ球菌**とも称される．溶血毒素のストレプトリジンO〈SLO〉とストレプトリジンS〈SLS〉の作用で完全溶血〈β溶血〉を生じさせることから（図Ⅲ-1-6），**β溶血性レンサ球菌〈溶連菌〉**ともよばれる．化膿レンサ球菌に特異的なSLOは，その感染指標ともなるため**抗SLO抗体価〈ASO〉測定**として活用される．咽頭炎・扁桃炎では，咽頭拭い液を検体としたイムノクロマト法の迅速診断キット（図Ⅲ-1-7，p.38参照）も頻用されている．

10〜15%の小児の咽頭や口腔に定着しているとされ，主に飛沫で感染するほか一部は接触感染する．感染時には，線毛の**Mタンパク**でヒト細胞へ付着・侵入する．近年では，Mタンパクやその*emm*遺伝子の型別が進み，感染病態の重症度に一定の予測ができるようになっている．

2）予防と治療法

主に冬期，ときとして夏期にも小児を中心に流行する．マクロライド耐性株が増加傾向にあるものの，抗菌薬は一般的に奏効する．ペニシリン系薬やクリンダマイシンが使用される．なお，ワクチンは実用化されていない．

3）病態と病原因子

(1) 咽頭炎・扁桃炎

保菌者から気道感染し，急性咽頭炎を発症する．化膿性扁桃炎に進展すると，咽頭・扁桃部の発赤，腫脹，排膿などが生じる（図III-1-8）．

(2) 猩紅熱（しょうこうねつ）

咽頭炎・扁桃炎に引き続き，発赤毒素〈Spe〉*の作用で高熱，頸部皮膚を中心に発赤紅斑，さらには口腔内にイチゴ舌が生じる．

(3) 膿痂疹（のうかしん）

皮膚の創傷部から感染すると，発赤を伴う膿疱（のうほう）が生じ，痂皮を形成する．

(4) リウマチ熱・糸球体腎炎

咽頭炎などの急性症状が治癒した数週間後に，二次性疾患としてリウマチ熱や糸球体腎炎を起こすことがある．

(5) 劇症型A群レンサ球菌症候群

レンサ球菌性毒素ショック症候群〈STSS：streptococcal toxic shock-like syndrome〉，壊死（えし）性筋膜炎，敗血症に大別され，いずれも致死性が高い．国内で微増傾向が続いており，年間600人程度が発症している．M1あるいは*emm1*遺伝子の型別菌が多い．

＊発赤毒素〈Spe〉
発赤毒素はStreptococcal pyrogenic exotoxin (Spe)とも別称され，遺伝子配列の違いから，SpeAやSpeCなどの十数種のスーパー抗原とSpeBタンパク質分解酵素を含んでいます．スーパー抗原は免疫系を撹乱し，タンパク質分解酵素は臓器や筋肉を溶かすなどして，病気を悪化させます．

3. B群レンサ球菌（図III-1-9）

1）性状と特徴，検査

Streptococcus agalactiae（ストレプトコッカス アガラクティエ）は，レンサ球菌に属し，Lancefieldの群別でB群に分類されるため，B群レンサ球菌〈GBS：group B streptococci〉とも称される．一部女性の膣（ちつ）などに常在している．妊娠中に胎児へ感染すると，髄膜（ずいまく）炎や死産を引き起こすことがある．

2）予防と治療法

妊娠33〜37週に全妊婦の保菌検査を行い，GBSが認められた場合はペニシリン投与が行われるほか，分娩時のアンピシリン投与も推奨されている．なお，ワク

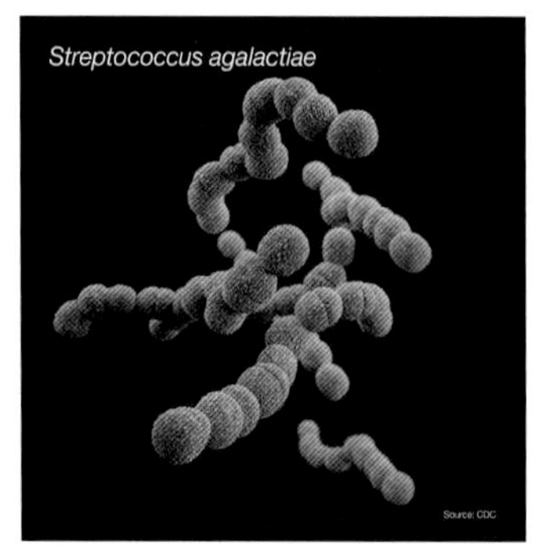

図III-1-9 B群レンサ球菌〈GBS〉の3D画像〔CDC〕

チンは実用化されていない．新生児間での院内感染にも注意を払い，病院の新生児室における消毒・滅菌を徹底する．

3）病態と病原因子

(1) 分娩時の母子感染症

GBS は菌体表層に莢膜を有し，10 種類の莢膜血清型に分類される．重症感染児からは，Ⅲ型が高頻度に分離される．Ⅲ型は日本人に少なかったが，近年，検出が増加しつつある．重症感染症は，出産 1 日以内に敗血症や肺炎などを呈する早期型，出産 3 カ月以内に髄膜炎などを呈する遅発型に別れる．後遺症や死産もある．

(2) 成人の化膿性疾患

皮膚や骨に感染し，膿瘍（のうよう）や蜂窩織炎（ほうかしきえん）を呈すことがある．

4. 肺炎球菌（図Ⅲ-1-10，図Ⅲ-1-11）

1）性状と特徴，検査

肺炎球菌〈*Streptococcus pneumoniae*（ストレプトコッカス ニューモニエ）〉は，レンサ球菌に属するが，菌体の連結は 2 つであることが多い．そのため，双球菌とよばれることもある．莢膜多糖対の抗原性により，約 100 種に血清型別される．一部健康なヒトの鼻腔に常在するが，肺炎や中耳炎患者から飛沫や接触感染する．感染すると，血中の白血球数や C 反応性タンパク〈CRP：C-reactive protein〉が顕著に増加することから，検査指標に活用される．また，イムノクロマト法の迅速診断キットも頻用されている．

2）予防と治療法

抗菌薬の不適切使用などにより，薬剤耐性菌である**ペニシリン耐性肺炎球菌**〈**PRSP**：penicillin-resistant *S. pneumoniae*〉が出現している．さらに，マクロライド耐性株が急増し，治療が困難になっている．薬剤感受性試験を行い，ニューキノロン系薬やセフェム系薬などから最適な使用薬剤を選択する．病態と年齢に合わせ，複数のワクチンが実用化されている．小児期には 13 価肺炎球菌結合型ワクチ

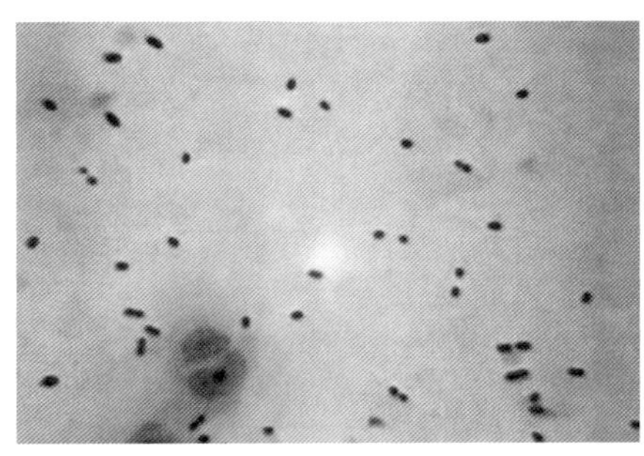

図Ⅲ-1-10　肺炎球菌のグラム染色像〔CDC〕

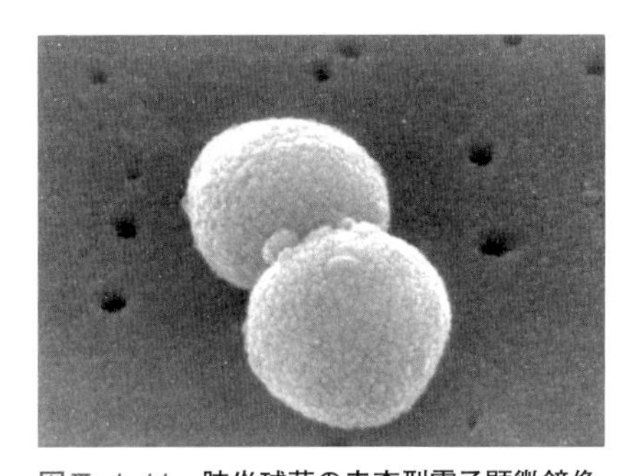

図Ⅲ-1-11　肺炎球菌の走査型電子顕微鏡像〔CDC〕

ン（13種の血清型の莢膜多糖体を含む）を，65歳以上の高齢者には23価肺炎球菌莢膜ポリサッカライドワクチン（23種の血清型の莢膜多糖体を含む）を，定期接種*する．さらに，2022年9月には国内で成人を対象とした沈降15価肺炎球菌結合型ワクチンが販売承認された．

＊定期接種
予防接種のうち，法律に基づいて市区町村が主体となって実施するもの．一部で自己負担はありますが，多くは公費です．副反応などの健康被害が発生した場合は，救済給付を行うための制度が整備されています．

3）病態と病原因子

(1) 肺炎

肺炎球菌の莢膜は，ヒト免疫から逃れる機能を有する．高齢者や入院患者の易感染性宿主は肺炎球菌に感染しやすく，大葉（たいよう）性肺炎や気管支肺炎を発症する．インフルエンザや麻疹の二次感染としても，肺炎を発症することがある．

(2) 中耳炎

小児に感染すると，耳鼻科領域感染症の中耳炎や副鼻腔炎を発症する．さらに続発症として，細菌性髄膜炎を引き起こすこともある．

5. 腸球菌（図Ⅲ-1-12）

1）性状と特徴，検査

腸球菌〈*Enterococcus*（エンテロコッカス）属〉は，ヒトの腸管に常在し，病原性は低い．易感染性宿主に日和見感染症を起こす．*Enterococcus faecalis*（エンテロコッカス フェカーリス）は，免疫の低下した入院患者に感染することが多い腸球菌であり，院内感染の主な原因菌となる．薬剤耐性化しやすい傾向があるため，抗菌薬に頼らない消毒と滅菌が感染予防に重要となる．

2）予防と治療法

MRSAに奏効するバンコマイシンに抵抗性を示す**バンコマイシン耐性腸球菌**〈**VRE**：vancomycin-resistant enterococci〉が出現している．薬剤感受性試験を行い，ペニシリン系薬，テイコプラニンやリネゾリドなどから最適な使用薬剤を選択する．ワクチンは実用化されていないため，消毒と滅菌が感染予防に重要となる．

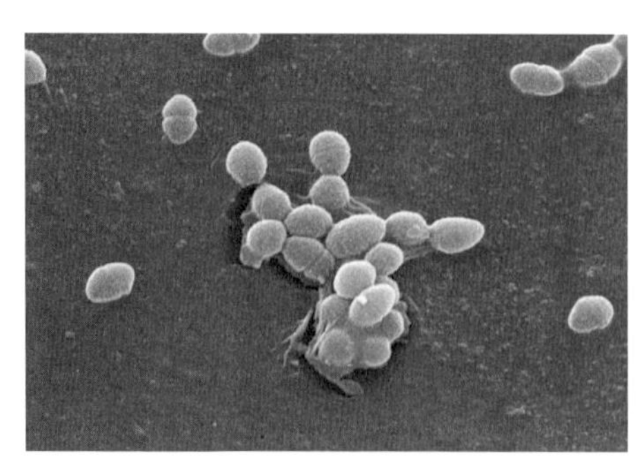

図Ⅲ-1-12　バンコマイシン耐性腸球菌〈VRE〉の走査型電子顕微鏡像〔CDC〕

3）病態と病原因子

(1) 日和見感染症

免疫が低下した入院患者などに，尿路感染症や創傷感染症を起こし，敗血症やさまざまな全身感染症へと転じる．*vanA* 遺伝子などを保有し，バンコマイシンなどの抗菌薬に抵抗性を示すため，難治化しやすい．

(2) 菌交代現象*

抗菌薬を服用する患者で常在菌が減少し，腸球菌の耐性株が腸管内で優勢になることがある．その場合，日和見感染症が続発する．

＊菌交代現象と菌交代症
抗菌薬などの影響により，細菌叢の構成が変化する現象を菌交代現象とよびます．そして，菌交代現象の結果として生じる疾患を菌交代症とよびます．

2 グラム陽性桿菌

1．結核菌（図Ⅲ-1-13）

1）性状と特徴，検査

結核菌〈*Mycobacterium tuberculosis*（マイコバクテリウム ツベルクローシス）〉は，抗酸菌のマイコバクテリウム属のヒト病原細菌である．結核患者から**飛沫核感染〈空気感染〉**し，肺に初期病巣をつくる．グラム陽性ではあるが，脂質の多い細胞壁に覆われているため，グラム染色には染まりにくい．そのため，患者の喀痰（かくたん）を**抗酸染色**（チール・ネルゼン染色）して観察し，診断をくだす（図Ⅲ-1-14）．また，脂質に富む細胞壁は，乾燥や一部消毒薬に抵抗性を示す要因となる．結核の検査には，**IFN-γ遊離試験**（**クオンティフェロン試験**や**Tスポット法**）および**遺伝子増幅法〈PCR 検査〉**に加え，**胸部エックス線検査**も併用される．**ツベルクリン反応**検査は，2回の来院が必要なうえ判定に客観性が乏しいこともあり，ほかの検査法へと置き変わっている．WHO 主導で，薬剤耐性も同時に検査できる GeneXpert システムの導入も進んでいる．

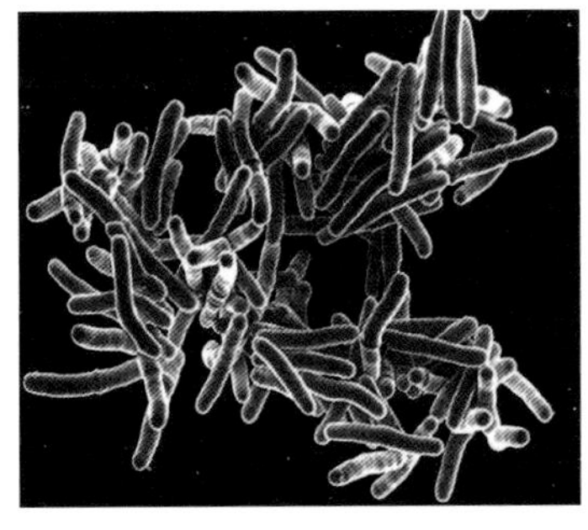

図Ⅲ-1-13　結核菌の走査型電子顕微鏡像〔CDC〕

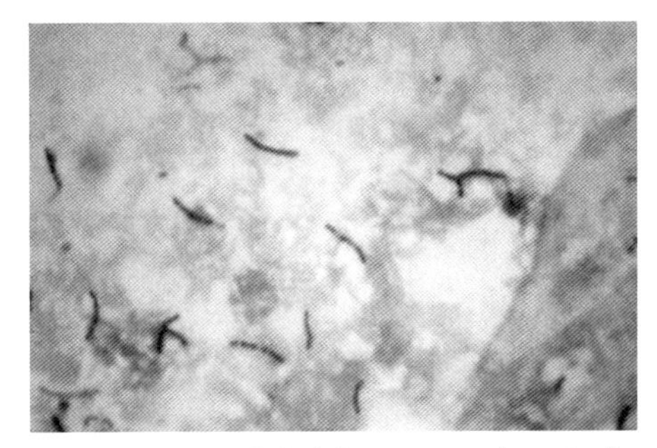

図Ⅲ-1-14　結核患者喀痰のチール・ネルゼン染色像〔CDC〕
結核菌は，赤染された桿菌として検鏡される．

2）予防と治療法

ウシ型結核菌の**BCG 生ワクチン**が定期接種化されている．1 歳未満の接種時期を逃した場合，成人で接種しても予防効果は低い．治療には抗結核薬（イソニアジド，リファンピシン，エタンブトール，ストレプトマイシン，ピラジナミド）を複数種，長期間（6～9 カ月）服用する．計画通りに服用しなければ，多剤耐性結核菌が生じるため，医療従事者による服薬の目視確認（**直接監視下短期化学療法〈DOTS〉**）が推奨されている．

3）病態と病原因子

世界で年間約 1000 万人が結核菌に感染し，うち 100 万人以上が死亡している（WHO，2022）．日本でも年間 1 万人以上が結核を発症し，うち約 2,000 人が死亡している（厚生労働省，2022）．

（1）肺結核

ヒトの結核で最も多い病態である（80％以上）．長期間持続する咳と喀痰，発熱と全身倦怠が特徴である．

（2）粟粒結核

乳幼児などの免疫が低い易感染宿主では，粟粒結核が生じ，死亡することもある．結核は肺に数個の病巣を形成するが，肺だけでなく，各種臓器に多数の小さな粟（あわ）粒サイズの病巣を生じることがある．これを粟粒結核とよぶ．

（3）乾酪壊死

病巣の結核菌の増殖が進むと，免疫細胞のマクロファージ（p.167 参照）がチーズ〈乾酪〉様に凝固壊死する．

（4）開放性結核

肺の結核病巣が気管支まで及び繋がると，酸素流入により結核菌の活発な増殖が起こる．そして，咳に伴い多量の結核菌が周囲に飛散し，強い感染源となる．

（5）脊椎カリエス

結核菌が骨髄にまで波及して生じる骨関節感染症で，胸椎と腰椎に多発する．

左肩のスタンプ

左の肩より少し下方の上腕外側部に，3×3 cm のスタンプ痕があるでしょうか？これは，結核の予防ワクチン BCG の接種痕になります．結核菌は，飛沫核感染〈空気感染〉します．飛沫核感染に対しては，サージカルマスク，手洗いや嗽を励行しても感染予防は不可能です．日本は，先進国で最も結核の多い国です．III 編 1 章❷を読み，結核の検査・予防・治療法を確認しましょう．

(6) 潜在性結核感染症

前述の（1）～（5）は活動性結核とよばれるのに対し，結核菌に感染しても著明な症状を呈さない場合，潜在性結核感染症とよばれる．

2. 破傷風菌（図Ⅲ-1-15）

1）性状と特徴，検査

クロストリジウム属の破傷風菌〈*Clostridium tetani*（クロストリジウム テタニ）〉は，**芽胞**（p.16 参照）を形成する．芽胞形成時には，熱，乾燥，紫外線，および消毒薬に抵抗性を示し，土壌や埃の中で長期間生存できる．そのため，屋内外の環境中に広く分布している．破傷風菌の芽胞が，創傷部位から体内へ感染すると，発芽・増殖し破傷風毒素〈テタノスパスミン〉を産生し，破傷風を発病させる．

2）予防と治療法

破傷風トキソイドを含む**4種混合ワクチン〈DPT-IPV〉***が定期接種化されている．ワクチン未接種者の治療には，破傷風ヒト免疫グロブリン（p.178 参照）の筋肉注射を行う．2023 年 4 月には，4 種混合ワクチンにヒブワクチン（インフルエンザ菌 b 型）を追加した**5種混合ワクチン**が承認された．ワクチン接種者には，破傷風トキソイドにて追加免疫を行う．さらに，ペニシリン系薬の投与も行う．

歯科臨床では，小児の歯もしくは口腔の外傷時に破傷風菌感染が起こり得ることに留意する．特に男児は，顎顔面の外傷率が高い．歯の外傷患児が来院した場合は，保護者への問診あるいは母子健康手帳にて，4 種混合ワクチン〈DPT-IPV〉の接種歴を初めに確認することが大切である．また，診療室内の埃にも，芽胞として破傷風菌は分布する．診療器具の**オートクレーブ滅菌**を徹底する．

＊4種混合ワクチン〈DPT-IPV〉
ジフテリア〈D〉・百日せき〈P〉・破傷風〈T〉・不活化ポリオ〈IPV：小児麻痺〉を予防する混合ワクチンのこと．予防接種法に基づく定期接種の1つです．

3）病態と病原因子

世界で年間約 100 万人が新生児破傷風で死亡していたが，ワクチンの推進により新生児の死亡率は著しく改善されている．

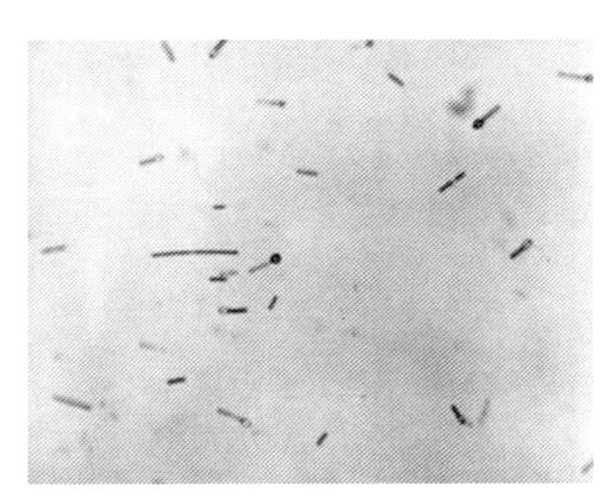

図Ⅲ-1-15 破傷風菌のグラム染色像〔CDC〕
破傷風菌はグラム陽性桿菌であり，一部の菌体は太鼓ばち状の芽胞を形成している．

(1) 嚥下障害，開口障害

破傷風は発症初期に開口障害を生じることが多い．開口障害を訴える患者に対しては，外傷が認められなくても，破傷風を念頭においた診査・診断を行う必要がある．

破傷風毒素により，感染局所の神経麻痺が生じ，数日後に咀嚼筋の硬直で嚥下障害や開口障害が発生する．これを**牙関緊急**とよぶ（p.21 参照）．

(2) 後弓反張（こうきゅうはんちょう）

筋の硬直が背筋に達すると，下肢を突っ張りながら全身を弓状に反るようになる．発熱や排泄障害も生じる．

3. ボツリヌス菌（図Ⅲ-1-16）

1）性状と特徴，検査

ボツリヌス菌〈*Clostridium botulinum*（クロストリジウム ボツリヌム）〉もクロストリジウム属であり，特に頑強な**芽胞**を形成する．100℃で数時間の煮沸に抵抗できるため，加工食品などにも芽胞が残存することがある．そのような食品を摂取すると，毒素型食中毒を発症する．近年，ボツリヌス菌芽胞に汚染されたハチミツを摂取し，乳児が連続して死亡した．

患者の血液や糞便および摂取食品について，細菌培養検査，毒素検出検査，あるいはPCR検査による遺伝子検出検査を行う．

2）予防と治療法

ワクチンは実用化されておらず，ボツリヌス菌に汚染された食品を摂取しないことが唯一の予防法となる．**乳児ボツリヌス症の予防には，1歳未満児にハチミツを与えないこと**が絶対となる．治療には，抗ボツリヌス毒素ウマ血清を投与するが効果は高くない．呼吸筋麻痺が生じた場合は，人工呼吸器の装着も行う．

3）病態と病原因子

(1) 乳児ボツリヌス症

腸内の常在細菌叢が未成熟な乳児は，離乳食の一部にハチミツが含まれている

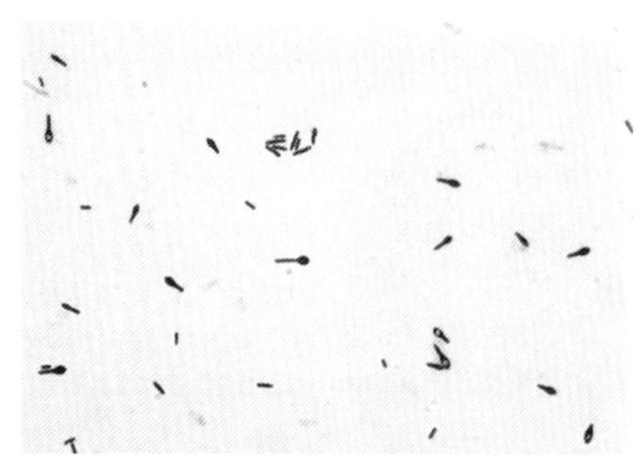

図Ⅲ-1-16 ボツリヌス菌のグラム染色像〔CDC〕

ボツリヌス菌はグラム陽性桿菌であり，一部の菌体は芽胞を形成している．芽胞は細胞壁のペプチドグリカンから再構成されるため，グラム染色の偏りが観察される．

と，ボツリヌス菌の感染と定着を起こすことがある．本患者報告例のほとんどが，ハチミツ摂取を原因としている．

(2) 食餌性ボツリヌス症

芽胞を含む食品を摂取し発症する，毒素型食中毒である．原因食品は，嫌気性菌であるボツリヌス菌の増殖に適した缶詰，レトルト食品，およびソーセージなどが報告されている．

(3) 創傷ボツリヌス症

多量のボツリヌス菌芽胞が，創傷部から侵入した場合に発症する．

4. 放線菌 (図Ⅲ-1-17)

1) 性状と特徴，検査

放線菌〈*Actinomyces* 属〉は，グラム陽性桿菌でありヒトの口腔に常在する．抜歯，歯周病，口腔内の外傷，あるいは重度う蝕に続発する根尖性歯周炎などにより，歯槽骨内へ感染すると内因感染（p.10 参照）が成立する．したがって，放線菌症は，歯周病や根尖性歯周炎などが進行しやすい下顎大臼歯部に好発する．病変が進行すると，顎骨内で**ドルーゼ〈菌塊〉**を形成し（図Ⅲ-1-18），頸部皮膚に瘻孔を形成し排膿する．排膿物を顕微鏡観察すると，免疫細胞の好中球（p.167 参照）に覆われた放線菌の菌塊が認められる．また，菌塊表面にはグロコット染色で黒い線維状の菌糸が観察される．

2) 予防と治療法

う蝕や歯周病などの口腔疾患の早期検査と早期治療で予防可能である．ペニシリン系薬が第一選択であり，テトラサイクリン系薬やマクロライド系薬も奏効する．しかしながら，数カ月間の投薬が必要となる．病変を外科的に切除することもある．

3) 病態と病原因子

(1) 顎放線菌症

口腔常在菌の放線菌である *Actinomyces israelii* などの顎骨感染で発症する．顎

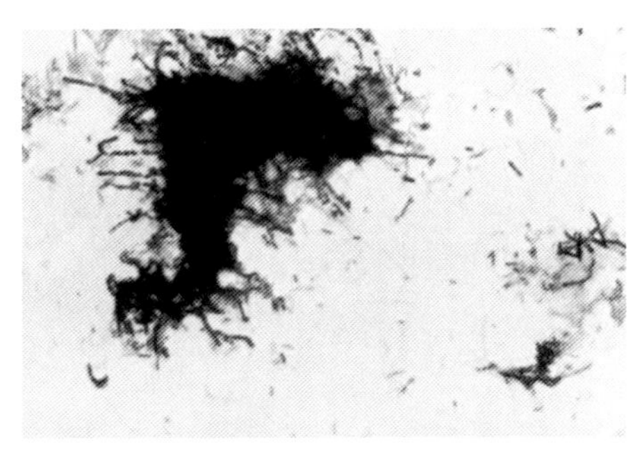

図Ⅲ-1-17 放線菌のグラム染色像〔CDC〕

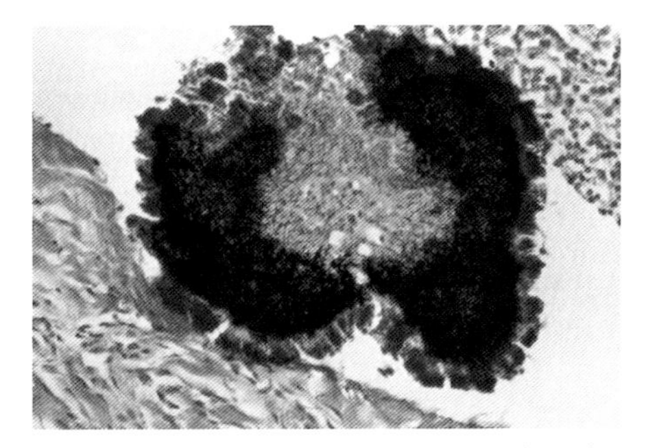

図Ⅲ-1-18 放線菌のドルーゼ〈菌塊〉〔CDC〕

骨に膿瘍や蜂窩織炎を形成する．唾液中のIgA1（p.172参照）を分解するIgAプロテアーゼを産生し，免疫を回避することができる．病巣および排出菌塊からは，さまざまな嫌気性の口腔常在菌も検出される．

(2) 胸部放線菌症

誤嚥に伴い，口腔常在菌の放線菌が肺感染して発症することがある．

3 グラム陰性球菌

1. 髄膜炎菌（図III-1-19，図III-1-20）

1）性状と特徴，検査

髄膜炎菌〈*Neisseria meningitidis*（ナイセリア メニンジティディス）〉は，ナイセリア属のグラム陰性球菌である．莢膜多糖の抗原性により，13種類に分類される．低温や乾燥に弱いため，近距離での飛沫感染や接触感染が主となる．そのため，寮やクラブ活動などで密な集団生活をする学生らに感染・発症しやすい．**学校保健安全法**では，第二種感染症に指定されている．カタラーゼ（p.54参照）陽性かつオキシダーゼ陽性*であり，グラム染色法とともに検査診断に活用される．

*オキシダーゼ
酸化反応を促進する酵素．検査で陽性は緑膿菌や髄膜炎菌，陰性は大腸菌などの腸内細菌です．

2）予防と治療法

莢膜多糖体の4価髄膜炎菌ワクチン（ジフテリアトキソイド結合体）が任意接種*される．治療には，ペニシリン系薬が用いられるが，耐性菌に対してはカルバペネム系薬も使用される．重症化例には，ステロイド薬なども併用される．

*任意接種
予防接種のうち，希望者が各自で費用を自己負担して受けるもの．健康被害が発生した場合は，独立行政法人医薬品医療機器総合機構〈PMDA〉による救済制度があります．

3）病態と病原因子

(1) 流行性髄膜炎

飛沫や接触で鼻咽腔粘膜へ付着し，IgAプロテアーゼで粘膜免疫を回避する．次いで粘膜から血中へ侵入し，さらに血液脳関門を突破して髄膜へ至り，髄膜炎を発

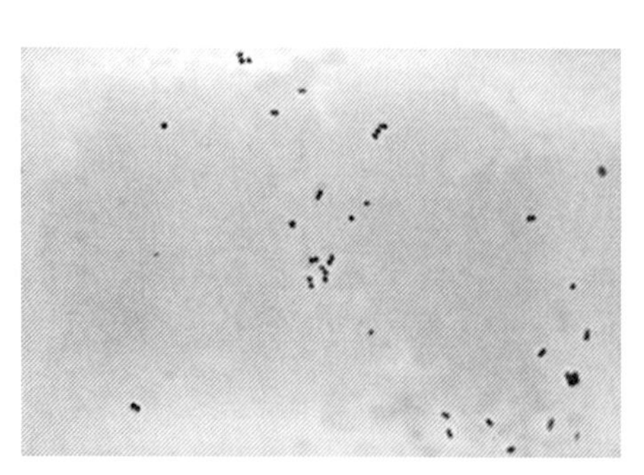
図III-1-19 髄膜炎菌のグラム染色像〔CDC〕

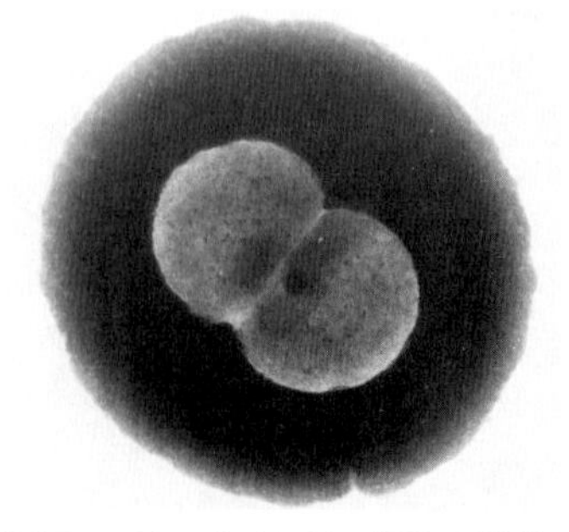
図III-1-20 ナイセリア属菌の透過型電子顕微鏡像〔CDC〕

症させる．

(2) 侵襲性髄膜炎菌感染症

髄膜炎に引き続き，菌血症で副腎の血管障害が引き起こされると，急性副腎不全や敗血症性ショックを併発し，死亡することがある．

4 グラム陰性桿菌

1. 緑膿菌（図Ⅲ-1-21，図Ⅲ-1-22）

1）性状と特徴，検査

緑膿菌〈*Pseudomonas aeruginosa*（シュードモナス エルギノーサ）〉は，シュードモナス属のグラム陰性桿菌で，鞭毛にて活発に運動する．**水系を好む**ため，家庭や病院の水道のシンク（蛇口や固形石けんの表面），風呂場（シャワーヘッド），トイレ（シャワートイレのノズル），人工透析装置，人工呼吸器，さらには点眼薬や軟膏にも定着し増殖する．抗菌薬に耐性が高い細菌であるうえ，**バイオフィルム**（p.76 参照）を形成することで，水系環境に付着するほか，抗菌薬や免疫から逃れることにも成功している．バイオフィルムはアルジネートを主成分とし，産生株はムコイド型とよばれる．NAC 選択培地*上で，特有の色素と臭気を産生するので鑑別できる．

＊ NAC 選択培地
緑膿菌を検出するための培地で，緑膿菌は青緑色に生育します．

2）予防と治療法

通常の抗菌薬には抵抗性があるため，カルバペネム系薬，ニューキノロン系薬，あるいはアミノグリコシド系薬を用いる．しかし，これら3種すべてにも耐性を示す**多剤耐性緑膿菌**〈**MDRP**：multiple drug-resistant *P. aeruginosa*〉が出現し，薬の効かない院内感染を引き起こしている．緑膿菌が好む水系の機械的清掃が有効な除去方法となる．**歯科診療室では，スリーウェイシリンジの洗浄にも注意する．**

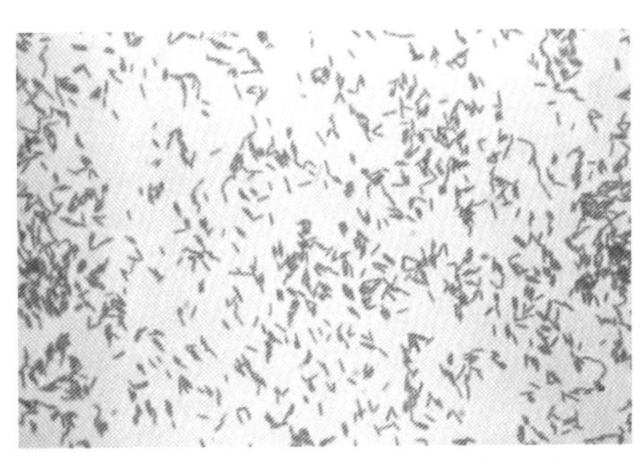

図Ⅲ-1-21　緑膿菌のグラム染色像〔CDC〕

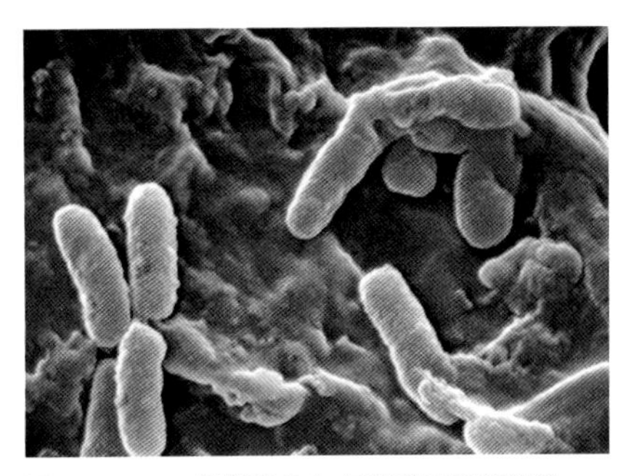

図Ⅲ-1-22　緑膿菌の走査型電子顕微鏡像〔CDC〕

3）病態と病原因子

（1）日和見感染症

病原性が低い細菌であるが，免疫の低下した入院患者などに，呼吸器感染症，尿路感染症や術後の創傷感染症を引き起こし，菌血症や敗血症などを発症させる．さまざまなプロテアーゼを産生するため，感染組織の破壊も生じる．

（2）菌交代現象

元々が各種薬剤に耐性であるうえ，MDRP も出現しているため，抗菌薬を多用する患者では常在菌が減少し，緑膿菌が体内で優勢になることがある．その場合，日和見感染症が続発する．

2. レジオネラ ニューモフィラ（図Ⅲ-1-23，図Ⅲ-1-24）

1）性状と特徴，検査

レジオネラ ニューモフィラ〈*Legionella pneumophila*（レジオネラ ニューモフィラ）〉は，レジオネラ属のグラム陰性桿菌で，病原性は高くない．鞭毛を有し**温かい水系を好む**ため，湯の交換頻度の少ない入浴施設（温泉や循環式浴槽），老朽化した給湯設備，**エアコン送風口**，および**加湿器**に分布する．それら温水に由来するエアロゾルを介し，高齢者等の易感染宿主の肺へ感染する．血清抗体価，尿中抗原や PCR 法にて検出する．グラム染色性が悪いため，ヒメネス染色して検鏡することもある．

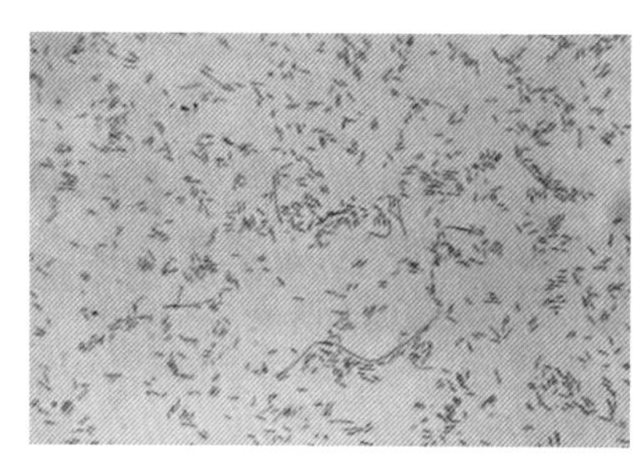

図Ⅲ-1-23　レジオネラ ニューモフィラのグラム染色像〔CDC〕

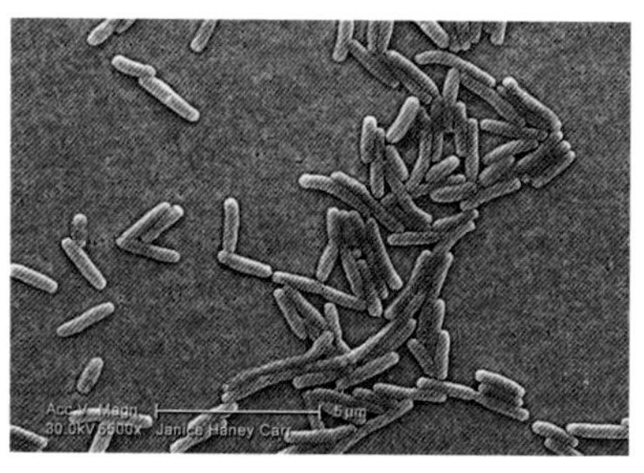

図Ⅲ-1-24　レジオネラ ニューモフィラの走査型電子顕微鏡像〔CDC〕

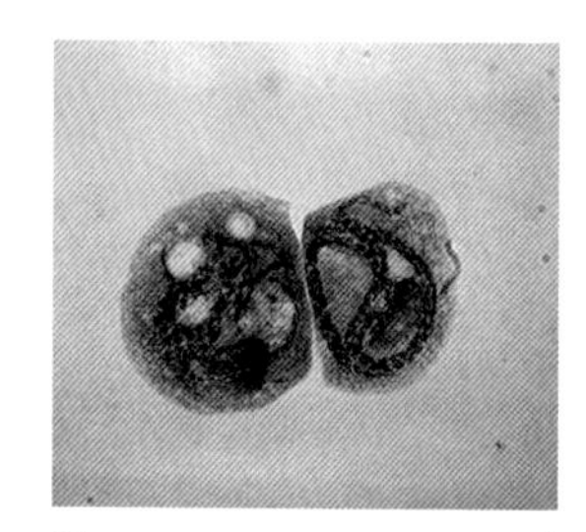

図Ⅲ-1-25　マクロファージに侵入したレジオネラ ニューモフィラ〔CDC〕

加湿器の説明書

加湿器，あるいは加湿空気清浄機が，多くの医療施設・介護施設や家庭で使用されています．その説明書には，「冷たい水道水を補給する」と記されています．高齢者に肺炎を起こすレジオネラ菌は，温水を好み増殖します．塩素を含む水道水，これを温めずに補給する理由が分かると思います．

2）予防と治療法

細胞内へ侵入し増殖するため，細胞内へ透過しやすいマクロライド系薬やニューキノロン系薬で治療する．感染源となる温水系の適切な清掃が，感染予防に効果的である．

3）病態と病原因子

(1) レジオネラ肺炎

10日弱の潜伏後，インフルエンザ様の症状（高熱，咳，筋肉痛・関節痛，全身倦怠）に加え，胸痛や呼吸困難などの肺炎症状が続発する．免疫細胞のマクロファージに侵入するため（図Ⅲ-1-25），宿主自身の免疫機構で排除しにくい．そのため，多臓器障害を起こし，死に至ることもある．

(2) ポンティアック熱

潜伏期間が短く，数日でインフルエンザ様の病態を示す．肺炎症状を伴わず，軽症で治癒する．

3. ヘリコバクター ピロリ（図Ⅲ-1-26）

1）性状と特徴，検査

ヘリコバクター ピロリ〈*Helicobacter pylori*（ヘリコバクター ピロリ）〉は，ヘリコバクター属のグラム陰性のらせん菌で，ヒトの胃に感染する．飲水にて人類の約半数に感染しているとされ，胃炎，胃潰瘍や十二指腸潰瘍，さらには**胃がん**を発症させる．胃で生育するために，ウレアーゼ*と鞭毛を有する．鞭毛で胃粘膜へ移動し，ウレアーゼで尿素からアンモニアを合成し，胃酸を中和する．そのため，検査では尿素呼気試験や内視鏡下の迅速ウレアーゼ試験が行われる．その他の検査として，便中抗原検査や血清抗体価測定，内視鏡下での検鏡法や培養法もある．

＊ウレアーゼ
尿素を分解し，アンモニアを合成する酵素です．合成されたアンモニアは，アルカリ性を示すため，酸を中和できます．

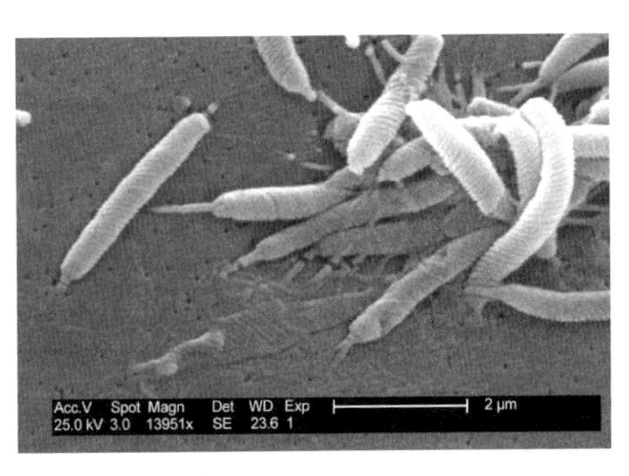

図Ⅲ-1-26 ヘリコバクター属菌の走査型電子顕微鏡像〔CDC〕

2）予防と治療法

主な感染源が湧き水や地下水であるため，アウトドアでは加熱してから飲用することが予防に繋がる．除菌は胃がん予防効果が高いため，保菌者には保険適用の除菌治療が行われる．胃内に生息するため，胃酸分泌を抑えるプロトンポンプ阻害剤（胃腸薬）の服用下でアモキシシリンとクラリスマイシン（もしくはメトロニダゾール）の**3剤併用療法**を行う．

3）病態と病原因子

(1) 胃炎

ウレアーゼの働きで胃酸を中和しつつ，鞭毛で胃粘膜へ移動し定着し，炎症を引き起こす．

(2) 胃潰瘍・十二指腸潰瘍

感染が続くと，ムチナーゼにて胃の粘膜層を破壊し，空胞化毒素で胃上皮細胞を変性・破壊する．

(3) 胃がん

さらにヘリコバクター ピロリ感染を放置すると，Ⅳ型分泌装置にてCagAタンパクを胃上皮細胞へ注入し，免疫の撹乱や細胞の変性・破壊を引き起こす．

4. 大腸菌（図Ⅲ-1-27，図Ⅲ-1-28）

1）性状と特徴，検査

大腸菌〈*Escherichia coli*（エシェリキア コリ）〉は，ヒト腸管に常在するグラム陰性桿菌であり，正常細菌叢を構成するものは，通常ヒトに病原性を発揮しない．しかし，ウシなどの大腸菌がヒトに感染すると，重篤な腸管感染症を引き起こす．代表的なものが**大腸菌O157：H7**である．血清学的検査に基づく方法で，O抗原・H抗原・K抗原の分類があり，O抗原単独かO抗原とH抗原を併記することが多い．

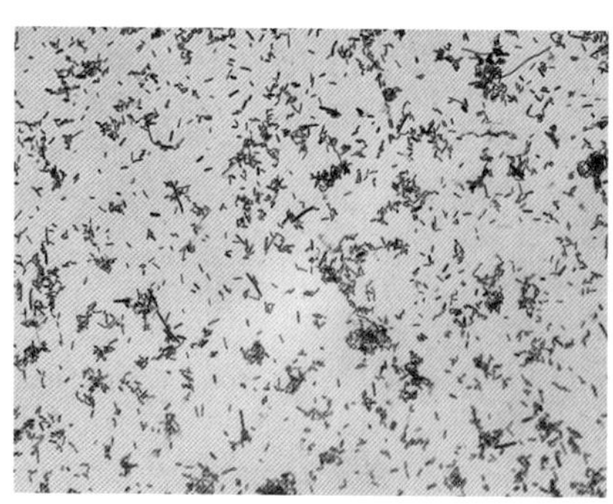

図Ⅲ-1-27　大腸菌のグラム染色像

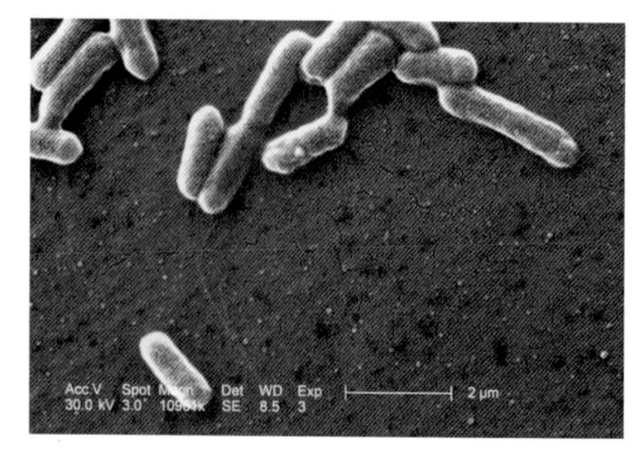

図Ⅲ-1-28　大腸菌の走査型電子顕微鏡像〔CDC〕

2）予防と治療法

病原性大腸菌に汚染された食品や水を摂取することが，腸管感染症の要因となる．そのため，原因となりやすい飲食物は加熱調理することが予防となる．また，感染者からの二次感染にも注意を払う．下痢や嘔吐が続く場合は，**脱水に注意**し，十分な経口補水や輸液を行う．ホスホマイシン系薬*やニューキノロン系薬を投薬することもある．

＊ホスホマイシン系薬
独自の作用機序をもち，ほかの抗菌薬と交叉耐性がないとされている新しいタイプの抗菌薬です（『薬理学』参照）．

＊ベロ毒素
実験用の丈夫なベロ細胞を殺滅させることから名づけられました．出血を伴う激しい下痢や溶血性尿毒症の原因となり，小児や高齢者は死亡の原因ともなります．

3）病態と病原因子

（1）腸管出血性大腸菌

未調理の牛肉を摂取しO157，O26，O111などが感染すると，大腸にて**ベロ毒素***を産生し，**出血性大腸炎**や**溶血性尿毒素症症候群〈HUS〉**を引き起こす．腸管細菌叢が未成熟な学童では，重症化や死亡することがある．

（2）腸管病原性大腸菌

O55などが知られており，線毛で腸管上皮へ付着し傷害する．特定の毒素は産生せず，途上国の乳幼児などに水様性下痢を引き起こす．

（3）毒素原性大腸菌

途上国の乳幼児や旅行者に感染し，水様性下痢を引き起こす．易熱性毒素〈LT〉や耐熱性毒素〈ST〉を産生する．

（4）腸管組織侵入性大腸菌

赤痢菌に似た腸管上皮細胞への侵入性，および血性下痢症の特徴を有す．

（5）腸管凝集付着性大腸菌

線毛で凝集塊をつくり，感染する．慢性下痢症を引き起こす．

5 スピロヘータ

1．梅毒トレポネーマ（図Ⅲ-1-29）

1）性状と特徴，検査

梅毒トレポネーマ〈*Treponema pallidum*（トレポネーマ パリダム） subsup. pallidum〉は，グラム陰性らせん菌であるが，グラム染色されにくいため，ギムザ染色や鍍銀（とぎん）染色が頻用される．性行為で感染し梅毒を引き起こす．近年，20歳代の女性に急増しており，**先天梅毒**が懸念されている．妊娠中に梅毒トレポネーマに感染すると，生まれてくる子どもに重篤な先天疾患が生じる可能性が高まる．早期診断と早期治療で完治できるため，検査・診断法の知識が重要となる．**梅毒血清反応〈STS法やRPR法〉**と**梅毒トレポネーマ抗原法〈TPHA試験〉**を組み合わせて判定する（表Ⅲ-1-2）．

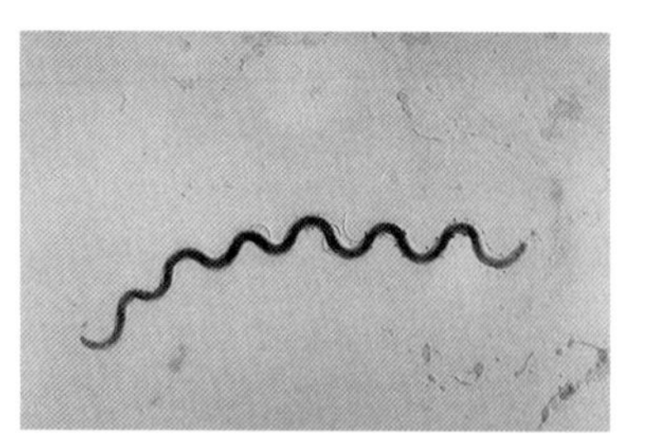

図Ⅲ-1-29　梅毒トレポネーマの走査型電子顕微鏡像〔CDC〕

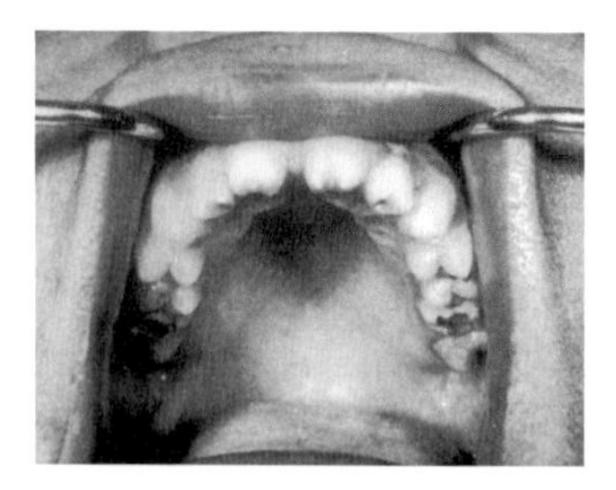

図Ⅲ-1-30　先天梅毒患者の前歯（Hutchinson〈ハッチソン〉歯）〔CDC〕

表Ⅲ-1-2　梅毒の検査と結果解釈

STS 法・RPR 法	TPHA 法	診断
−	−	梅毒でない
＋	−	感染初期，生物学的擬陽性
＋	＋	梅毒
−	＋	梅毒治療後（まれに早期梅毒）

2）予防と治療法

ワクチンは実用化されておらず，一般的な性感染症の予防法に従う．ペニシリン系薬の内服を約 1 カ月続ける．持続性ペニシリン製剤であれば，1 回の筋肉注射にて治療終了できる．

3）病態と病原因子

(1) 梅毒 第 1 期：1〜4 週の潜伏後，感染部のびらんや潰瘍（**硬性下疳**）とリンパ節腫脹．

(2) 梅毒 第 2 期：皮膚の紅斑（**バラ疹**），**口腔粘膜の丘疹**，および**扁平コンジローマ**．

(3) 梅毒 第 3 期：**ゴム腫**および梅毒疹．

(4) 梅毒 第 4 期：後期潜伏期を経て，変性梅毒．

(5) 先天梅毒：**Hutchinson の 3 徴候**（図Ⅲ-1-30：前歯 Hutchinson 歯/臼歯 Fournier 歯，実質性角膜炎，内耳性難聴）．

⑥ マイコプラズマ属（図Ⅲ-1-31）

1）性状と特徴，検査

マイコプラズマ〈*Mycoplasma*〉属は，自己増殖可能な最小の微生物である．細胞壁を欠くことから，ペニシリン系薬が奏効しない．また，目玉焼き状のコロニーを呈する（図Ⅲ-1-32）．*Mycoplasma pneumoniae* は，飛沫や濃厚接触で感染し，

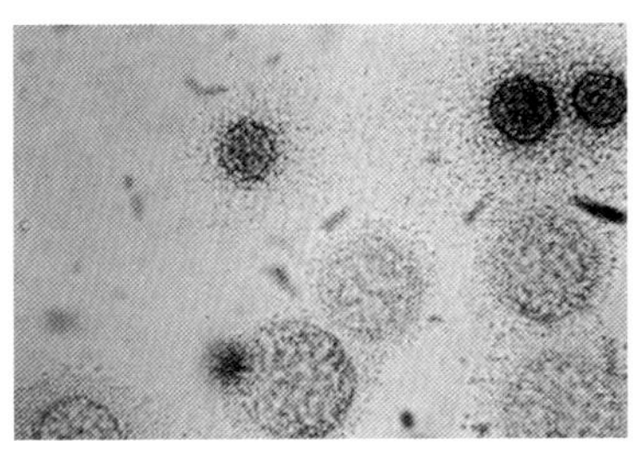

図Ⅲ-1-31　マイコプラズマ属菌のグラム染色像〔CDC〕

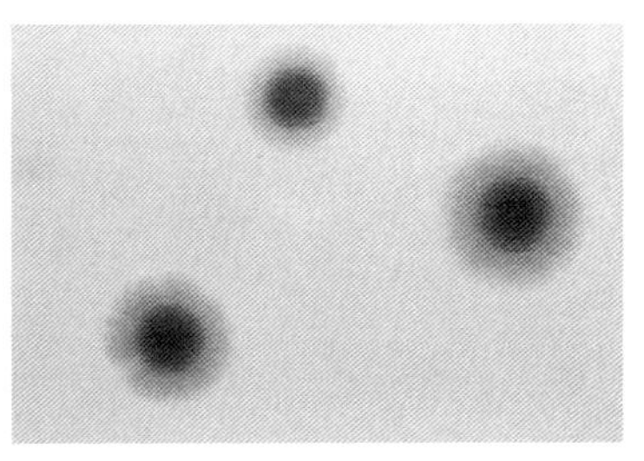

図Ⅲ-1-32　寒天培地上で目玉焼き状のコロニーを形成するマイコプラズマ属菌〔CDC〕

学童を中心にマイコプラズマ肺炎を流行させる．口腔内からは，*Mycoplasma salivarium* などが分離されることがある．PCR 検査などで検査する．

2）予防と治療法

流行期には，手洗いやうがいで予防する．マクロライド系薬が第一選択であるが，耐性菌も分離される．マクロライド耐性菌には，テトラサイクリン系薬やニューキノロン系薬で治療する．しかし，**テトラサイクリン系薬を 8 歳未満児に投薬すると，永久歯の着色や形成不全を生じさせることがある**ため，ほかの薬剤が無効の場合のみ適用を考慮する．

3）病態と病原因子

(1) マイコプラズマ肺炎

好発は 6～12 歳で，咳と発熱が主症状であり，軽症なことが多い．そのため，通園や登校が可能となり，感染が拡大しやすい傾向となる（「歩く肺炎」と称される）．

7 クラミジア属（図Ⅲ-1-33）

1）性状と特徴，検査

クラミジア〈*Chlamydia*〉属は，自己増殖が不可能な**偏性細胞内寄生性**の微小なグラム陰性桿菌である．感染力を示す基本小体から，2 分裂増殖の網様体となり，ヒト細胞内で封入体を形成する．その後，中間体を経て基本小体に変換するサイクルを繰り返し増殖する（図Ⅲ-1-34）．*Chlamydia trachomatis* は，日本人で最も患者数が多い性感染症の原因細菌である．イムノクロマト法の迅速診断キットや PCR 検査〈遺伝子増幅法〉などで検査する．

2）予防と治療法

一般的な性感染症の予防法に従う．テトラサイクリン系薬が第一選択であり，マクロライド系薬やニューキノロン系薬も使用される．偏性細胞内寄生性であること

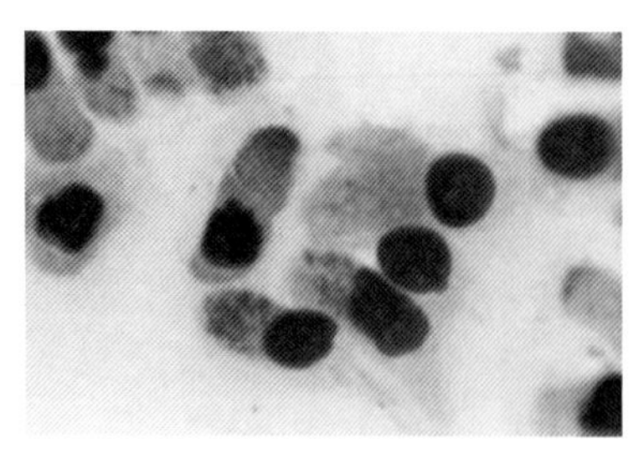
図Ⅲ-1-33　トラコーマ患者の結膜塗抹標本〔CDC〕

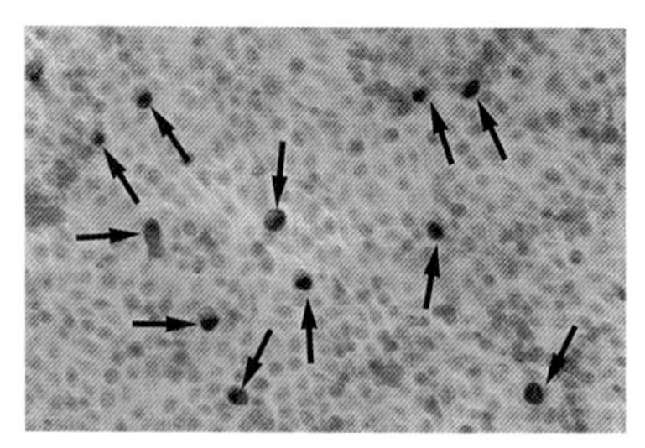
図Ⅲ-1-34　クラミジア属菌の増殖〔CDC〕
矢印は，ヒト細胞内で封入体を形成するクラミジア属菌

から，細胞透過性の悪いペニシリン系薬は無効である．

3）病態と病原因子

(1) 尿道炎，頸管炎

C. trachomatis による性感染症で，10〜20歳代の女性で非常に多い．軽症であるため自覚がなく，長期間の感染が続き，不妊の原因となる．

(2) トラコーマ

衛生環境の悪い地域で生じる *C. trachomatis* による角膜炎である．失明することもある．

(3) クラミジア肺炎

Chlamydia pneumoniae（クラミジア ニューモニエ）感染による肺炎である．

(4) オウム病，トリ病

インコやオウムの乾燥糞便を吸引すると，*Chlamydia psittaci*（クラミジア シッタシ）に感染することがある．インフルエンザ様症状（高熱，咳，筋肉痛・関節痛，全身倦怠）や肺炎のほか，重症化するとショック症状を引き起こし，妊婦では死亡例も報告されている．

8 リケッチア属（図Ⅲ-1-35）

1）性状と特徴，検査

リケッチア〈*Rickettsia*（リケッチア）〉属は，自己増殖が不可能な**偏性細胞内寄生性**の微小なグラム陰性桿菌であり，自然界ではマダニなどの節足動物に寄生している．そして，節足動物を媒介者〈**ベクター**〉として，ヒトへ感染する（図Ⅲ-1-36）．感染時には，マダニなどの**刺し口**（①）が認められ，約10日の潜伏後に**発熱**（②）が生じる．頭痛や筋肉痛・関節痛を伴うこともある．さらに数日後に全身に**発疹**（③）が現れる（図Ⅲ-1-37）．①〜③の臨床症状，患者血清の免疫染色，およびPCR検査〈遺伝子増幅法〉で感染を検査する．

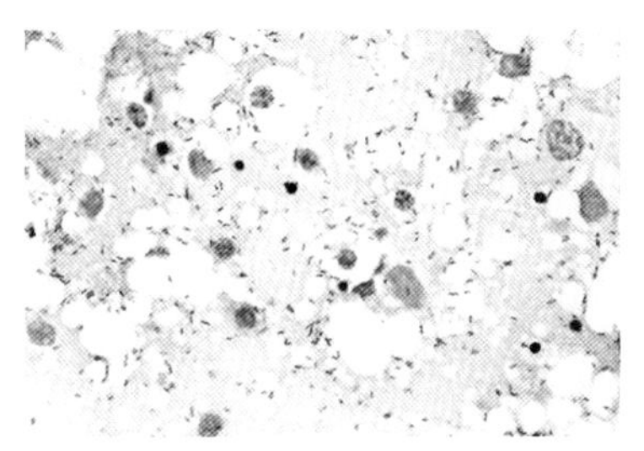

図Ⅲ-1-35　リケッチア属菌のギムザ染色像〔CDC〕

図Ⅲ-1-36　リケッチア属菌の媒介者〈ベクター〉であるマダニ〔CDC〕

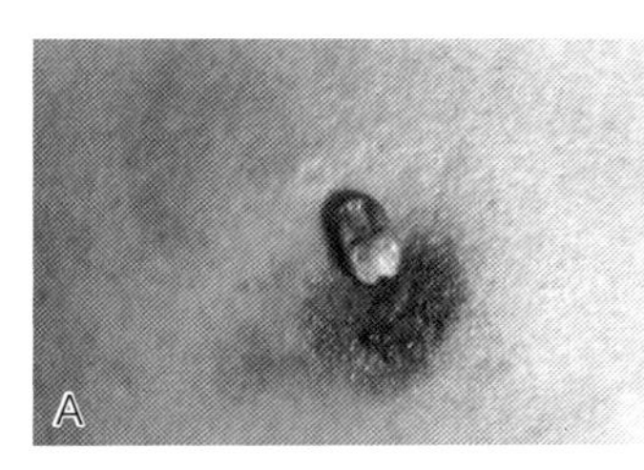

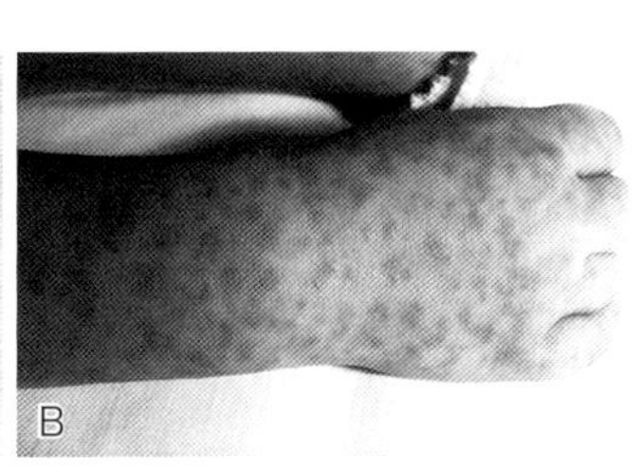

図Ⅲ-1-37　マダニによる刺し口（A）とリケッチア属菌の感染に伴う発疹（B）〔CDC〕

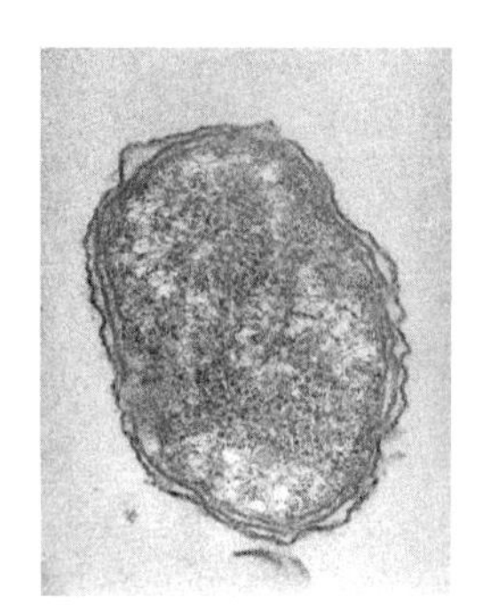

図Ⅲ-1-38　つつが虫病リケッチアの走査型電子顕微鏡像〔CDC〕

2）予防と治療法

マダニやツツガムシに刺されないよう防虫に努める．テトラサイクリン系薬が有効である．一方，偏性細胞内寄生性であることから，細胞透過性の悪いペニシリン系薬は無効である．

3）病態と病原因子

（1）日本紅斑熱

ペットなどのマダニを介し，日本紅斑熱リケッチア〈*Rickettsia japonica*〉に感染して発症する．刺し口，発熱，発疹（紅斑）が認められる．放置すると，高齢者は死亡することがある．

（2）つつが虫病

主に新潟県，山形県，秋田県で報告される．ツツガムシを介し，つつが虫病リケッチア〈*Orientia tsutsugamushi*〉に感染して発症する（図Ⅲ-1-38）．刺し口，発熱，発疹（紅斑）が認められる．病原性が高く，高齢者は死亡することがある．

参考文献

1）川端重忠ほか編：口腔微生物学・免疫学　第５版．医歯薬出版，東京，2021．
2）武田明義ほか著：新潟歯学会雑誌．24(2)：59-63，新潟，1994．

虫に刺されたら

「虫刺されで病院」と聞くと，大げさに感じるかもしれません．しかし，マダニやツツガムシに刺され，リケッチア感染が生じると，高齢者は死亡することがあります．リケッチア感染の見分け方は，「刺し口」，「発疹」，「発熱」の３つです．これら３徴候を伴う高齢者の虫刺されでは，通院と抗菌薬による治療が望ましいです．

2章 歯科に関連するウイルスとウイルス感染症

到達目標

❶ DNA ウイルスと RNA ウイルスを説明できる.
❷ 急性ウイルス感染と持続性ウイルス感染を説明できる.
❸ 歯科に関連する主なウイルスの種類と特徴を説明できる.
❹ 主なウイルス感染症の病態および治療法・予防を説明できる.

ウイルスはDNAかRNAのいずれかの核酸と,それを包むタンパク質の殻とからなる.エネルギー産生系やタンパク合成系をもたず,生きた細胞の中でのみ増殖する**偏性細胞内寄生体**である(p.48 参照).ある種のウイルスはカプシドの外側に**エンベロープ**とよばれる膜構造をもつが,この構造が,アルコールや界面活性剤などの処理により変形すると,ウイルスの感染性は失われる.このことは,ウイルスの**消毒薬**に対する感受性がエンベロープの有無によって左右されるという点で,重要である(B型肝炎ウイルスは例外で,アルコールに抵抗性のエンベロープを有している)(表Ⅲ-2-1).エンベロープの表面には,糖タンパク質からなる**スパイク**(突起様構造物)を有するウイルスもある.スパイクは,感染の成立や拡大に重要な役割を担っている.

ウイルスの感染様式には**急性ウイルス感染**と**持続性ウイルス感染**とがある.急性ウイルス感染を起こすウイルスは,感染症が治癒したときには,ウイルスは体内から完全に消失している.ウイルス感染症を起こす多くのウイルスがこの様式で感染する(インフルエンザウイルスやSARS-CoV-2など).一方,初感染ののちにウイルスと生体とが共存する結果,ウイルス感染が持続する場合もある.このような感染様式を持続性ウイルス感染といい,**潜伏感染**,**慢性感染**,**遅発(性)感染**の3つの型に分類される.

(1) 潜伏感染

初感染後,通常ウイルスは遺伝子の状態で宿主細胞内に留まっているため,ビリオン血中には産生されず臨床的にも無症状であるが,宿主免疫機能の低下に伴って,**回帰発症***を起こすことがある(**単純ヘルペスウイルス**など).

＊回帰発症

初感染後,ウイルスが宿主細胞内に潜伏感染した場合すぐに病気は発症しません.しかし,宿主に刺激やストレスが加わると間欠的に急性感染様の発症を起こす場合を回帰感染または回帰発症といいます.

(2) 慢性感染

初感染後,ビリオンは常時血中に産生されているが,ウイルスの感染に起因する臨床症状は起きないまま時間が経過する(**B型・C型肝炎ウイルス**など).

(3) 遅発(性)感染

初感染後,ビリオンは常時血中に産生されているが,初感染から数カ月ないし十数年を経たのちに徐々に発症する.しかも,いったん発症すると適切な治療が行わ

表Ⅲ-2-1　歯科に関連する主なウイルスおよびウイルス感染症

核酸	病原体	エンベロープ※	感染様式	代表的な疾患
DNA	単純ヘルペスウイルス 1	+	潜伏感染［持続性感染］	口唇ヘルペス
	単純ヘルペスウイルス 2	+	潜伏感染［持続性感染］	性器ヘルペス
	水痘・帯状疱疹ウイルス	+	潜伏感染［持続性感染］	水痘，帯状疱疹，非歯原性歯痛
	ヒトサイトメガロウイルス	+	潜伏感染［持続性感染］	先天性 CMV 感染症
	Epstein-Barr ウイルス	+	潜伏感染［持続性感染］	伝染性単核症，Burkitt リンパ腫
	ヒトヘルペスウイルス 6・7	+	潜伏感染［持続性感染］	突発性発疹
	ヒトヘルペス 8	+	潜伏感染［持続性感染］	Kaposi 肉腫
	ヒトアデノウイルス	−	急性感染	急性上気道炎，咽頭結膜熱（プール熱）
	ヒトパピローマウイルス	−	急性感染，一部持続性感染	子宮頸がん
	B 型肝炎ウイルス	+※※	慢性感染［持続性感染］	B 型肝炎
RNA	ポリオウイルス	−	急性感染	急性灰白髄炎（小児麻痺）
	コクサッキーウイルス	−	急性感染	ヘルパンギーナ，手足口病
	風疹ウイルス	+	急性感染	風疹，先天性風疹症候群
	麻疹ウイルス	+	急性感染	麻疹（はしか）
	ムンプスウイルス	+	急性感染	流行性耳下腺炎（おたふくかぜ）
	インフルエンザウイルス	+	急性感染	インフルエンザ
	SRRS コロナウイルス 2	+	急性感染	COVID-19（新型コロナウイルス感染症）
	ヒト免疫不全ウイルス	+	遅発（性）感染［持続性感染］	AIDS
	ヒト T 細胞白血病ウイルス 1	+	遅発（性）感染［持続性感染］	成人 T 細胞白血病〈ATL〉
	C 型肝炎ウイルス	+	慢性感染［持続性感染］	C 型肝炎

※ エンベロープの有無はウイルスの消毒薬に対する感受性を左右するので重要である．
※※ B 型肝炎ウイルスのエンベロープは，消毒用エタノールに非感受性のため，不活化するためにはより高水準の消毒薬を用いる必要がある．

れない限り，感染者は死に至る（HIV など）．

歯科に関連する主なウイルスおよびウイルス感染症を表Ⅲ-2-1 にまとめた．

1 DNA ウイルス

1. ヘルペスウイルス

ヘルペスウイルス〈*Herpesvirus*〉は，二本鎖 DNA をゲノムとする DNA ウイルスで，カプシドは正二十面体構造，エンベロープをもつ（図Ⅲ-2-1）．その自然宿主は約 100 種類に及び，哺乳類から鳥類，両生類，魚類，昆虫，真菌にまで至る．しかしヒトに感染するのはヒトヘルペスウイルスの 8 種類で，それらは α，β，γ

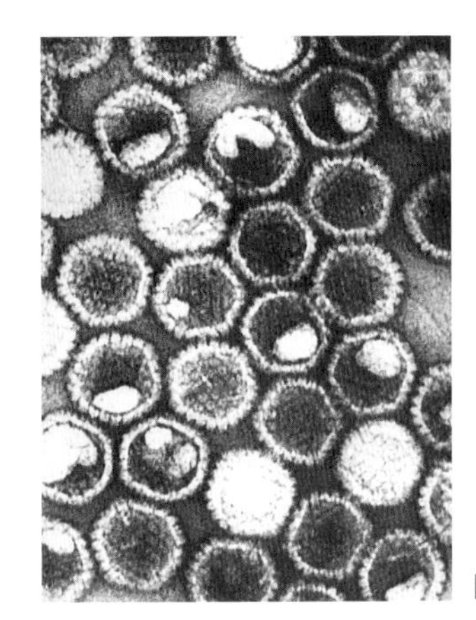

図Ⅲ-2-1　ヘルペスウイルス

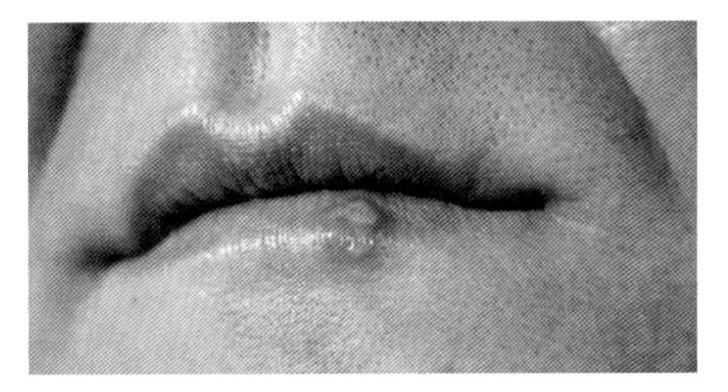

図Ⅲ-2-2　口唇ヘルペス〔CDC〕

表Ⅲ-2-2　ヒトヘルペスウイルスの分類と疾患

亜科	ウイルス名	感染疾患	
		初感染	回帰発症
α	単純ヘルペスウイルス１型〈*Herpes simplex virus type1*：HSV-1〉	歯肉口内炎，髄膜脳炎，新生児全身感染症	口唇ヘルペス，ヘルペス性角膜炎
	単純ヘルペスウイルス２型〈*Herpes simplex virus type2*：HSV-2〉	陰門膣炎，新生児全身感染症	性器ヘルペス
	水痘・帯状疱疹ウイルス〈*Varicella-zoster virus*：VZV〉	水痘	帯状疱疹，Ramsay Hunt〈ラムゼーハント〉症候群
β	ヒトサイトメガロウイルス〈*Human cytomegalovirus*：HCMV〉	先天性巨細胞封入症 伝染性単核球症	間質性肺炎，消化管潰瘍
γ	EBウイルス〈*Epstein-Barr virus*〉	伝染性単核球症	Burkitt〈バーキット〉リンパ腫，上咽頭がん

の３亜科に分類されている（表Ⅲ-2-2）．

なお，ヘルペスウイルスの感染様式は，すべて**持続性ウイルス感染**の内の**潜伏感染**である．

1）単純ヘルペスウイルス

単純ヘルペスウイルス〈*Herpes simplex virus*：HSV〉には，１型〈**HSV-1**〉と２型〈**HSV-2**〉があり，いずれも神経向性，すなわち神経細胞に特異的に感染する性質をもつ．発症時には，感染した神経の支配する領域の皮膚や粘膜に特徴的な水疱を形成する．

HSV-1は初感染ののちに，**三叉神経節**に潜伏感染する．宿主の免疫力低下やストレスなどにより再活性化された場合には，顔面，口唇，眼などに**回帰発症**する．HSV-2は主に**仙骨神経叢**に潜伏感染し，主に性器に発症する．HSV-1，HSV-2ともに，性行為により感染する**性感染症**〈sexually transmitted disease：**STD**〉の代表的な原因ウイルスである．

50歳になったら

帯状疱疹の原因は，水痘・帯状疱疹ウイルスで，飛沫核感染（空気感染）します．そのため，サージカルマスクなどでは防御できず，日本人の多くに感染し潜伏しています．そして50歳を過ぎると，このウイルスは再活性化しやすくなり，皮膚や神経の炎症を起こします．それが帯状疱疹です．痛みや神経麻痺が長期間続くこともあります．日常生活にも影響が出るため，ワクチン接種が望まれます．2020年からは，予防効果の高い不活化ワクチンも選択できるようになっています．

(1) 症状

❶ HSV-1

初感染の多くは1～4歳の乳幼児期に起こり，一部は**口唇ヘルペス**を発症するが，大部分は不顕性感染で経過する．回帰発症は，口唇ヘルペス（図Ⅲ-2-2）の再発で，移植患者などの易感染性宿主の場合は重症化し，口腔や鼻腔の潰瘍形成をみることもある．また，度重なる回帰発症の場合は，三叉神経節領域の麻痺などを起こすこともある．

❷ HSV-2

性行為を介して主に**性器ヘルペス**を起こす．男性では亀頭や包皮，女性では陰唇や会陰部に痛みを伴う小水疱や潰瘍を生じる．

(2) 治療法

抗ウイルス薬である**アシクロビル**やその誘導体であるバラシクロビル，ペンシクロビルなどの抗ウイルス薬が有効である．静脈注射や内服で用いられるが，口唇ヘルペスの再発には，軟膏剤が用いられている．

2) 水痘・帯状疱疹ウイルス

水痘と**帯状疱疹**とは，いずれも同じ水痘・帯状疱疹ウイルス〈*Varicella-zoster virus*：VZV〉によって起こる感染症で，初感染では“みずぼうそう”すなわち水痘を，回帰発症では帯状疱疹を起こす．水痘が治癒した後，ウイルスは脊髄神経節後根に潜伏感染し，加齢やストレスなどにより帯状疱疹として発症することがある．

VZVの感染力はきわめて強く，水痘患者の呼吸器分泌物や水疱内容物から飛沫感染，**飛沫核感染**や接触感染を起こす．

(1) 症状

初感染は2～8歳の小児期で，2週間程度の潜伏期を経て，きわめて高率（90%以上）に水痘を起こす．38℃前後の発熱，倦怠感，頭痛の後，全身の両側性に大きさ直径3～4mmの皮疹（水疱）が出現する（図Ⅲ-2-3）．この水疱は，乾燥して痂皮となり，脱落し瘢痕を残さずに治癒する．

帯状疱疹では，掻痒(そうよう)感などの前駆症状の後，神経の支配領域に沿って帯状の紅

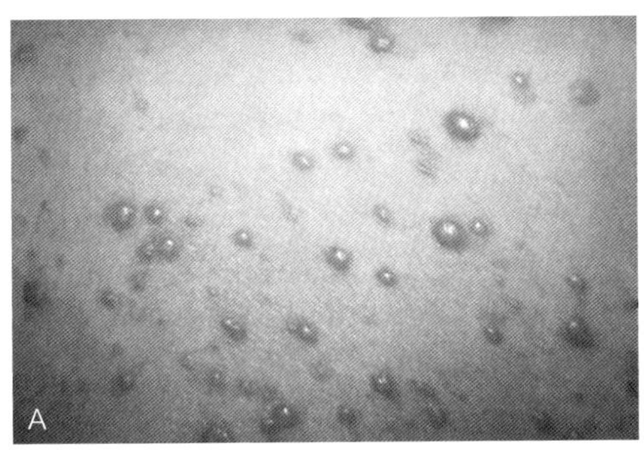

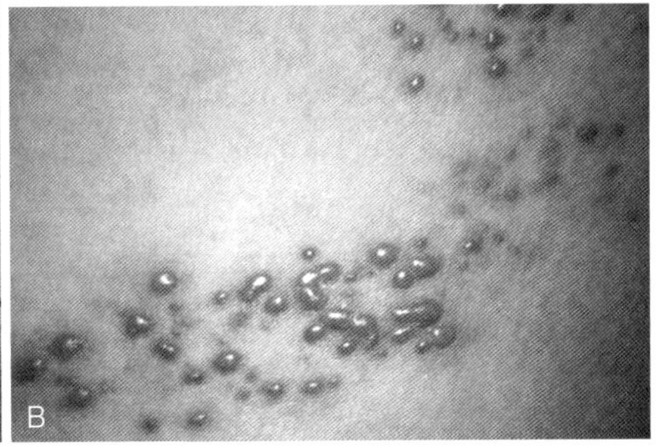

図Ⅲ-2-3　水痘（A）と帯状疱疹（B）〔CDC〕

斑・紅丘疹を生じ，疼痛を伴う．

(2) 治療法と予防

アシクロビル，バラシクロビル（消化管から吸収されるとアシクロビルとなる），ビダラビンなどを経口あるいは静脈注射で用いる．予防には，弱毒生ワクチンが有効である．

3) ヒトサイトメガロウイルス

ヒトサイトメガロウイルス〈*Human cytomegalovirus*：HCMV〉は，感染した細胞の核および細胞質内に，“フクロウの眼”とよばれる巨大核内封入体をもつ巨大〈megalo-（メガロ）〉な細胞〈cyte（サイト）〉，すなわち巨細胞を形成することから名づけられた．

わが国では，学童期まで70％以上が初感染しており，その後潜伏感染しているが，初感染でも再感染でも不顕性である場合が多い．感染経路は，胎盤，産道または母乳を介した新生児への**垂直感染**，あるいは唾液，尿，精液，血液，移植臓器などを介した**水平感染**である．いわゆる**易感染（性）宿主**に対してしばしば内因的な日和見感染を起こし，重篤な状況をもたらす病原体として注目されている．

発症は以下の場合に多い．

・妊婦が初感染を受けた場合
・臓器移植や新鮮血の輸血を受けた場合
・HIV 感染，腫瘍，自己免疫疾患など免疫不全に陥った場合

(1) 症状

妊婦が初感染した場合には，胎盤を経由して胎児に感染して先天性サイトメガロ感染症を起こす．この場合，黄疸や小頭症が認められ知的障害を残すことが多い．

(2) 治療法

HSV 感染に有効なアシクロビルは，HCMV 感染には無効であり，ガンシクロビル，ホスカルネットなどが用いられる．

4) エプスタインバー（ル）ウイルス

エプスタインバー（ル）ウイルス〈*Epstein-Barr virus*：EBV〉は，アフリカ赤

図Ⅲ-2-4 エプスタインバー(ル)ウイルスに感染している細胞
ウイルス特異的抗体で染色したリンパ球.緑色に蛍光染色された細胞が,*Epstein-Barr virus* に感染している細胞である.
〔CDC, Dr.Paul M.Feorino〕

道地区の小児に多発する悪性リンパ腫を1958年にBurkitt(バーキット)が報告,原因ウイルスをEpsteinとBarrとが1964年に発見したため,この名前がつけられた.唾液を介してB細胞に感染したのち,潜伏感染の状態となる(図Ⅲ-2-4).思春期以降の成人がキスなどによってEBVに初感染すると,**伝染性単核症**(別名:キス病)を起こす.わが国やアフリカ諸国では5歳前後の小児の抗体陽性率は90%を超えるが,欧米各国では30〜50%と低い.しかしこの割合も,思春期を過ぎると90%近くに上昇する.ヒトでは,**Burkittリンパ腫**や**上咽頭がん**などの悪性腫瘍の発症にも関与する.また,AIDS患者の口腔にはEBV再活性化による毛状〈毛様〉白板症がみられる場合もある(p.150参照).

(1) 伝染性単核症の症状

主に思春期に初感染することによって発症し,発熱,全身のリンパ節腫脹,咽頭炎を3徴とする.血液検査で白血球の増加と異型リンパ球の出現が認められる.

(2) 治療法

抗ヘルペスウイルス薬であるアシクロビルは,有効ではない.対症療法が中心となる.

5) ヒトヘルペスウイルス6Bおよび7

ヒトヘルペスウイルス6Bとヒトヘルペスウイルス7〈*Human herpesvirus* 6Bおよび7〉は,いずれも乳幼児に初感染し,顔面・体幹部に突発性発疹を起こす.

6) ヒトヘルペスウイルス8

ヒトヘルペスウイルス8〈*Human herpesvirus* 8〉は,AIDS患者にみられるKaposi(カポジ)肉腫と深い関係があり,一般名で**カポジ肉腫関連ヘルペスウイルス**〈***Kaposi's sarcoma-associated herpesvirus*：KSHV**〉とよばれている(p.148参照).

2. ヒトアデノウイルス

ヒトアデノウイルス〈*Human adenovirus*〉は,二本鎖DNAをゲノムとするウイルスで,エンベロープを欠く.咽頭,結膜,腸管などの局所の上皮に感染するが,

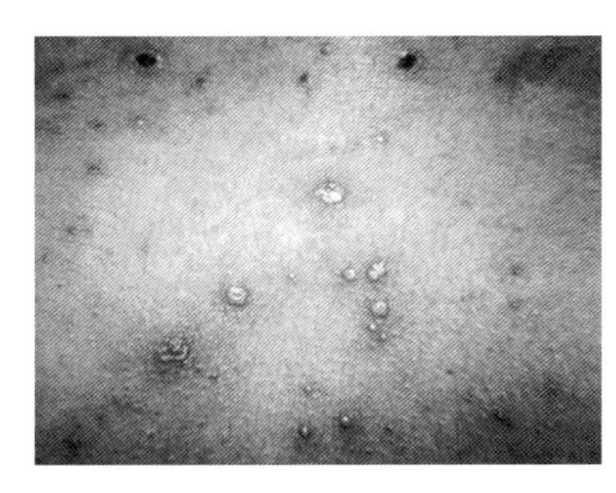
図Ⅲ-2-5　ヒトアデノウイルスによる小水疱

いくつかの型は急性上気道感染症の原因となる（図Ⅲ-2-5）.

エンベロープをもたないため，各種消毒薬に対する抵抗性が強く，不活化されにくい．このため，ウイルスに汚染された医療従事者（歯科，眼科，内科など）の手指を介して感染が起こることもある．また，塩素消毒されたプールの水の中でもウイルスは不活化されず感染性を保持していることから，水泳後の不十分な洗眼により，夏季に学童などに集団発生することがある（咽頭結膜熱〈**プール熱**〉).

アデノウイルスの感染様式は急性感染であり，感染症の治癒時にはウイルスは宿主体内から排除される.

3. ヒトパピローマウイルス

ヒトパピローマウイルス〈*Human papillomavirus*：HPV〉は，**ヒト乳頭腫ウイルス**ともよばれ，皮膚向性と粘膜向性に大別され，さまざまな乳頭腫〈papilloma〉，いわゆるいぼをつくる．外性器の**疣贅**（ゆうぜい）（**いぼ**）や**子宮頸がん**などの原因となる．二本鎖DNAをゲノムとし，エンベロープを欠く．ウイルス核酸が宿主細胞のDNAに組み込まれると，腫瘍原性を発揮する．遺伝子型は少なくとも180種類が存在

子宮頸がんの予防ワクチン

「がんの予防ワクチン」は，皆さんが願うものでしょう．しかし，子宮頸がんの予防ワクチンは，日本人に重篤かつ数多くの副反応を引き起こし，2013年には接種の積極的勧奨が差し控えられました．その間，国内の子宮頸がん患者は，ほかの接種国のようには減少しませんでした．そこで，2022年から，接種の積極的勧奨が再開されました．2013年と異なるのは，新たな9価ワクチンが承認されたことです（2023年4月より定期接種の対象となりました）．予防接種法によるA類ワクチンなので努力義務があります．皆さん1人ひとりが最新の情報を学び，最善の選択をしなくてはなりません.

しているが，ヒトに感染するのは約40種類である．

皮膚では2型や4型による尋常性疣贅，3型や10型による扁平疣贅，性器では6型や11型による尖圭（せんけい）コンジローマなど，ウイルスの型によって異なった病型が出現する．これらは一般的に良性の腫瘍であるが，**16型**や**18型**による**子宮上皮内腫瘍**は悪性の腫瘍であり，これはやがて子宮頸がんへと進展する可能性が大きい．子宮頸がんと診断された組織標本の約90％から16型，18型，33型などのHPV DNAが検出される．

予防を目的としたHPVワクチン（2価，4価，および9価）が世界の多くの国々で承認・接種されている（p.137 Coffee Break参照）．

2 RNAウイルス

1. エンテロウイルス/コクサッキーウイルス

エンテロウイルス/コクサッキーウイルス〈*Human enterovirus*, *Coxsackievirus*〉は，小型の一本鎖RNAウイルスである．エンベロープをもたない．ヒトに病原性を示すのは，エンテロウイルス属，ライノウイルス属，ヘパトウイルス属である．**エンベロープがないため，消毒用エタノールで不活化されない**．これらウイルスの感染様式は，急性感染であり，感染症の治癒時にはウイルスは宿主体内から排除される．

1）エンテロウイルス

主に糞口感染*という感染経路で伝播され，咽頭や腸管で増殖した後に血中に侵入し，ウイルス血症を起こす．その後，ウイルスレセプターを表出する臓器に感染し，臓器障害を引き起こす．

＊糞口感染
経口感染のうち，ウイルスを含む糞便が付着した手指を舐めたり，糞便由来のウイルスに汚染された水，魚介類，農作物などを飲食することによって起こる感染を，糞口感染とよびます．

(1) ポリオウイルス〈*Poliovirus*〉

急性灰白髄炎〈**小児麻痺**〉の原因ウイルスである．ほとんどの場合は，不顕性感染であるが，発症し重症であると四肢の弛緩性麻痺を引き起こす．

予防には，経口生ワクチンと不活化ワクチンとが実用化されており，先進諸国では，小児麻痺はほぼ完全に制圧されている．

(2) コクサッキーウイルス

ニューヨーク州コクサッキー在住の患者から分離されたことから名づけられた．口腔領域では，**ヘルパンギーナ**と**手足口病**の原因ウイルスとして知られる．病原性の違いからA群とB群とに分けられ，さらにA群は1〜22，24型に，B群は1〜6型に分類されている．

経口的に伝播され，咽頭や腸管で増殖したあと全身に至るが，多くは不顕性感染であり，発症しても軽症である．まれに，無菌性髄膜炎や脳炎を起こすことがある．

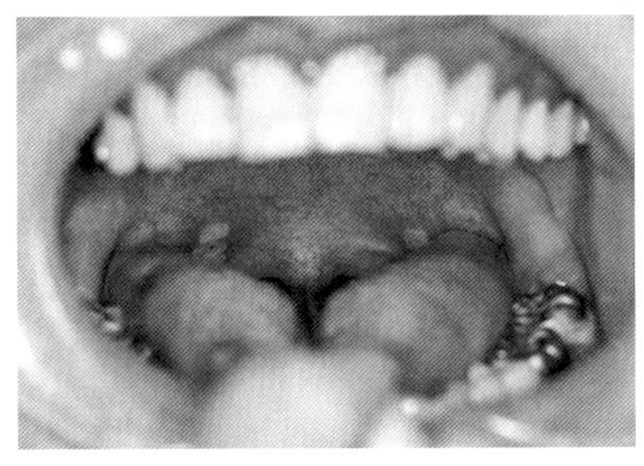

図Ⅲ-2-6　ヘルパンギーナ
軟口蓋周囲を主体に多発生にアフタ様の病変が認められる．（自治医科大学・神部芳則先生のご厚意による）

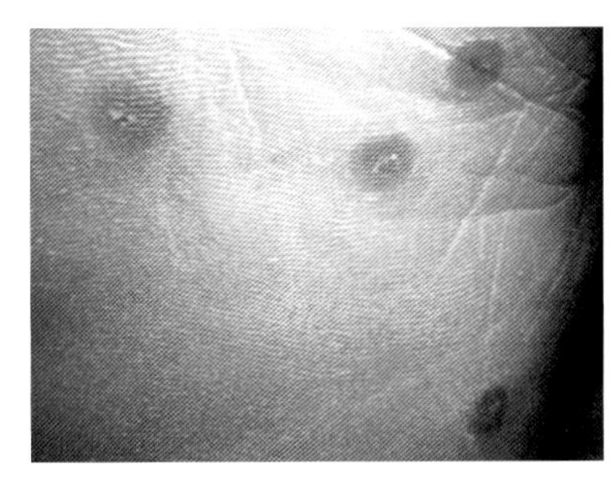

図Ⅲ-2-7　手足口病
足底にできたコクサッキーウイルスによる発疹．

❶ ヘルパンギーナ

コクサッキーウイルスA型が主に引き起こす．乳幼児の軟口蓋後端付近に小水疱，びらん，潰瘍を形成する（図Ⅲ-2-6）．いわゆる夏風邪である．突然の発熱，軟口蓋から口蓋弓にかけ，疼痛を伴う直径1〜2 mm程度の小水疱が出現する．発熱は2〜4日で治まり，その後，水疱も消失する．治療は，対症療法が中心となる．

❷ 手足口病

コクサッキーウイルスA16型と**エンテロウイルス71型**が主に引き起こす．1959年，英国バーミンガムで，手，足，口の発疹症が流行したことから命名された．発熱，口唇周囲の紅潮，手掌と足底に水疱がみられる（図Ⅲ-2-7）．6歳以下の乳幼児，特に1〜2歳児の発症が多い．

2. 風疹ウイルス

風疹ウイルス〈*Rubella*（ルベラ） *virus*〉は，一本鎖のRNAをゲノムとするウイルスで，エンベロープをもつ．風疹ウイルスは飛沫感染によって風疹を，経胎盤感染で胎児に**先天性風疹症候群**を起こす．風疹は，**三日はしか**ともよばれ，かつては幼児・学童児に6〜9年ごとに大流行していた．なお，風疹ウイルスの感染様式は急性感染である．

(1) 症状

飛沫により気道に感染し，ウイルス血症を介して全身に広がる．不顕性感染が多いが，2〜3週間の潜伏期のあと，紅色斑丘疹（図Ⅲ-2-8），発熱，頸部リンパ節腫脹の三大症状が認められる場合がある．

妊娠初期（1〜2カ月）に感染すると，新生児に以下に示す先天性風疹症候群を引き起こす．

① 心奇形：中隔欠損，動脈管開存，肺動脈狭窄

② 眼の異常：白内障（図Ⅲ-2-9），緑内障

③ 聴力障害：難聴

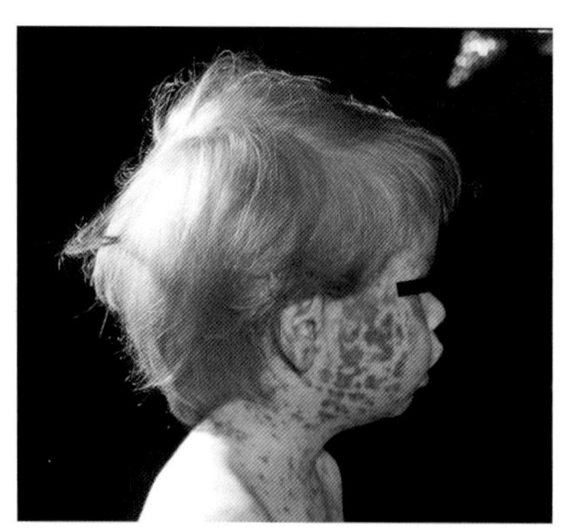

図Ⅲ-2-8　紅色斑丘疹〔CDC〕

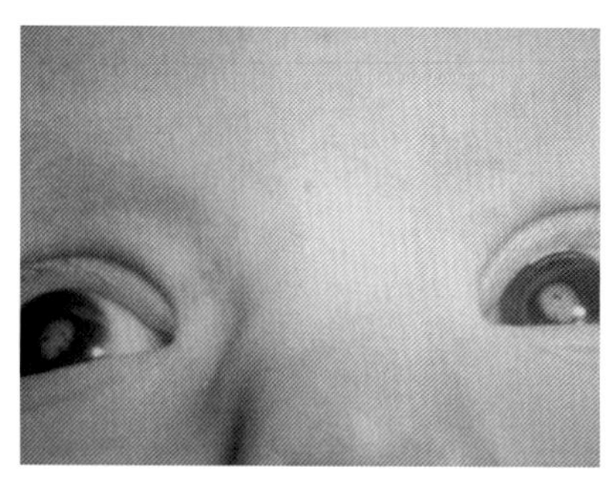

図Ⅲ-2-9　先天性風疹症候群による白内障〔CDC〕

(2) 予防

小児期に麻疹風疹混合ワクチン〈**MR ワクチン**〉(p.142 参照) を接種する．妊娠可能年齢の女性で風疹ウイルスに対する抗体をもっていない場合には，ワクチンの接種が強く推奨される．

3. 麻疹ウイルス

麻疹ウイルス〈*Measles virus*（ミーズルス）〉は，一本鎖 RNA をゲノムとする多形性を示すウイルスで，エンベロープをもつ．麻疹（はしか）の原因ウイルスである．飛沫感染，**飛沫核感染〈空気感染〉**(p.7 参照) で伝播する．麻疹ウイルスの感染力はきわめて強く，また，感染するとほぼ 100％発症する．好発年齢は 1～5 歳であり，10 歳までにほとんどの人は生ワクチンの接種を受け，免疫を獲得する．感染後，10～12 日の潜伏期間を経て発症する．感染様式は急性感染であるが，発症の過程は**カタル期**，発疹期，回復期の 3 期に分けられる．

麻疹風疹混合ワクチン〈MR ワクチン〉接種のススメ

妊娠初期に風疹ウイルスに感染すれば，50％以上の確率で胎児に重篤な先天疾患が起こります．そのため，女性は麻疹風疹混合ワクチンを接種していることが多いです．しかし，同居する家族がワクチン未接種で風疹となった場合，接種歴のある妊婦にも感染し，先天性風疹症候群になることがあります．1962～1978 年度生まれの男性には，無料のワクチン券が送付されています．家族全員で，風疹予防に努めましょう．

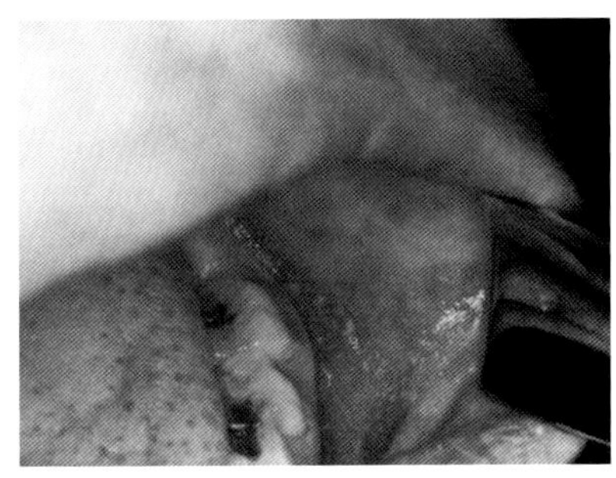

図Ⅲ-2-10　**麻疹患者のコプリック斑**
カタル期に生じるコプリック斑.〔CDC〕

図Ⅲ-2-11　**麻疹**
発疹期に生じる斑丘疹.

1）発症の過程

(1) カタル期

カタル期は3～4日間続き，38℃前後の発熱を伴う風邪症状や結膜炎症状となる．カタル期の後半，発疹出現の1～2日前に臼歯咬合面の高さの頬粘膜に，**コプリック斑**〈Koplik spots〉とよばれる直径1mm程度の数個から数十個の白色小斑点が生じ（図Ⅲ-2-10），歯科診療で発見されることが多い．この時期が他者への感染性が最も高いので，院内感染対策が重要である．

(2) 発疹期

カタル期の後にいったん解熱するが，再び39～40℃の発熱とともに，鮮紅色の発疹が出現する．発疹は体幹や顔面から四肢の末端にまで及び，融合して大きな斑丘疹になることもある（図Ⅲ-2-11）．

(3) 回復期

回復期に入ると解熱し，発疹も退色，全身症状も改善される．回復後も2日後くらいまでは感染性が残っているため，学校保健安全法では，解熱後3日を経過するまでは登校停止を定めている．

2）症状

麻疹を発症すると免疫機能が低下するため，細菌の二次感染による中耳炎，肺炎，

飛沫核感染〈空気感染〉

麻疹ウイルスは，最も感染力の強い病原体です．感染の既往がなく，ワクチンも接種していなければ，数時間前に麻疹患者が居た部屋を使用するだけで感染することがあります．それが，飛沫核感染〈空気感染〉する麻疹ウイルスの特性です．飛沫核感染するのは，麻疹ウイルス，水痘・帯状疱疹ウイルス，結核菌です．3つのすべてに対して，ワクチンが実用化されています．

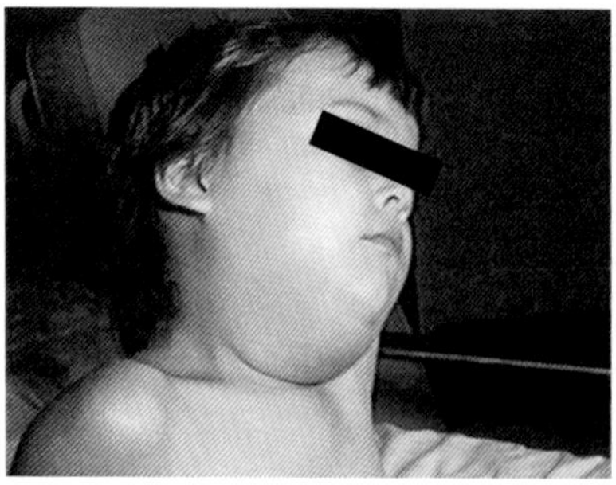

図Ⅲ-2-12 ムンプスウイルスの感染による耳下腺の腫脹〔CDC〕

喉頭炎，急性脳炎などが起こりやすい．ワクチン未接種の妊婦が感染すると，流産することがある．

3）予防と治療法

治療法は対症療法のみである．小児には，ビタミンAの補充療法が有効である．

予防としてはMRワクチン接種があるが，日本では，2001年の大流行を受け，接種方法が第一期（1歳児）および第二期（5～7歳未満で小学校就学前の1年間）の2回接種に変更された．

4. ムンプスウイルス

ムンプスウイルス〈*Mumps virus*〉は，**流行性耳下腺炎（おたふくかぜ）**の原因ウイルスである．麻疹ウイルスと同様，パラミクソ科のウイルスで，一本鎖RNAをゲノムとし，エンベロープをもつ．唾液を介し，飛沫感染や接触感染で伝播する．主に2～12歳の小児に感染する．2～3週間の潜伏期間に気道粘膜から血中に移行する．発症してから12～24時間くらいで，唾液腺（耳下腺）の腫脹が著明となり，発熱，頭痛，咽頭痛なども認められる（図Ⅲ-2-12）．

両側の耳下腺が腫脹すると「おたふく」のような顔貌を呈するので，この名前がある．また，このウイルスは，睾丸炎，卵巣炎，髄膜炎などを起こすことがあり，思春期以降の男子が感染した場合，不妊の原因となる．感染様式は急性感染である．

1）予防と治療法

治療法は対症療法が中心となる．

予防としては，ムンプス生ワクチンの単独接種が行われているが，任意接種であるため，接種率が低いという問題が生じている．

5. インフルエンザウイルス

インフルエンザウイルス〈*Influenza virus*〉は，オルソミクソウイルス科に属する一本鎖 RNA をゲノムとするウイルスで，エンベロープをもつ．RNA ゲノムが8個に分割されている．抗原性の異なる A, B, C の3属がヒトに病原性を示す．A型と B 型のウイルス表面には，**赤血球凝集素〈HA：hemagglutinin〉**と**ノイラミニダーゼ〈NA：neuraminidase〉**とよばれる2種類の突起（スパイク）(**p.48 参照**) があり，感染において重要な役割をなす（**図Ⅲ-2-13**）．冬から春にかけて流行を繰り返すのは A 型と B 型で，特に A 型では，HA と NA に多くの亜型（H1N1 や H3N2 など）があり，世界的な流行すなわちパンデミックを引き起こすことがある．1918 年のスペイン風邪〈H1N1〉，1957 年のアジア風邪〈H2N2〉，1968 年のホン

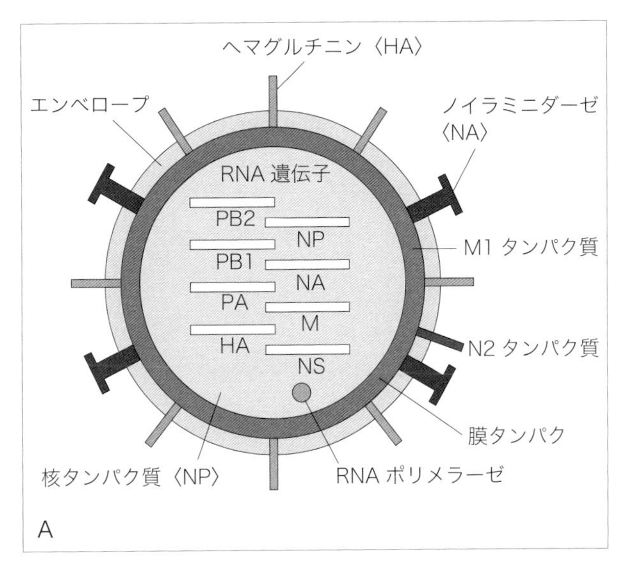

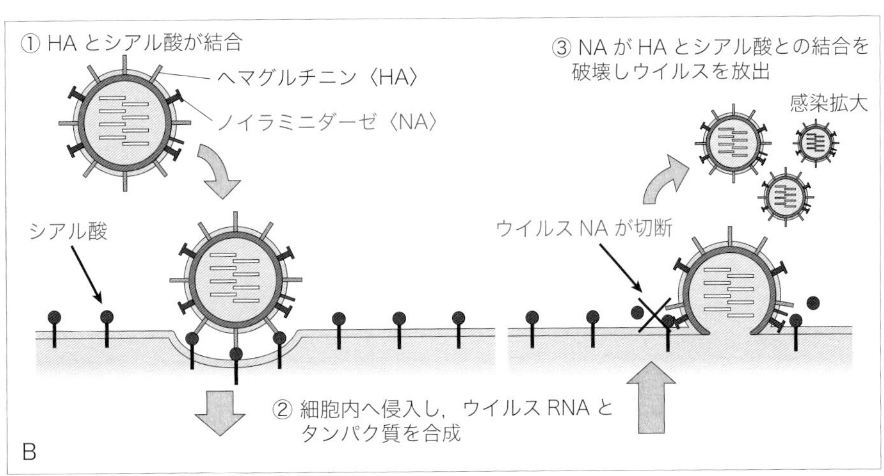

図Ⅲ-2-13　**インフルエンザ**

A：A 型インフルエンザの構造．表面にヘマグルチニン（赤血球凝集素）〈HA〉とノイラミニダーゼ〈NA〉，カプシド内に8つに分節したウイルス核酸がある．

B：インフルエンザのライフサイクル．HA は気道粘膜上皮細胞のシアル酸レセプターに結合してウイルスの細胞内侵入を開始させる．NA はウイルス感染細胞のシアル酸糖鎖と HA との結合を切断してウイルスを細胞外に放出させる．タミフルなどは NA を阻害することにより細胞からのウイルスを阻害する．

コン風邪〈H3N2〉のパンデミックも，2009年の新型（ブタ）インフルエンザも，すべてA型によるものであった．なお，インフルエンザウイルスの感染様式は急性感染である．

1）季節性インフルエンザ

毎年冬期から春期にかけて流行する．飛沫感染で気道に入ったウイルスが，気管・気管支の上皮細胞で増殖する．潜伏期間は1～3日で，発熱（38～39℃），頭痛，悪寒，咽頭痛，鼻汁などの呼吸器症状を訴え，さらに関節痛や筋肉痛，倦怠感など全身に症状が波及する．小児には消化器症状を示すこともある．一般には数日～1週間程度で完治する．

細菌の**二次感染**による肺炎が合併症として重要であり，高齢者や妊婦，心疾患・糖尿病などの基礎疾患をもつ者は重症化しやすい．

2）予防と治療法

(1) 予防

インフルエンザウイルスのHAを混合して作製した**成分ワクチン**（p.176参照）が用いられるが，ウイルスの抗原構造がほぼ毎年変異しているため，確実な予防効果を得ることは難しい．しかし，ワクチン接種により，発症の程度がかなり抑えられることから，小児や学齢期の児童，生徒および高齢者に対するワクチン接種が推奨されている．

(2) 治療法

抗インフルエンザ薬として**NA阻害薬**が用いられる．この薬は，感染細胞からのウイルスの放出を阻害し，ウイルスの増殖（宿主体内での拡散）を抑える（図Ⅲ-2-13B）．ただし，発症後早期（48時間以内）に使用する必要がある．現在，NA阻害薬として，オセルタミビル（タミフル®：経口薬），ザナミビル（リレンザ®：吸入薬），ペラミビル（ラピアクタ®：注射薬），ラニナミビル（イナビル®：吸入薬）などが認可されている．そのほか，ウイルスのmRNA合成を阻害するバロキサビルマルボキシル（ゾフルーザ®）が，内服薬として使用されている．いずれの薬剤でも，耐性ウイルスの出現が問題となる．

6. コロナウイルス

コロナウイルス科は，スパイクの突出している形状が王冠〈corona〉を想起させたことからその名称が与えられた．コロナウイルス〈*Human coronavirus*〉は，一本鎖のRNAをゲノムとするウイルスで，エンベロープをもつ（図Ⅲ-2-14）．20世紀の終わりまで，ヒトに感染するコロナウイルスには，4種類のかぜ症候群の原因ウイルスが知られていた．これらに加え，2002年から2003年にかけ中国で猛威を奮った**重症急性呼吸器症候群**〈SARS〉の病原体**SARSコロナウイルス1**〈SARS-

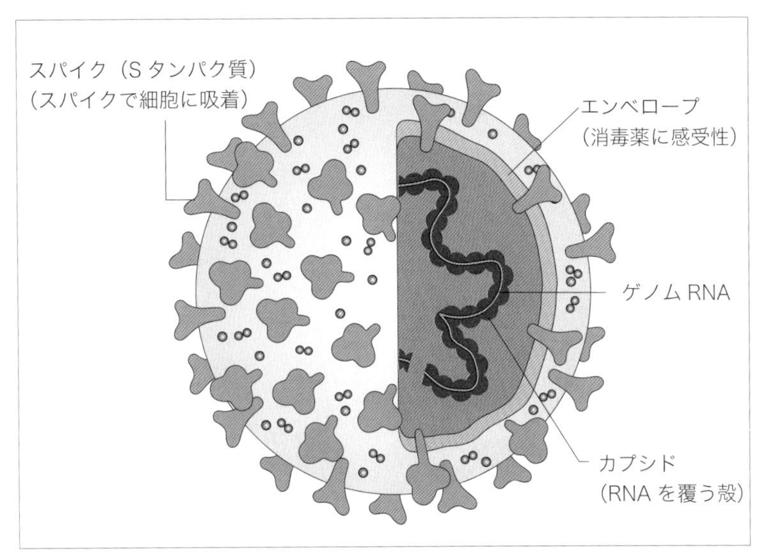

図Ⅲ-2-14 SARS-CoV-2 の模式図
ゲノム RNA をカプシドとエンベロープが覆っている．SARS-CoV-2 の感染は，エンベロープに存在する突起：スパイクが細胞表面の ACE2 に結合することで開始する．S タンパク質はワクチンの抗原として利用される．

CoV-1〉と，2012 年に中東や韓国などで流行した**中東呼吸器症候群**〈**MERS**〉の病原体**MERS コロナウイルス**とが加わった．さらに 2020 年から**新型コロナウイルス感染症**〈**COVID-19**〉の病原体として知られる **SARS コロナウイルス 2**〈**SARS-CoV-2**〉が全世界で猛威を奮った．いずれも，飛沫感染，接触感染で伝播する．なお，コロナウイルスの感染様式は急性感染である．

1）SARS-CoV-2

SARS-CoV-1 と遺伝的に近縁である．2019 年に発生し，パンデミックを引き起こした．咳やくしゃみなどによる飛沫感染に加え，物の表面に付着したウイルスが手指を介し，鼻，口，目の粘膜から接触感染もする．また，「**エアロゾル*感染**」すなわち感染者と同一密閉空間での，飛沫核程度の大きさのエアロゾル吸入による感染も起こる．この観点から，エアロゾルを発生させる歯科医療における感染対策が改めて重要視されている．

*エアロゾル
気体の中に，固体または液体の μm 単位の径をもつ微粒子が散らばって浮遊している状態．飛沫も飛沫核も，これに含まれます．

SARS-CoV-2 は無症状の感染者からも排出されるため，感染の予防が困難である．したがって，ヒトと接しないこと，およびヒトが触ったものに触れないことが，COVID-19 予防の必須条件である．SARS-CoV-2 は，ほかのコロナウイルスと同様にエンベロープをもつため，消毒薬のグルタラール，次亜塩素酸ナトリウム，消毒用エタノール，ヨウ素系消毒薬などが消毒に有効であるが，クロルヘキシジングルコン酸塩などは無効である．

(1) 症状

COVID-19 の臨床症状は，約 3～5 日の潜伏期間後に現れ，発熱，疲労，乾咳，

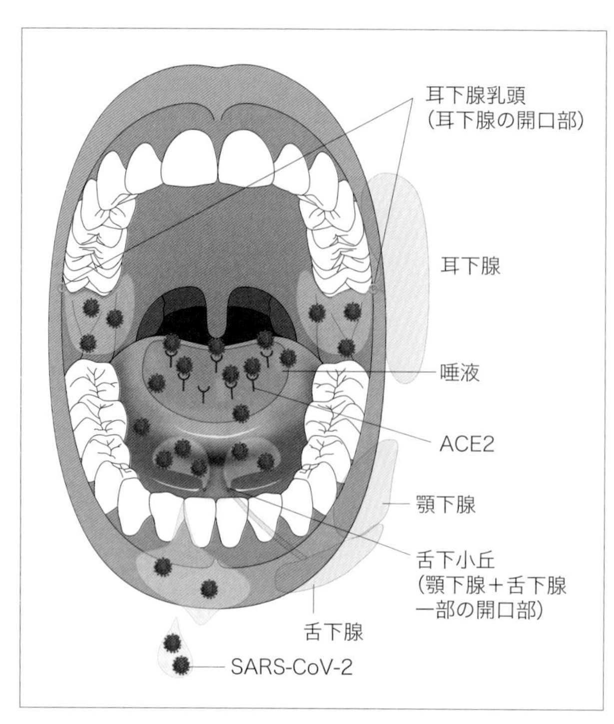

図III-2-15 口腔におけるACE2発現とSARS-CoV-2

唾液腺，歯肉上皮，舌背にACE2が高発現しており，SARS-CoV-2が感染する．唾液中に感染性を有する多くのウイルスが排出されるため，飛沫感染やエアロゾル感染の原因となる．一方で，検査のための検体として唾液が活用される．

筋肉痛，のどの痛みなどを伴う．炎症が肺全体に拡がって血中酸素濃度が低下し，急性呼吸窮迫症候群〈ARDS〉などの重篤な呼吸障害が起こると，死に至る場合がある．高齢や慢性閉塞性肺疾患〈COPD〉，糖尿病，循環器疾患などの基礎疾患を有すると重症化しやすい．

(2) 口腔との関連

SARS-CoV-2の受容体であるACE2〈アンジオテンシン変換酵素2〉が唾液腺，口腔上皮，舌粘膜に発現しているため，SARS-CoV-2が口腔に感染・増殖することがわかっている（**図III-2-15**）．SARS-CoV-2が味蕾細胞に感染する結果，味覚

"旧型"コロナ？

SARSコロナウイルス1は，2002年に出現しました．その後，2012年にMERSコロナウイルスが，2019年にSARSコロナウイルス2（＝新型コロナウイルス）が出現しました．これら3つが新型コロナウイルスグループといえます．2001年までに報告された，ヒトに感染するコロナウイルス4種類は，すべて軽い風邪を起こすのみでした．人類500万年の歴史の中で，これら4種の"旧型"コロナは，新型コロナのような突然変異を繰り返し，ヒトと共存可能な低病原性に落ち着いたのかもしれません．新型コロナも，低病原性に収束することが願われます．

障害も生じる．またSARS-CoV-2は唾液中に排出されるため，唾液が感染源となる反面，感染の検出に有用となる．

(3) 予防と治療法

ウイルスの増殖を防ぐ抗ウイルス薬やウイルスの細胞への吸着を防ぐ中和抗体薬などがある．

感染と重症化予防にmRNAワクチンが開発され，多くの人が接種した．SARS-CoV-2のスパイクタンパク質〈Sタンパク質〉の設計図となるmRNAを接種することで，Sタンパク質に対する中和抗体産生（p.171参照）などの免疫応答（p.162参照）が誘導される．なお，このmRNAワクチン開発の基盤研究に対して，2023年のノーベル医学・生理学賞が授与された．

7. ノロウイルス

ノロウイルス〈*Norovirus*〉は一本鎖RNAをゲノムとするウイルスで，エンベロープをもたない．ノロウイルスに汚染された牡蠣（かき）を代表とする二枚貝の生食が原因で，下痢や腹痛を伴う胃腸炎を起こす．食中毒の原因としてアニサキス（寄生虫）やカンピロバクター（細菌）に次いで多くみられる．

また，感染者からの飛沫感染に加え，嘔吐物からのエアロゾル感染も起こり得るため，特に冬場に集団発生を引き起こすことがある．嘔吐，下痢，発熱は2日間程度で治まり，後遺症が残ることはない．感染様式は急性感染である．

1) 予防と治療法

対症療法が中心となる．

予防としては，感染経路の遮断（食品の加熱や手指洗浄・消毒の徹底）が重要となる．ただし，エンベロープをもたないためエタノール消毒は無効である．消毒薬の選択には注意を要する．

3 レトロウイルス

レトロウイルス〈*Retrovirus*〉のretro（レトロ）とは，通常の生物では転写の方向がDNA→RNAであるのに対して，それが逆方向（retro＝後ろ向き），すなわちRNA→DNAであることに由来する．ほかのRNAウイルスとは異なって，**逆転写酵素***を用い，自らの一本鎖RNAを鋳型として二本鎖ウイルスDNAを合成して宿主のDNAと一体化するという特徴がある（**プロウイルス*DNA**）．プロウイルスDNAの複製は，宿主細胞の複製と転写のサイクルに従う．さまざまな刺激により感染細胞内でウイルス構成成分を生成し，集約されたウイルスはその後，宿主細胞から出芽・放出される．なお，レトロウイルスの感染様式は，持続性感染の内の

＊逆転写酵素
レトロウイルスが有する酵素で，自らのゲノムRNAを鋳型としてDNAに変換します．逆転写酵素の発見にはノーベル賞が与えられました．

遅発（性）感染であり，長い無症候期の後に発症し，治療をせずに放置すると感染者は死の転帰をたどる．

1．ヒト免疫不全ウイルス（図Ⅲ-2-16）

ヒト免疫不全ウイルス〈*Human immunodeficiency virus*：HIV〉は，**後天性免疫不全症候群**〈AIDS〉の原因ウイルスとして1983年に発見された．HIVは**ヘルパーT細胞**〈CD4 T細胞〉やマクロファージに感染して，免疫機構を破壊する．この結果，宿主は重篤な免疫不全状態に陥り，やがて日和見感染症などのAIDSを発症し，無治療のままであると死亡する．2021年末の時点で，世界のHIV感染者*は約3,800万人にものぼり，これまでに4,000万人以上がAIDSで亡くなっている．

1）感染源および感染経路

HIVの感染源はHIV感染者で，主に無症候性保菌者〈キャリア〉である．HIV感染者の体液，特に血液，精液，膣分泌液などに含まれるHIVおよびHIV感染T細胞の移入によって感染する．HIVの感染経路は，性行為による感染，血液を介した感染（輸血，移植などの医療行為と，覚醒剤や麻薬常習者の回し打ちなどによる汚染注射器の連続使用），母子感染などがある．

なお，感染初期に血液検査を行っても抗体やHIVを検出できない期間，すなわち感染の有無がわからない空白期間が生じるため，注意が必要である．この期間をウィンドウ・ピリオド〈**ウィンドウ期**〉とよぶが，HIVの場合，約3～6週間程度ある．

2）AIDSの発症

HIV感染＝AIDS発症ではない．感染から，急性期→無症候期→AIDS発症と長い経過をたどる．感染1～2週間後に“かぜ”様の症状を呈する．この時期には血中に多数のウイルスが出現するが，抗体や感作T細胞が出現し始めるとウイルスの増殖は抑制され，血中のウイルス数は急速に減少する．しかしウイルスは，完全に増殖停止の状態にあるのではなく，リンパ節では旺盛に増殖を続ける．個人差はあるもののこの時期（数年から十数年）が，外見上は無症状のままに経過する無症候期となるため，この期間中での感染が問題になっている．1 mL血液中のヘルパーT細胞〈CD4 T細胞〉が100個以下（通常の1/10以下）になると，免疫機能の低下が進み，その結果として，ニューモシスチス肺炎やカンジダ症，ヘルペス感染症などのさまざまな**日和見感染症**，Kaposi肉腫などの悪性腫瘍，および中枢神経症状などの合併症（AIDS指標疾患）を発症する．この状態をAIDSとよぶ．

3）口腔症状

口腔内にはヘルパーT細胞〈CD4 T細胞〉の減少により，さまざまな**HIV関連**

＊プロウイルス
宿主細胞のDNAに統合されたウイルスゲノムのことをいいます．プロウイルスは，宿主ゲノムから自分自身を取り出すことはしません．RNAウイルスで逆転写酵素をもつレトロウイルスのほか，DNAウイルスのアデノ随伴ウイルスなどもプロウイルスとなることが知られています．

＊HIV感染者とAIDS患者
HIV感染者は，HIVに感染していますが，AIDSを発症しているわけではありません．AIDS患者とは，HIVウイルスにより免疫力が低下し「23の指定されたAIDS指標疾患」（厚生労働省）を発症した患者をさします．HIVに感染していても，この23疾患のいずれかを発症しない限りはAIDSとはいいません．

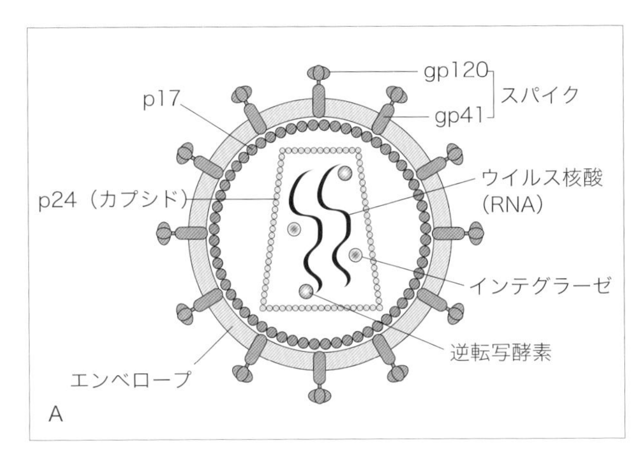

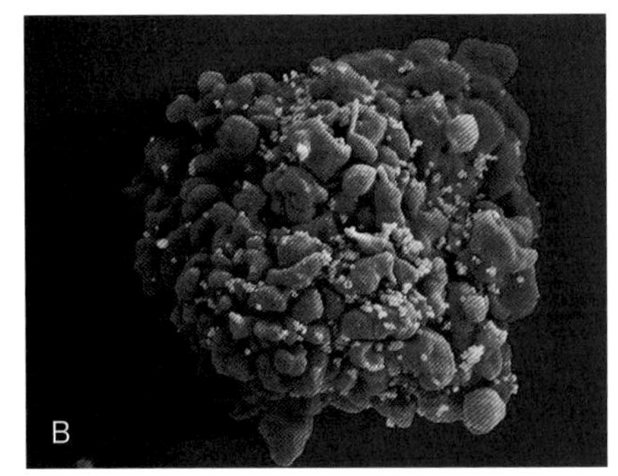

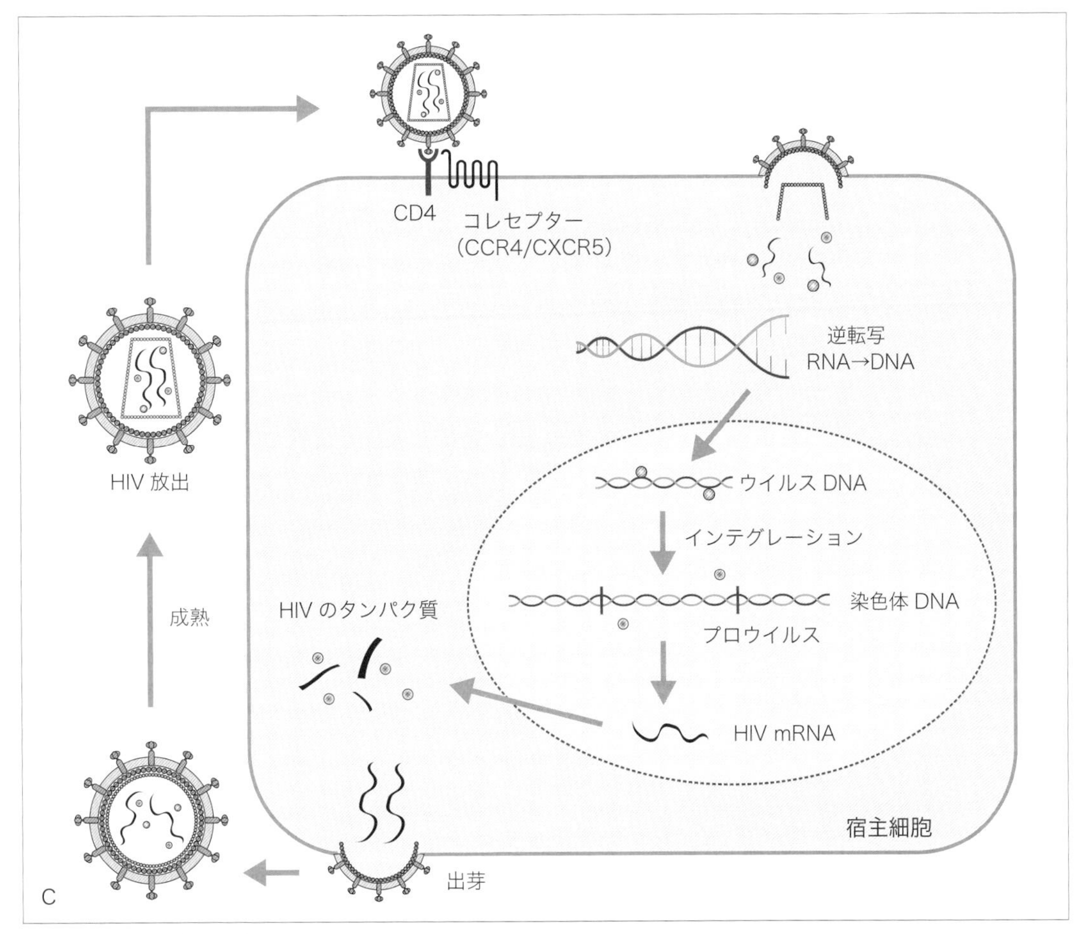

図Ⅲ-2-16　ヒト免疫不全ウイルス

A：HIV の構造. 2 分子の RNA をカプシドとエンベロープが覆う. レトロウイルスの特徴である逆転写酵素を有する. エンベロープ表面に gp120 と gp41 からなるスパイクをもつ.

B：T 細胞（赤色）から出芽する HIV（黄色）の電子顕微鏡像. ウイルスが細胞膜に集合し, 膜が外側に膨らんだ後, 細胞外にウイルス粒子が放出される.〔CDC〕

C：HIV の増殖様式. HIV がヘルパー T 細胞やマクロファージの CD4 とコレセプターに結合すると侵入が開始する. 逆転写酵素により DNA が合成された後, 宿主 DNA に組み込まれプロウイルスとなる. プロウイルスは刺激を受けて mRNA をつくり, 宿主のリボソームを利用して各種ウイルスタンパクを合成する. ウイルス粒子の組み立て後, 宿主の細胞膜をエンベロープとして成熟した後, 宿主細胞から出芽, 放出される.

口腔症状（口唇ヘルペス，口腔カンジダ症，EBV の再活性化による毛状白板症，Kaposi 肉腫，壊死性潰瘍性歯周炎など）が認められる．

4）予防と治療法

まだワクチンは開発されていない．

治療は，多剤併用による**抗 HIV 療法〈ART〉**を行う．HIV が産生するインテグラーゼという酵素を阻害する薬剤と，HIV のもつ逆転写酵素を阻害する 2 剤を組み合わせて HIV の増殖を抑制する ART が，標準的な治療法となっている．しかし，治療費の高額化や，薬剤の長期的な服用による副作用などが社会問題化している．現在，患者数が増加している発展途上国では，治療を受けることのできる患者数は限られているため，HIV 感染者数の増加には歯止めがかかっていない．

2. ヒト T 細胞白血病ウイルス 1

ヒト T 細胞白血病ウイルス 1〈*Human T-cell leukemia virus* type 1：HTLV-1〉は，**成人 T 細胞白血病〈adult T cell leukemia：ATL〉**の原因ウイルスである．ATL は，1977 年に高月 清（たかつき きよし）によってはじめて提唱された疾患で，わが国では九州や沖縄など南西部出身者に多くみられるが，都市部でも増加傾向にある．1981 年，日沼頼夫（ひぬまよりお）らによって，その病原体がヒト T 細胞白血病ウイルス 1「HTLV-1」であることが確認された．ヒトに病原性を示すレトロウイルスとして最初に分離されたが，HTLV-1 発見はその後の HIV 発見に大きく貢献することとなった．HTLV-1 はヘルパー T 細胞〈CD4 T 細胞〉に持続性感染し，多くの場合は不顕性感染となる．感染者の 4～5％は 30～40 年の無症候期を経て発症する．予後はおおむね不良であり，発症の 1～2 年後には死亡する．

母乳感染がほとんどであるため，妊婦健診でのスクリーニング検査や断乳などにより，感染・発症の危険を大幅に減らすことができる．現在，有効な治療薬やワクチンはない．

4 肝炎ウイルス

肝細胞を標的として組織傷害をもたらすウイルスを一括し，肝炎ウイルス〈*Hepatitis virus*（ヘパタイティス）〉とよぶ．A，B，C，D，E 型など 8 種の肝炎ウイルスが知られる．本項ではそのうち血液感染を起こす 2 種のウイルスについて述べる（表Ⅲ-2-3）．

1. B 型肝炎ウイルス

B 型肝炎ウイルス〈*Hepatitis B virus*：HBV〉は，ヘパドナウイルス科に属する

表Ⅲ-2-3　肝炎ウイルスの性状比較

	科・属	ゲノムの性状	感染経路	潜伏期間	ワクチン	発癌性	キャリア
B型肝炎ウイルス	ヘパドナウイルス科 オルトヘパドナウイルス属	DNA	血液	45～180日	あり	あり	あり
C型肝炎ウイルス	フラビウイルス科 ヘパシウイルス属	RNA	血液	40～120日	なし	あり	あり

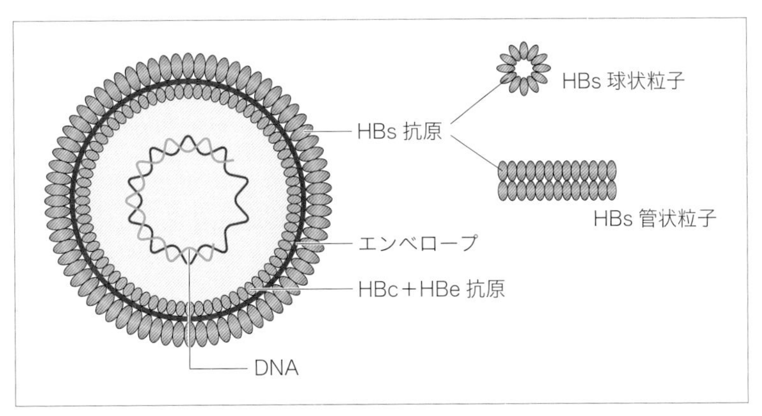

図Ⅲ-2-17　B型肝炎ウイルスの構造模式図

DNAウイルスで，不完全な二本鎖DNAをゲノムとする．エンベロープをもつ．患者血清中には**デーン〈Dane〉粒子**とよばれる感染力のある完全粒子と，HBs抗原のみからなる不完全粒子とが認められる（図Ⅲ-2-17）．HBVの感染様式は，持続感染の内の**慢性感染**であり，現在，わが国には約100～140万人の**キャリア**がいると推定される．わが国のB型肝炎ウイルスの過去の感染の原因の多くが，集団予防接種時の注射器具の連続使用と，これに起因する母子感染による．

成人の感染は，主に血液や体表分泌液を介して起こるが，初感染は性行為によるものが多い．そのほかには，針刺し事故などの医療行為，入れ墨，麻薬静脈注射の回し打ちによる感染もみられる．母子感染はHBe抗原陽性の母親から生まれた乳児が，産道感染することによって起こる．子どもは無症候性のキャリアとなり，その一部は慢性感染に移行する．さらに肝硬変，そして肝がんに至る場合がある．初感染の年齢が低いほど，将来，慢性肝炎に移行する割合は高い．急性B型肝炎は，発熱，食欲不振，および筋肉痛などの症状を示し，続いて黄疸が現れる．ほとんどの場合，予後は良好だが，1～2%は広範囲の肝壊死を伴う劇症肝炎を引き起こす．

なお，HBVはアルコールに抵抗性のエンベロープを有しているので，その不活化には，オートクレーブの使用および次亜塩素酸ナトリウム溶液やグルタラール溶液への浸漬が有効である．

1）ウイルスマーカーの臨床的意義

HBs抗原は，エンベロープ表層のタンパク質で，HBs抗原陽性は現在感染して

なぜB型肝炎の感染者が多いのか

「日本におけるB型肝炎ウイルス持続感染の原因の多くは，集団予防接種における注射器などの使い回し及びこれに起因する母子感染である」という歴史的事実があり，被害者救済の「B型肝炎特別措置法」が2012年より施行されています．歯科衛生士を含む医療系専門職を目指す学生は，これらの経緯を学び，教訓とする必要があります．本書以外にも，厚生労働省ホームページなどを検索し，学修することを望みます．

いることを示す指標になる．HBs抗原に対する抗体，すなわち**HBs抗体**はHBVに結合し，感染を中和する感染防御抗体である．そこで，組換えHBs抗原がワクチンとして用いられる．HBs抗体の有無は，HBVの感染歴やワクチン接種歴の判断に使用されている．

HBc抗原は，ヌクレオカプシドに含まれるタンパク質で，**HBc抗体**は過去あるいは現在の感染を示している．

HBe抗原は，デーン粒子が分解した際に生じる抗原で，肝細胞でウイルスが活発に増殖しているときに血中に検出される．血中のHBe抗原量とHBV量とは相関することから，HBe抗原陽性者は感染源となりやすい．HBe抗原陽性者に対する観血的な歯科治療は十分な感染防護の注意のもとに行われなければならない．

2）予防と治療法

医療従事者のようなハイリスク者に対して，**HBsワクチン**を接種することで能動免疫を付与する．また，医療従事者やHBs抗原陽性者の家族，針刺し事故者やHBVに汚染された血液に接触した人，母子感染を受けた新生児に対して，B型肝炎免疫グロブリンを用いた受動免疫が行われる．

慢性肝炎の治療には，インターフェロンやラミブジン（逆転写酵素阻害薬）などが用いられる．

2. C型肝炎ウイルス

HBVがDNAウイルスであったのとは全く異なり，C型肝炎ウイルス〈*Hepatitis C virus*：HCV〉は**RNAウイルス**である．血液のHBV汚染検査の実施以降，輸血後肝炎は劇的に減少した．しかし，非A非B型肝炎とよばれるものが依然として存在していたので，未知の肝炎ウイルスの探索がなされた．その結果，1989年HCVが患者の血液から発見されるに至った．感染経路は，輸血関連による感染はまれで，性行為感染や母子感染が大部分を占める．HCVは感染すると，高い割合

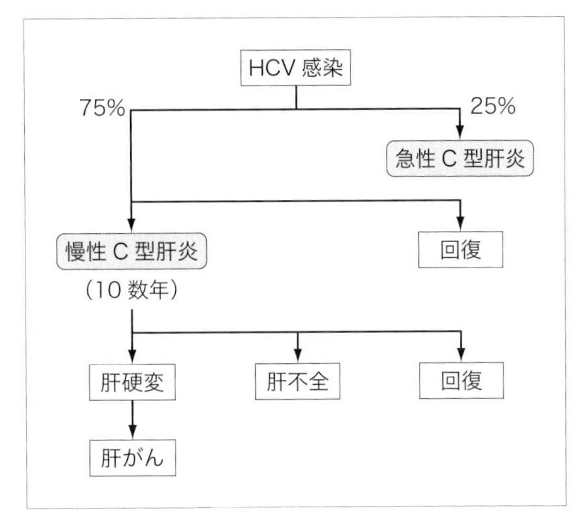

図Ⅲ-2-18　HCV 感染症における病態の推移

でキャリアになる（わが国では約 200 万人と推定）．C 型肝炎は慢性化する傾向が高く，急性 C 型肝炎の 60〜80％は**慢性肝炎**となり，20 年から 30 年をかけてその一部（20〜30％）は**肝硬変**へと進み，さらにその一部は 10 数年を経て，**肝がん**を発症する（図Ⅲ-2-18）．わが国で肝がん発症者の約 80％は C 型肝炎に由来する．

1）予防と治療法

現在，有効なワクチンはない．

慢性肝炎にはインターフェロンおよびリバビリンが使われてきたが，2015 年以降は，ウイルスの RNA ポリメラーゼを阻害するソホスフビルとウイルスの増殖に必須なタンパク質を阻害するレジパスビルとを組み合わせた新薬が承認された結果，ほぼ 100％の治癒が期待できるようになった．

参考文献

1）石原和幸，今井健一，大島朋子編：口腔微生物学 －感染と免疫― 第 7 版．学研書院，東京，2021．
2）川端重忠，小松澤 均，大原直也，寺尾 豊編：口腔微生物学・免疫学　第 5 版．医歯薬出版，東京，2021．

3章 歯科に関連する真菌

到達目標
❶ 歯科に関連する真菌の性状と感染機構を説明できる.
❷ 歯科に関連する真菌感染症の病態および治療法・予防を説明できる.

1 真菌の構造と特徴

1. 真菌の増殖様式と分類（図Ⅲ-3-1）

真菌は増殖様式から，①糸状（菌糸性）真菌（胞子と菌糸体）と，②酵母性真菌，および両性質を有する，③二形性真菌に分類される．歯科に関連する *Candida albicans* は，二形性真菌である．

2. 真菌の構造

真菌の菌体は最外層から順に，細胞壁，細胞膜，細胞質，核膜，および核にて構成される．着目すべきポイントは細胞膜である．ヒトとは異なり**エルゴステロール**を含む組成となっている（p.30 参照）．このエルゴステロールを標的とし，抗真菌薬が開発された．**ポリエン系薬**（アムホテリシン B など）および**アゾール系薬**（イミダゾールなど）の外用薬と内服薬がそれぞれ用いられる．

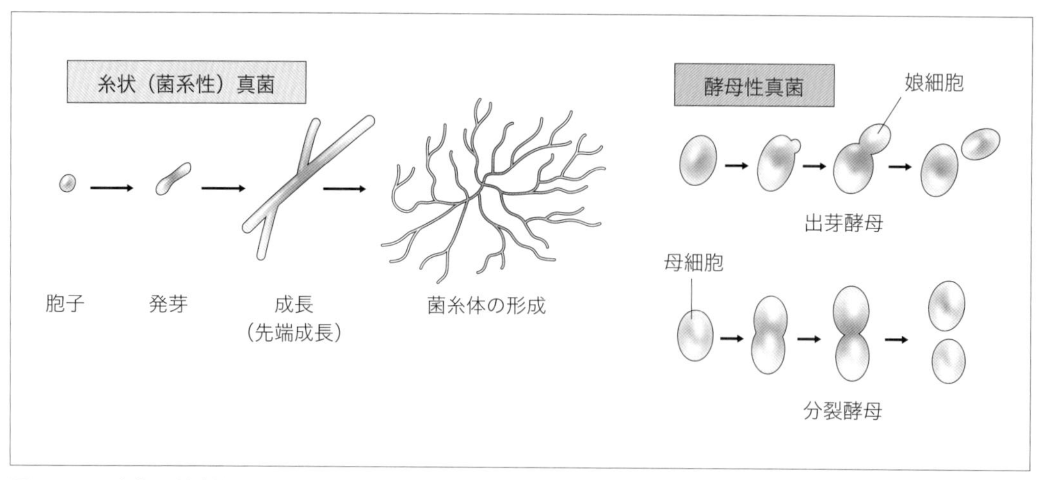

図Ⅲ-3-1　真菌の増殖様式

② 口腔カンジダ症

C. albicans（図Ⅲ-3-2）を主要因とする**口腔カンジダ症**は，皮膚性と粘膜性に大別される．治療にはポリエン系薬やアゾール系薬を使用する．義歯を使用する高齢者などの易感染性宿主に発症しやすい．免疫抑制薬（シクロスポリンやプレドニゾンなど）の長期服用者にも認められやすい．

1．口腔カンジダ症の分類

1）皮膚性カンジダ症

(1) カンジダ性口角炎

口角炎・口角びらんを特徴とする．*C. albicans* が病変から分離される．

2）粘膜性カンジダ症

(1) 口腔咽頭カンジダ症

❶ 偽膜性カンジダ症

口腔咽頭カンジダ症の1つである．口蓋や歯肉，舌に**白苔**が観察される（図Ⅲ-3-3）．易感染性宿主に発症しやすい．*C. albicans* が病変から分離される．

❷ 萎縮性（紅斑性）カンジダ症

口腔咽頭カンジダ症の1つ．義歯を装着した高齢者に発症しやすく，義歯性カンジダ症を呈する（**床下粘膜の紅斑**）．**舌の疼痛**や**発赤**，**嚥下障害**，**摂食障害**を呈する．**易感染因子**は，**義歯装着**，**口腔乾燥**，および**栄養障害である**．*C. albicans* のほか，*Candida glabrata*（カンジダ グラブラータ）も分離される．病理組織像では，菌糸状に加え酵母型真菌が認められるほか，炎症性細胞の浸潤も観察される．

3）食道カンジダ症

嚥下時違和感を生じさせる．内視鏡検査で，食道に白い苔が付着しているのが観察され，食道カンジダ症と判明することがある．

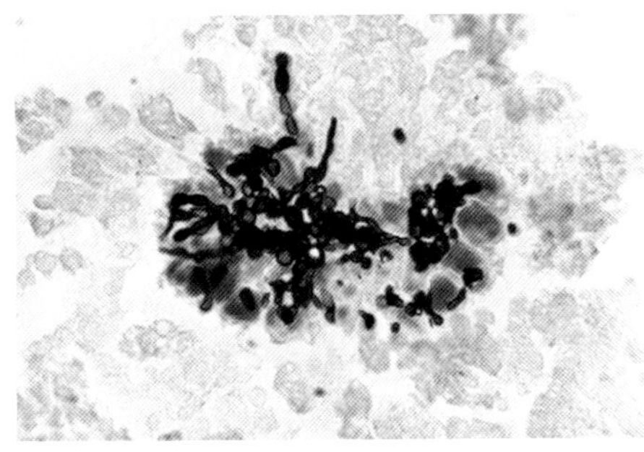

図Ⅲ-3-2 *Candida albicans* のグロコット染色像〔CDC〕

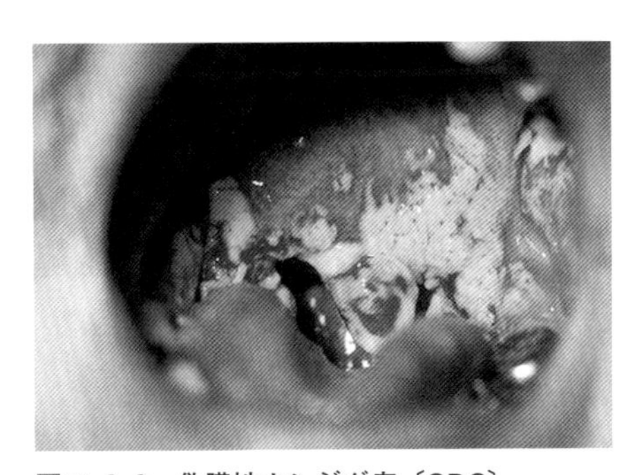

図Ⅲ-3-3 偽膜性カンジダ症〔CDC〕

義歯もキレイに

高齢者の介護施設などでも，口腔清掃への意識が高まっています．しかし，食事時間のみ義歯を使用し，それ以外は義歯をケースにて保管する場合は，洗浄が不足することもあり得ます．口腔衛生のプロフェッショナルであれば，未装着の義歯にも注意を向け，刷掃と抗真菌薬の併用などで完全な洗浄を目指したいものです．

3 深在性真菌症 アスペルギルス属

アスペルギルス〈*Aspergillus*〉属の真菌は，清掃不十分なエアコンの送風口や加湿器で増殖することがある．これらの機器から空気中へ飛散され，易感染宿主が吸入すると肺感染が起こる．**アスペルギルス症**とよばれ，ポリエン系薬やアゾール系薬で治療する．難治化すると，感染病巣を外科的に切除する必要性も生じる．

4 表在性真菌症 トリコフィトン属 (図III-3-4)

トリコフィトン〈*Trichophyton*〉属は**白癬菌**(はくせんきん)属とも称し，爪や皮膚に感染し，**爪白癬**(そうはくせん)や**足白癬**の病態を呈する．爪や皮膚の表層だけでなく，角質層深部にまで感染拡大するため，アゾール系薬の外用塗布に加え，内服療法も併用する必要がある．

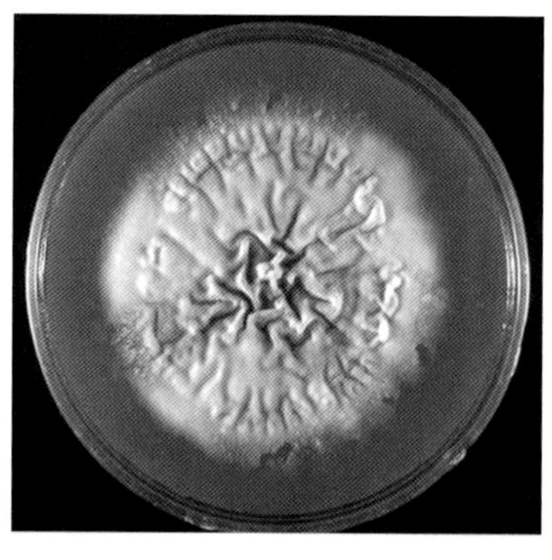

図III-3-4 トリコフィトン〈白癬菌(はくせんきん)〉〔CDC〕

4章 口腔領域の原虫

到達目標

❶ 歯科に関連する原虫の構造と特徴を説明できる．
❷ 歯科に関連する原虫感染症の病態を説明できる．

1 原虫の構造と特徴

1．原虫の形態と分類

寄生虫は真核生物であり，単細胞の原虫類と多細胞の蠕虫（ぜんちゅう）類から構成される．蠕虫で代表的なものは，魚介類に寄生するアニサキスである．原虫は，運動方法などにより，①根足虫類，②鞭毛虫類，③胞子虫類，④繊毛虫類と 4 つに分類される（図Ⅲ-4-1）．

2 口腔の原虫と感染症

1．歯肉アメーバ

歯肉アメーバ〈*Entamoeba gingivalis*（エントアメーバ ジンジバリス）〉は，ミトコンドリア（p.15 参照）を欠く根足虫類アメーバ目に属し，嫌気的条件下で歯肉に寄生し増殖する．偽足を有し，運動性を示す．口腔において，歯周ポケットは嫌気性であるうえ，多彩な細菌叢によるグリコーゲンなどの代謝産物も豊富である．ミトコンドリアを欠く歯肉アメーバは，グリコーゲンの解糖によりエネルギーを産生する．そのため，口腔衛生状態

アニサキス

生鮮魚介類の摂取により，アニサキス食中毒を起こすことがあります．アニサキスは，細菌でもウイルスでもない寄生虫（蠕虫）の一種です．そのため，抗菌薬では治療できません．予防方法は，目視でのアニサキス除去，−20℃で 24 時間以上の冷凍，70℃以上または 60℃で 1 分の加熱となります．塩，酢，わさびなどの調味料では死滅しないことも知っておきましょう．

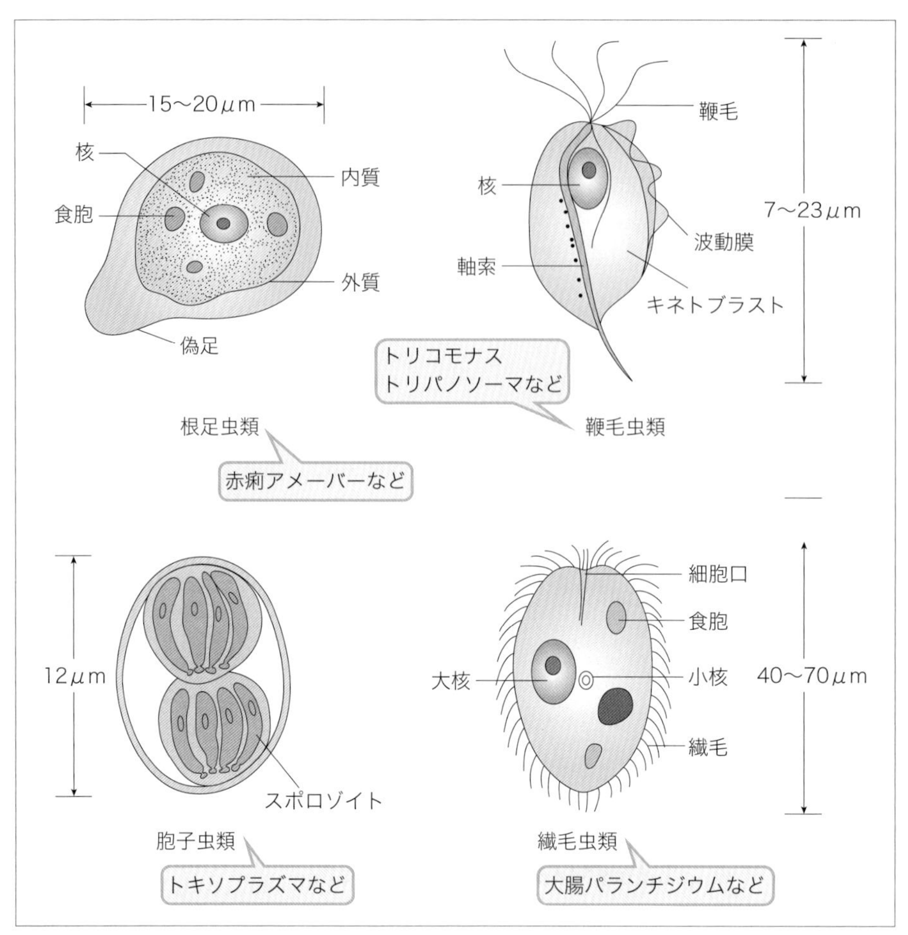

図Ⅲ-4-1 **原虫の構造と分類**

の不良な歯周病患者の歯周ポケットや残根部から，歯肉アメーバが検出される．歯肉アメーバが白血球を捕食する報告もあり，歯周病の増悪に関与すると考えられる．

2. 口腔トリコモナス

ヒトに寄生するトリコモナスとしては，口腔トリコモナス〈*Trichomonas tenax*（トリコモナス テナックス）〉，腸トリコモナス，および膣トリコモナスが知られる．口腔トリコモナスの病原性については未解明な点も多いが，歯周病患者の歯周ポケットから検出される．そのため，歯周病との関連が示唆されている．

5章 プリオン

到達目標
❶ 歯科に関連するプリオンの特徴を説明できる．
❷ 歯科に関連するプリオンの感染予防を説明できる．

1 プリオンの特徴と増殖（図Ⅲ-5-1）

プリオンは，「タンパク質性感染粒子」の略称である．遺伝子を有さずタンパク質のみから構成される．正常プリオンは，胎生期に神経細胞を中心に発現している．ウシ海綿状脳症〈狂牛病〉個体から精肉した牛肉を食べるなどで，**異常プリオン**が体内に取り込まれると，正常プリオンに結合し，正常型を異常型へと変換させて増殖する．患者血液の輸血，あるいは患者由来の異常プリオンが付着した消毒・滅菌が不十分な医療器具を介しても，感染が拡大する．

2 プリオンの感染予防

異常プリオンに汚染した物品は，可能であれば焼却破棄が最善である．DNAやRNAの遺伝子を保有しないため，紫外線照射による滅菌は無効である．オートクレーブ滅菌の際には，134℃で18分間の加圧加熱が必要となる．化学的な消毒としては，3％ドデシル硫酸ナトリウム〈SDS〉溶液に浸漬して10分間以上煮沸するか，2N水酸化ナトリウム〈NaOH〉溶液に1時間以上浸漬する方法がある．

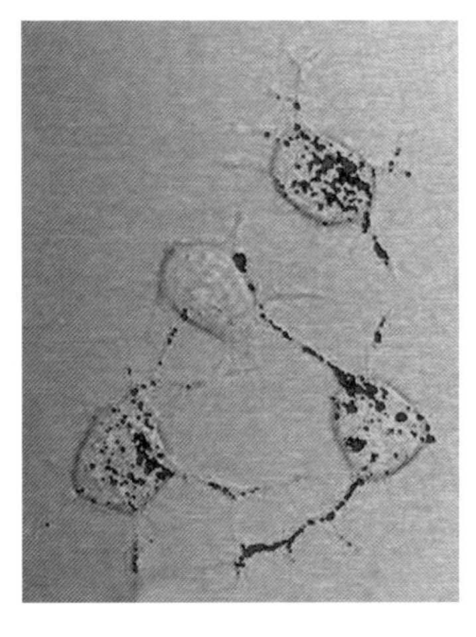

図Ⅲ-5-1 プリオン病マウスの神経組織標本〔CDC〕
異常プリオンに感染したマウスの神経組織の顕微鏡像で，赤色に染色された箇所が異常プリオンを示す．

一般的な歯科診療における感染リスクは少ないと考えられる．しかし，プリオン病患者（疑い患者を含む）の観血的処置（スケーリングや抜歯など）においては，感染予防に注意を払うほか，脳神経内科医との連携も検討すべきである．

3 プリオン病

ウシ海綿状脳症〈狂牛病〉のほか，ヒトでもプリオン病は報告されている．国内では，年間100人程度の新規患者があり，約8割は孤発性クロイツフェルト・ヤコブ病〈CJD〉で高齢者に多い．発症すると，死亡率は100%となる．治療法がないうえ，血液中の異常プリオンを検出する方法もない．そのため，輸血の際の問診徹底と，患者に使用した医療器具の消毒・滅菌を徹底することが重要となる．

参考文献

1）川端重忠ほか編：口腔微生物学・免疫学　第5版．医歯薬出版，東京，2021.
2）寺尾 豊：歯科国試パーフェクトマスター口腔微生物学・免疫学　第2版．医歯薬出版，東京，2022.
3）神谷 茂監修：標準微生物学　第14版．医学書院，東京，2022.
4）吉田眞一ほか著：系統看護学講座 微生物学 第14版．医学書院，東京，2022.
5）日本医真菌学会：侵襲性カンジダ症の診断・治療ガイドライン．2011.
6）日本感染症学会・日本化学療法学会：JAID/JSC 感染症治療ガイドライン 2019．2019.
7）日本循環器学会・日本心臓病学会・日本心エコー図学会・日本胸部外科学会・日本心臓血管外科学会・日本小児循環器学会・日本成人先天性心疾患学会・日本脳卒中学会・日本感染症学会・日本化学療法学会：感染性心内膜炎の予防と治療に関するガイドライン 2017（2019年更新版）．2019.
8）日本神経学会：プリオン病診療ガイドライン 2023．2023.

Ⅳ編
免疫学

1章 免疫

到達目標

❶ 免疫の定義と免疫関連組織・細胞を概説できる．
❷ 生体のバリア機構を概説できる．
❸ 自然免疫の仕組みを概説できる．
❹ 抗原提示の仕組みを概説できる．
❺ 獲得免疫の仕組みを概説できる．
❻ 能動免疫と受動免疫の仕組みを概説できる．
❼ 粘膜免疫の仕組みを概説できる．

1 免疫の種類

1. 自己と非自己

わたしたちの身体は，細菌やウイルスなどの病原体の侵入に対して抵抗性を示し，感染症に罹(かか)るのを防ぐ働きがある．これを**生体防御**または**免疫**という．一般に免疫担当細胞は外来性の物質に反応するが，自己成分には反応しない．これを**自己免疫寛容**という．**免疫応答**は，免疫担当細胞がその物質を異物と認識し，つまり**自己**ではなく**非自己**と識別し，次いでその異物を身体から排除する仕組みをさす．

2. 免疫関連臓器・細胞

免疫応答に関わる組織をリンパ組織*という．リンパ組織は，リンパ球の発生や免疫応答の成立に必須である．リンパ組織のうち，中枢（一次）リンパ組織は造血幹細胞に由来する細胞が分化*・成熟する器官であり，哺乳類では骨髄*と胸腺*である．末梢（二次）リンパ組織は，中枢リンパ組織で産生されたリンパ球が病原体に対する獲得免疫を開始する器官をいう．リンパ節，脾臓，粘膜関連リンパ組織などがある．

1）免疫を担う組織

(1) 中枢リンパ組織

哺乳類ではB細胞とT細胞は骨髄で産生され，次いでB細胞は骨髄で，T細胞は胸腺で分化・成熟する．

＊リンパ組織：免疫応答に関わる組織

中枢リンパ組織：リンパ球への分化・成熟が起こります．
末梢リンパ組織：獲得免疫応答が起こります．

＊細胞の分化

特殊化していない細胞がより特殊化したタイプの細胞に変化するプロセスのことをいいます．

＊骨髄

骨髄は成人の造血器官であるとともに，B細胞が成熟する場です．

＊胸腺

胸腺は心臓の上に位置するリンパ組織で，T細胞の分化に特化した器官です．

(2) 末梢リンパ組織

＊リンパ球
免疫細胞のリンパ球には，図Ⅳ-1-1 に示す B 細胞と T 細胞があります．

リンパ球*は中枢リンパ組織で産生された後，末梢リンパ組織に移動する．末梢リンパ組織は皮膚や粘膜から侵入する病原体を捕らえる要所に分布し，相互に血管およびリンパ管で連絡している．

❶ リンパ節

リンパ節はリンパ管に沿って全身に分布し，リンパ液での病原体の排除に働く．頸部，腋窩（えきか），鼠径部（そけいぶ），腸間膜などにはリンパ節が集合して存在する．

❷ 脾臓

脾臓は血液中に侵入した病原体に対する防御を担う．

❸ 粘膜付属リンパ組織

気道や消化管など粘膜に付属する粘膜付属リンパ組織は主に IgA（p.172 参照）の産生を通じて粘膜組織の防御にあたる．粘膜付属リンパ組織のうち，消化管に付属するリンパ組織は腸管関連リンパ組織とよぶ．パイエル板はその 1 つであり，回腸と空腸の腸管壁に存在する．

2）免疫担当細胞（図Ⅳ-1-1，表Ⅳ-1-1）

＊末梢リンパ組織
成熟したリンパ球が免疫反応を行う組織をさし，扁桃，リンパ節，脾臓，パイエル板などがこれにあたります．

血液細胞は酸素を運搬する赤血球，血液凝固を行う血小板，免疫を担当する白血球に大別される．白血球は免疫を担う細胞の総称であり，T 細胞，B 細胞，ナチュラルキラー〈NK〉細胞，樹状細胞，単球・マクロファージ，肥満細胞，好中球などが含まれる．

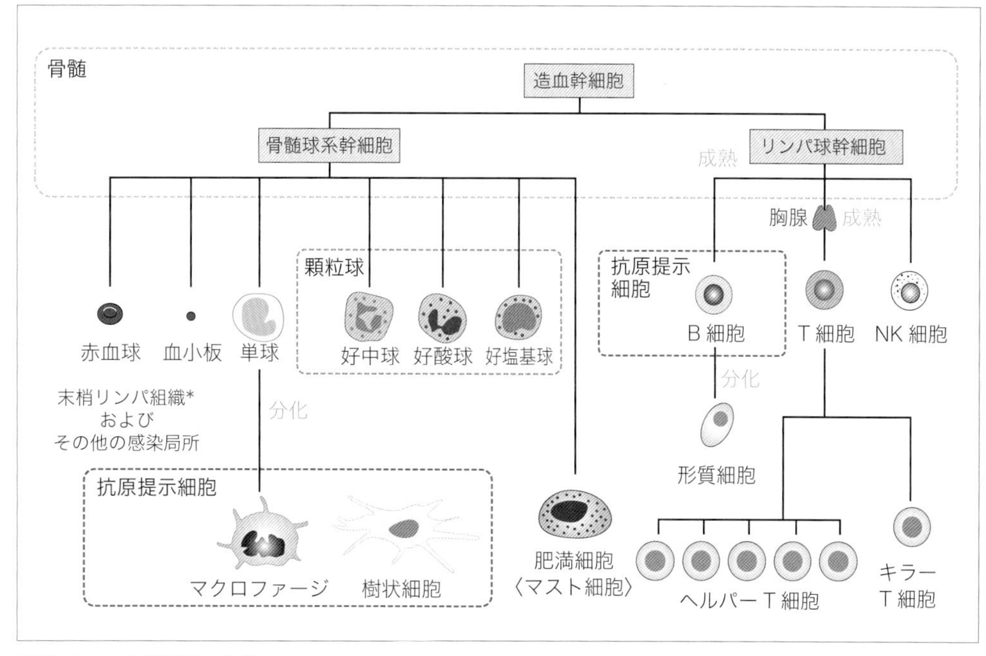

図Ⅳ-1-1 免疫細胞と分化

（大橋典男編：栄養学イラストレイテッド 微生物学．羊土社，東京，2020.）

表Ⅳ-1-1 免疫を担う細胞の種類と機能

		分化	名称		機能	貪食能	抗原提示能
白血球	骨髄系幹細胞	骨髄	樹状細胞		・抗原提示能を持つ食細胞.	○	○
			単球・マクロファージ		・病原体の食作用をもち，細胞内殺菌を行う. ・炎症性サイトカインを産生する.	○	○
			肥満細胞〈マスト細胞〉		・寄生虫に対する防御反応に関与する. ・I型アレルギー（即時型過敏症）に関与する.		
			顆粒球	好中球	・細菌などを貪食，細胞内殺菌を行う. ・好中球細胞外トラップにより，細胞外の病原体を捕捉，殺菌する.	○	
				好酸球	・寄生虫の排除に作用する.		
				好塩基球	・I型アレルギー（即時型過敏症）に関与する.		
	リンパ球系幹細胞	胸腺	T細胞		・キラーT細胞〈CD8 T細胞〉はウイルス感染細胞やがん細胞の殺傷に働く. ・ヘルパーT細胞〈CD4 T細胞〉は，ほかの免疫担当細胞の働きや分化を調整する.		
		骨髄	B細胞		・抗体を産生する形質細胞へ分化する.		○
			NK細胞		・腫瘍細胞やウイルス感染細胞を抗原非特異的に傷害する細胞.		

2 生体のバリア機構

人体の表面は皮膚で覆われている．消化管，呼吸器系の管腔内も皮膚同様に外界であり，粘膜上皮に覆われている．病原体が感染するには，外界の微生物が皮膚・粘膜の上皮を突破して粘膜内に侵入する必要がある．宿主は病原体の上皮内への侵入を阻止する機構と，上皮内に侵入してきた病原体を排除する機構をもっている．前者を**生体のバリア機構**といい，後者を**免疫**という．生体防御機構には，すべての病原体を対象とした非特異的生体防御機構と，特定の病原体を対象とした特異的生体防御機構に大別される．バリア機構は非特異的生体防御であり，感染防御の第一関門である．上皮下の粘膜に病原体が侵入するのを防御するため，3つのバリア機構がある（表Ⅳ-1-2）．

表Ⅳ-1-2 皮膚・粘膜のバリア機構の例

物理的バリア	上皮，上皮間接着（タイト結合，接着分子），粘液（ムチンなど），線毛運動，排尿
化学的バリア	リゾチーム，ディフェンシンなど抗菌物質，消化酵素，胃液
生物学的バリア	常在微生物叢

1. 物理的バリア

正常な皮膚は角化重層扁平上皮，上皮細胞間は接着分子で緊密に接着するため，病原体の侵入は阻害される．火傷や外傷などにより皮膚・粘膜の上皮が損傷されると，感染が起こりやすくなる．角化した上皮細胞は頻繁に脱落するので，上皮細胞に付着した微生物は上皮細胞の脱落とともに排除される．

消化管や気道など粘膜の上皮は，分泌液により病原体の上皮への到達を阻害する．口腔粘膜は唾液や舌，頬粘膜の動きで微生物を排除する．腸管の運動や排便も微生物の排除に働く．気道上皮は，分泌液に加え線毛の運動により，微生物を中咽頭に排除する．排尿は物理的に尿道から微生物を洗い流す．

2. 化学的バリア

粘膜からの分泌液は物理的な病原体の定着阻害だけでなく，リゾチーム，ラクトフェリン，ディフェンシンなどの抗菌ペプチドなど抗菌作用をもつ物質を含む．

胃液は，塩酸を含み，胃内をpH 1.0という強酸性環境にするため殺菌的に作用する．

膣内の乳酸桿菌は乳酸を産生し，pHを下げ，肛門から感染する腸内細菌の増殖を防ぐ．このような乳酸桿菌をデーデルライン桿菌という．

3. 生物学的バリア

体内の臓器や組織は無菌的であるが，皮膚表面，消化器，上気道の粘膜面などはさまざまな細菌が常在細菌として定着している．これらの細菌の集団を**常在フローラ**（細菌叢，微生物叢）という．常在フローラは固有の生息部位をもち，自身の生息に適した定着部位をつくり，外来微生物の定着や増殖に対し阻害的に働く．常在微生物叢が外部の細菌に排除的に作用することを**生物学的バリア**という．

3 自然免疫

生体のバリア機構を突破して上皮下に侵入してきた病原体に対して，生体防御機構として免疫が働く．ヒトの場合，**自然免疫系**と**獲得免疫系**という2つの免疫システムからなる．最初に病原体排除に働くのは，非特異的生体防御機構である**自然免疫**である．

自然免疫とは，体に生まれつき備わっている免疫の仕組みのことで，病原体の侵入とともにすぐに反応する．自然免疫の働きは，主に病原体への直接攻撃であり，大きく分けて，①抗菌分子による病原体の攻撃（抗菌ペプチド，リゾチーム，補体），

②病原体の貪食（好中球，マクロファージ，樹状細胞），③感染細胞などの殺傷（NK細胞）がある．

1. 自然免疫を構成する液性因子

皮膚・粘膜のバリア機構を突破した上皮下の微生物に対して，まず液性因子が働く．自然免疫の液性因子には，以下の抗菌分子がある．

1）抗菌ペプチド

抗菌ペプチドは，微生物の細胞膜に孔を開け，強力な殺菌作用がある．

2）リゾチーム

細菌細胞壁の多糖の結合を分解する酵素である（図IV-1-2）．ペプチドグリカンが破壊された細菌は死滅する．リゾチームは涙，鼻汁，唾液などに多く含まれる．

3）補体

補体は食細胞による微生物の貪食を助けるなどの殺菌作用をもつ血漿タンパク質の一群である．補体系は主にC1～C9からなる．

主要な補体分子として，**C3b**（**オプソニン**＝食作用の亢進），**C5a**（**走化性因子**＝食細胞の遊走を亢進），および $\overline{\text{C5b6789}}$（**膜侵襲性複合体**＝細菌の細胞膜に孔を開ける）がある．

4）サイトカイン

病原体が体内に侵入したことを感知し，免疫細胞の活性化などを行うタンパク質である．

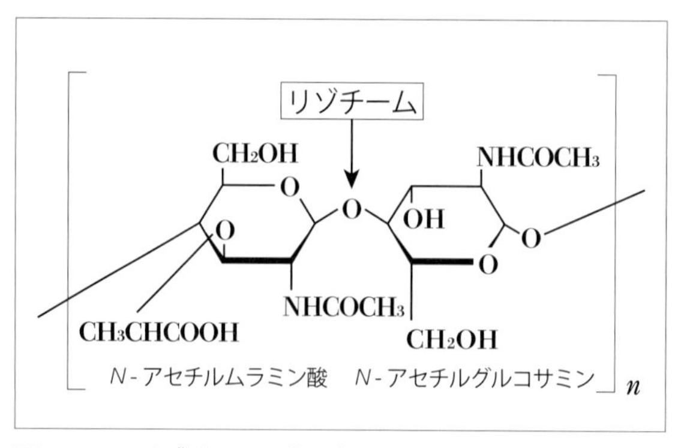

図IV-1-2　リゾチームの作用点

2. 自然免疫を構成する細胞

自然免疫細胞による働きは，病原体の貪食と感染細胞などの殺傷がある．

1）病原体の貪食

体内に侵入した微生物を捕獲，貪食，殺菌，消化する細胞を**食細胞**という．食細胞が細菌などを捕獲し，細胞内に取り込むことを**貪食**〈ファゴサイトーシス〉という．

食細胞は細菌などの異物と接触すると，内部に異物を閉じ込める食胞〈ファゴソーム〉を形成，殺菌する．食胞はリソソームと融合してファゴリソソームとなり，細菌は消化される（図Ⅳ-1-3）．好中球，単球・マクロファージ，樹状細胞が食細胞として働く．

はじめに好中球が遊走し，細菌などを速やかに貪食する．マクロファージは遊走するスピードは遅いものの，多量の細菌などを貪食することができる．これら食細胞は細胞膜上に**Toll（トル）様受容体〈TLR〉**などの受容体を発現している．その受容体により病原体を感知して活性化された食細胞は，炎症性サイトカインを放出し，さらなる免疫系の細胞（白血球など）をよび寄せるなど炎症反応を引き起こす（図Ⅳ-1-4）．

2）感染細胞などの殺傷

ナチュラルキラー〈NK〉細胞は自然免疫に属する，感染細胞やがん細胞を殺傷する働きをもつリンパ球である．

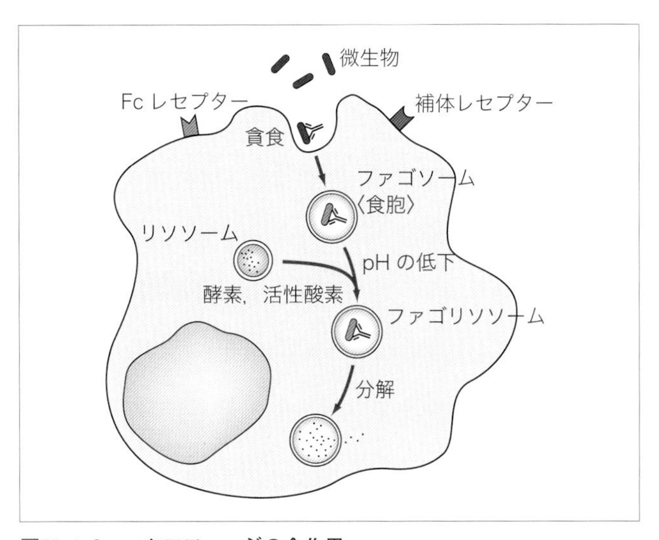

図Ⅳ-1-3 マクロファージの食作用
微生物は食細胞の補体レセプターや Fc レセプターを介してファゴソームに取り込まれる．ファゴソームはリソソームと融合してファゴリソソームを形成し，その中で殺菌・消化が行われる．

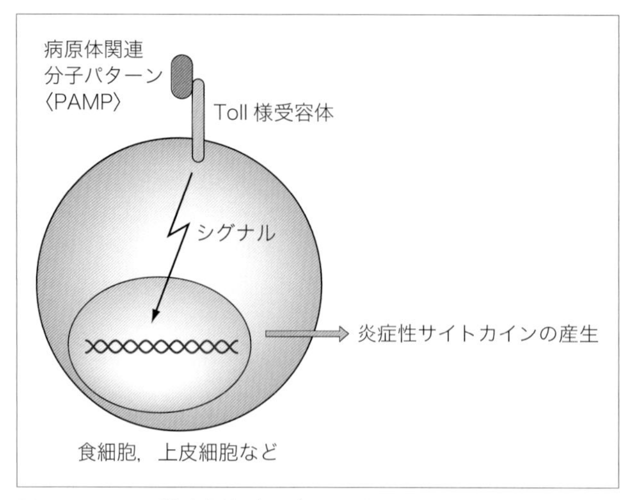

図IV-1-4 **Toll 様受容体〈TLR〉の反応**
細菌やウイルスの成分が Toll 様受容体に認識される（結合する）と細胞内にシグナルが伝えられ，サイトカインが産生される．また，免疫反応が活性化される．

3. 異物認識における自然免疫と獲得免疫の比較

自然免疫の刺激物質を**病原体関連分子パターン**〈PAMP〉という．PAMP は，微生物に特有で共通に保存されている微生物の構造である（表IV-1-3）．PAMP を認識する自然免疫の受容体（レセプター）をパターン認識受容体という．

獲得免疫のレセプターが認識する対象の分子を**抗原**という．獲得免疫のレセプターとは抗原受容体のことであり，B 細胞レセプター（抗体），T 細胞レセプターである．

異物認識において，自然免疫と獲得免疫（p.171 参照）には表IV-1-4 のような違いがある．

表IV-1-3 **微生物と病原体関連分子パターン**

微生物	病原体関連分子パターン〈PAMP〉
細　菌	リポ多糖〈LPS〉
	フラジェリン（鞭毛タンパク質）
	ペプチドグリカン
ウイルス	RNA
	DNA
真　菌	β-D-グルカン

表Ⅳ-1-4　自然免疫と獲得免疫の比較

	自然免疫	獲得免疫
生体防御の特異性	非特異的生体防御	特異的生体防御
生物種	あらゆる多細胞生物	脊椎動物
細胞	貪食細胞 （好中球，単球・マクロファージ，樹状細胞） NK 細胞	リンパ球 （T 細胞，B 細胞）
液性因子	抗菌分子 （抗菌ペプチド，リゾチーム，補体）	抗体
認識する異物	病原体関連分子パターン〈PAMP〉	抗原
免疫記憶	なし	あり

4 抗原提示

1. 抗原提示の仕組み

1）抗原提示細胞による抗原提示

自然免疫で病原体を感知するシステムは，異物の貪食や感染細胞の破壊など，自然免疫の中で働くだけでなく，獲得免疫の始動役としても働く．ある病原体が感染したとき，自然免疫のシステムで，皮下・粘膜下に常在している樹状細胞は病原体を貪食，分解，消化したペプチドの断片を自身の**主要組織適合遺伝子複合体〈MHC〉***分子上に乗せ，リンパ節などの末梢リンパ組織でT細胞に提示する．これを**抗原提示**という．

＊主要組織適合遺伝子複合体〈MHC〉
移植臓器の生着に影響を与える，主要なものを決定している組織適合抗原を，主要組織適合抗原〈MHC〉といいます．

抗原提示を受けたT細胞は，抗原提示細胞により活性化され，さまざまな働きをもつT細胞となる．

2）主要組織適合遺伝子複合体と抗原提示細胞

MHCは抗原提示に非常に重要な役割を果たす．**MHCクラスⅠ分子**はすべての有核細胞に発現している．**MHCクラスⅡ分子**は樹状細胞，マクロファージ，B細胞などの一部の細胞のみに発現している．MHCクラスⅡ分子を発現するこれらの細胞をプロフェッショナル**抗原提示細胞**という．

細菌など貪食作用により抗原提示細胞に取り込まれたタンパク質抗原は，食胞〈ファゴソーム〉内でペプチドに分解される．分解されたペプチドは細胞表面のMHCクラスⅡ分子上に提示にされる．

ウイルスなど，感染により細胞内へ侵入する抗原は細胞内で分解され，細胞表面のMHCクラスⅠ分子上に提示される（図Ⅳ-1-5）．

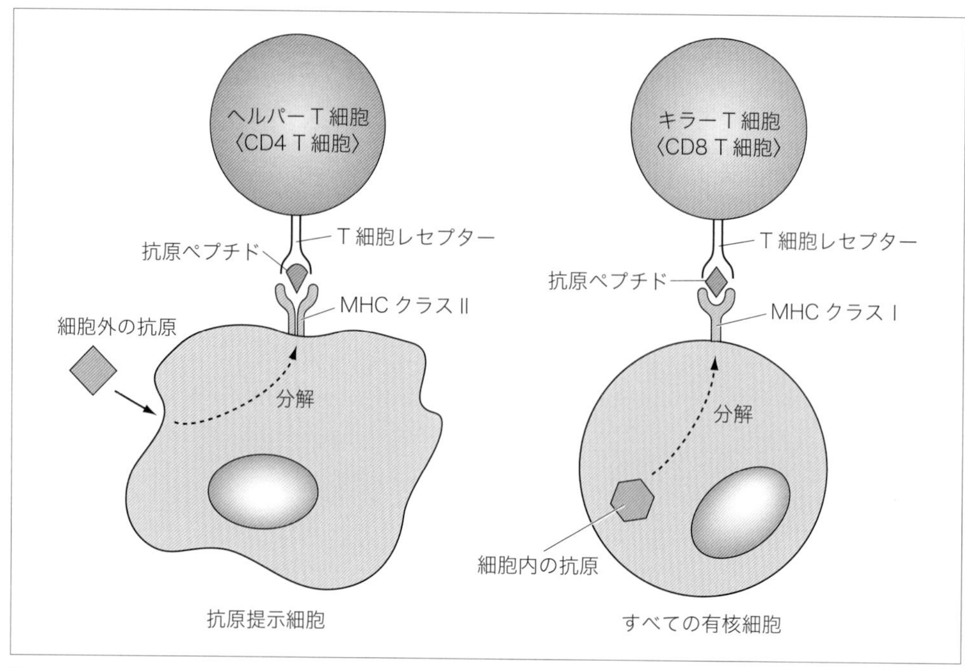

図Ⅳ-1-5　MHC クラスⅠ/Ⅱ分子による抗原提示

貪食によって取り込まれた細胞の外に存在する微生物（抗原）は MHC クラスⅡによって提示される．ヘルパーT細胞は MHC クラスⅡに提示された抗原を認識する．一方，細胞内（細胞質）に存在する抗原は MHC クラスⅠによって提示される．キラーT細胞は MHC クラスⅠに提示された抗原を認識する．

3）T細胞による抗原の認識

MHC分子*とそこに結合した抗原の組合せを，T細胞レセプター〈TCR〉は特異的に認識し結合する．ヘルパーT細胞は，MHC クラスII分子および抗原ペプチドの組合せを認識する．キラーT細胞〈CD8 T細胞〉は，MHC クラスI分子および抗原ペプチドの組合せを認識する（図Ⅳ-1-5）．

＊抗原提示と MHC 分子

ヘルパーT細胞の細胞表面マーカーであるCD4分子は，MHC クラスII分子と親和性があるため，MHC クラスII分子上の抗原ペプチドを認識します．キラーT細胞の細胞表面マーカーであるCD8分子は，MHC クラスI分子と親和性があるため，MHC クラスI分子上の抗原ペプチドを認識します．

このことは，抗原提示細胞がヘルパーT細胞に抗原提示をするときはMHC クラスII分子上に抗原分子をのせ，キラーT細胞に抗原提示するときは，MHC クラスI分子上に抗原分子をのせることを意味します．

2. 抗原提示後のプロセス

T細胞レセプターで抗原を認識した後に，活性化されたヘルパーT細胞は，①細胞性免疫の活性化（マクロファージおよびキラーT細胞の活性化），②液性免疫の活性化（B細胞の活性化による抗体産生）の機能をもつようになる．

⑤ 獲得免疫

＊獲得免疫における抗原特異性

抗原レセプターは1種類の**抗原**だけを認識します．1つのB細胞やT細胞がもつ抗原レセプターは1種類だけです．そのため，1つのB細胞やT細胞が認識できる抗原は1種類だけで，ほかの抗原には反応しません．これを抗原特異性といいます．

獲得免疫＊とは，病原体が侵入した後に生体の反応として誘導される免疫であり，後天的に抵抗性が獲得される．獲得免疫は自然免疫と異なり特異的生体防御を担う．獲得免疫にはB細胞が働く**液性免疫（体液性免疫）**とキラーT細胞が働く**細胞性免疫**がある（図Ⅳ-1-6）．

1．体液性免疫

1）B細胞と抗体

(1) B細胞の分化

B細胞は，細菌などの**抗原**の刺激を受けると，**抗体産生細胞（形質細胞）**に分化する．

(2) 抗体

抗原と特異的に結合して免疫応答するタンパク質を**抗体**という．抗体は，抗原刺激を受けたB細胞から分化した形質細胞によって産生される．生体では体液中，特に血清中に存在する．また，抗体は**免疫グロブリン〈Ig〉**ともよばれる．

❶ 抗体の構造

血清中に最も多いIgGの基本構造を図Ⅳ-1-7に示す．N末端の可変領域（V）で抗原に結合する．C末端側の定常領域（C）には補体C1の結合部位や，マクロファージとの結合部位がある．

❷ 抗体の種類と性状

免疫グロブリンは分子量の違いから**IgG, IgM, IgA, IgD, IgE**の5種類のクラスに分類されている（表Ⅳ-1-5）．これは重鎖の定常領域の違いによる．

［IgG］

IgGは血清中に最も多く存在する．①IgGは抗原と結合し凝集する（凝集作用），②ウイルスや外毒素を**中和**する（中和活性），③細菌抗原と結合し補体を活性化する（補体活性化），④マクロファージ，好中球の細菌の貪食を促進する（**オプソニン作用**）．IgGは母体から胎盤を通過し，免疫系がまだ十分に発達していない新生

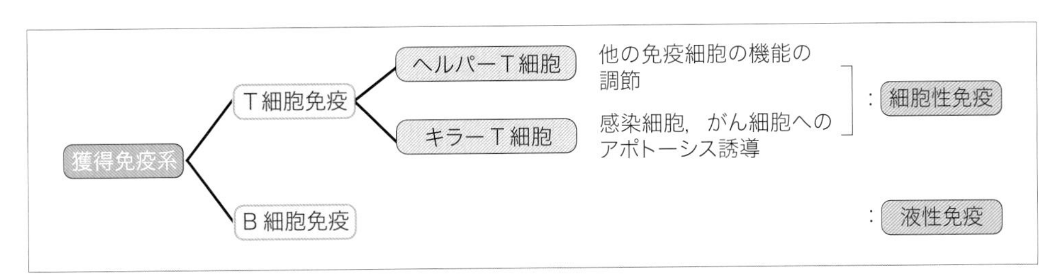

図Ⅳ-1-6　獲得免疫系

ヘルパーT細胞はCD4分子を発現していることから，CD4 T細胞とも表記される．キラーT細胞はCD8分子を発現していることから，CD8 T細胞とも表記される．

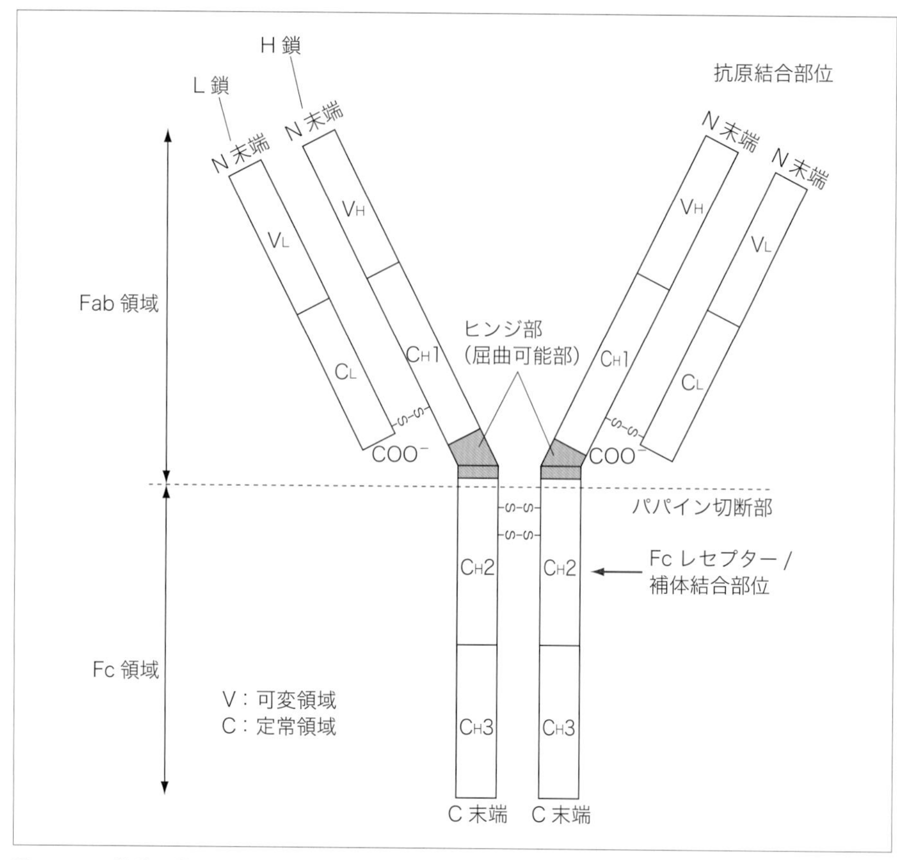

図Ⅳ-1-7 抗体の基本構造

H鎖とL鎖のN末端部分はアミノ酸配列の変異に富む部分で，それぞれ V_H および V_L とよばれている．のこりの部分は変異の少ない定常な構造をとり，L鎖ではCLとよばれている．H鎖の定常部分はさらに3つ領域に分けられ，C_H1，C_H2，C_H3 とよばれている．抗原結合部位は可変構造部分にあり，1つの抗体は2つの抗原結合部位をもつ．
抗体をパパインで切断した場合，S-S結合よりN末端側で切断するため，抗原を結合する部分は2つに分断される．これをFab領域という．このとき生じるC領域は，S-S結合で結合している．この部分をFcとよぶ．

児の免疫反応に関わる．ヒトには，IgG 1～4が存在する．

[IgM]

IgMは，通常血液中で**5量体**を形成している．凝集作用，中和活性，補体活性化能が高い．抗原に反応して，最初に産生される抗体である．

[IgA]

分泌型IgAは2量体を形成し，肺胞，腸管などの分泌液中や唾液，鼻汁，涙，初乳などに高濃度で存在する．粘膜表面での防御，特に**中和**活性が主な働きである．個体全体では最も多量に存在する抗体である．ヒトにはIgA 1とIgA 2が存在する．

[IgD]

IgDは血中にわずかしか存在せず，分泌抗体としての役割は不明である．

[IgE]

IgEは，肥満細胞や好塩基球と結合し，即時型アレルギー〈Ⅰ型アレルギー〉反

表Ⅳ-1-5　**免疫グロブリンのクラスと性状**

	IgG	IgM	IgA	IgD	IgE
特徴	血清中に最も多い.	初期感染防御に働く. B細胞レセプター	分泌型IgAは粘膜免疫の中心として働く.	B細胞レセプター	即時型アレルギーに働く.
構造		J鎖	血清IgA 分泌型IgA J鎖　分泌片		
凝集作用	+	+	+	—	—
中和活性	+	+	+	—	—
補体活性化	+	+	—	—	—
オプソニン作用	+	—	—	—	—
胎盤通過性	+	—	—	—	—
Fc受容体を持つ細胞	好中球 マクロファージ NK細胞				肥満細胞 好塩基球

+：あり，—：なしまたはごくわずかにあり

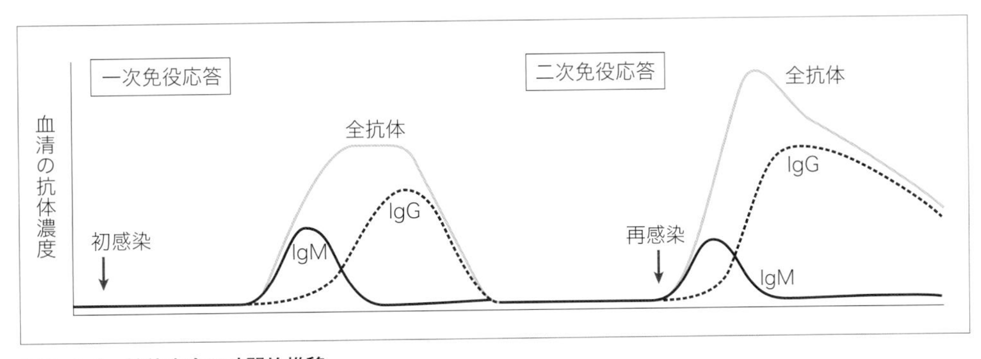

図Ⅳ-1-8　**抗体産生の時間的推移**

応を引き起こす．IgEと結合した肥満細胞や好塩基球は脱顆粒を起こし，ヒスタミンやセロトニンなどを放出する．その結果，生体の防御反応としての平滑筋の収縮，毛細血管の透過性の亢進が起こる．即時型アレルギー反応の症状が，喘息，花粉アレルギー，蕁麻疹，薬剤アレルギーである．著しい反応が起こると短時間（数分から10分）で急速なアレルギー性のショック状態に陥る．

❸ 抗体産生の時間的推移（図Ⅳ-1-8）

生体に初めて抗原が侵入し，B細胞によって認識されると，B細胞は分化して形質細胞になる．形質細胞は最初にIgMを産生し，次にIgGを産生する．抗原が排除された後も，一部の分化したB細胞は，記憶B細胞（メモリーB細胞）としてリンパ組織内に存在し続ける．ここまでを**一次免疫応答**という．再び同一の抗原が侵入すると，記憶B細胞により迅速な抗体産生が始まる．これを**二次免疫応答**と

いう．二次免疫応答では一次応答と比較して速やかにIgMとIgGを産生し，かつ大量のIgGを産生する．

(3) 抗原抗体反応

抗原に抗体が結合すると，①細菌・細胞抗原の凝集，②外毒素やウイルスの中和，③補体活性化，④オプソニン作用などの現象がみられる．

病原体などの抗原には特異的な抗体が産生されることから，抗原には特異性があり，特定の抗体と反応し，抗原抗体複合体を形成する．既知の抗原や抗体を用いることで，患者血清中の抗体や組織中の抗原を検出することが可能であり，抗原抗体反応は感染症の診断，血液型の判定などにきわめて有効である．

2. 細胞性免疫

ウイルスなど微生物の中には宿主の細胞内に侵入し，寄生，増殖するものがいる．このような細胞内寄生性微生物に対しては抗体による体液性免疫が有効ではない．細胞内寄生細菌やウイルスが感染した細胞に対して，主にキラーT細胞〈CD8 T細胞〉による細胞性免疫が働く．細胞性免疫は感染細胞だけでなく，がん細胞への免疫や移植臓器の拒絶反応，IV型アレルギーにも関与している．

1) T細胞の分類

(1) 細胞表面タンパク質のCD分類

骨髄で産生されたT細胞*は，胸腺でヘルパーT細胞〈CD4 T細胞〉，あるいはキラーT細胞〈CD8 T細胞〉の一方に分化する．細胞表面のタンパク質であるCD4/CD8が，$CD4^{+}/CD8^{-}$の場合，ヘルパーT細胞となり，$CD4^{-}/CD8^{+}$の場合，キラーT細胞となる．

＊CD抗原とT細胞
CD4とCD8は細胞表面に発現しているタンパク質で，T細胞では補助受容体として機能しており，細胞を見分けるためのマーカー（目印）として役立ちます．

(2) T細胞の分化

抗原提示を受けていないT細胞は抗原提示，**サイトカイン**などの刺激によって，機能をもったヘルパーT細胞，およびキラーT細胞に分化する．ヘルパーT細胞はほかの免疫細胞の機能を調節し，一方，キラーT細胞は感染細胞を殺傷し，感染細胞とともに細胞内で増殖した微生物を殺傷する．ヘルパーT細胞には，①マクロファージやキラーT細胞を活性化するもの，②B細胞を活性化するものなどがある．

2) キラーT細胞の細胞傷害機構

抗原提示により活性化されたキラーT細胞は，感染細胞やがん細胞などのMHCクラスI分子上に抗原を提示した標的細胞を認識すると，標的細胞にアポトーシス*による細胞死を誘導する．

NK細胞もキラーT細胞と同様の機序でアポトーシスによる細胞死を引き起こす．

＊アポトーシス
細胞間の相互作用により制御された細胞死で，DNAの断片化が起こるのが特徴です．

⑥ 能動免疫と受動免疫

感染防御に際して，２種類の免疫がある．宿主に病原体の抗原を接種して，まだ免疫のない個体に特定の抗原に対する抗体産生などを誘導することを**能動免疫**という．具体的にはワクチンの投与があげられる．一方，微生物などの抗原に対する抗体をもたない個体に，別の動物や細胞培養などにより産生させた抗体をヒトに注入して，その抗原に対する防御能をもたせるような方法を**受動免疫**という．具体的には，γ-グロブリン製剤（免疫血清）の投与があげられる．

1．ワクチン（能動免疫）

免疫学的機序に基づき，生体に病原性のある微生物などのかわりに免疫をもたせ，感染症を予防する目的で使用する抗原物質を**ワクチン**という．この免疫学的機序とは免疫学的記憶のことである．自然感染で得られる免疫学的記憶と同じものを個体に獲得させるために，自然界に存在する微生物をそのまま健常者に接種するわけにはいかない．そのため，ワクチンには，①自然感染した場合と同じような免疫学的記憶を誘導できる，②自然感染した場合にみられるような病原性を発現しない（安全である）ことが要件となる．

1）ワクチンの種類（表Ⅳ-1-6）

ワクチンとして使用する病原微生物から，病原性を取り除く方法には，①微生物を殺し（不活化し），生体内で増殖できないようにする，②病原性が減弱する変異を起こした微生物を選択する，の２通りの方法がある．これら以外に，感染防御に必須の微生物成分のみを抽出することで，病原性をなくし，抗原性のみを得ることができる．

ワクチン開発の歴史

Jenner（ジェンナー）は，牛痘に感染したことのある乳搾りに従事している人は天然痘にならないという観察に基づき，病原性が弱い牛痘に感染すれば，致命的な疾患である天然痘に対して防御能力が高められると考えました．8歳の少年に牛痘の膿を接種し，効果を確認するために天然痘の膿を接種して感染が成立するかを観察しました．幸いなことにその少年は発症せず，牛痘接種の効果が確認されました．

Pasteur（パスツール）は Jenner の業績を讃え，牛痘（Vaccina）にちなみ，このような方法で防御能力を誘導することを vaccination とよびました．ワクチン使用の始まりです（付章 p.196 参照）．

表IV-1-6　ワクチンの種類と性質

		生ワクチン	不活化ワクチン	成分ワクチン	トキソイドワクチン	核酸ワクチン
特徴		病原性を弱めた細菌やウイルスなどを生きたままワクチンとして用いる．	ホルマリンなどの化学処理で病原体をそのまま不活化したもの．	病原体の感染にかかわる抗原のみを抽出・精製，または組換え体を利用したもの．	細菌外毒素をホルマリンなどで不活化し，抗原性を残したもの．	免疫原性をもつ病原微生物成分をコードするDNAやmRNAを投与し，ヒトの体内で感染にかかわる抗原を発現させるもの．
代表的なワクチン	ウイルス	麻疹，風疹，水痘，ムンプス（皮下注射）ロタウイルス（経口投与）	不活化ポリオ，日本脳炎，狂犬病（皮下注射）	インフルエンザ，B型肝炎（皮下注射），ヒトパピローマウイルス，帯状疱疹（筋肉注射）		新型コロナウイルス（SARSコロナウイルス2）（筋肉注射）
	細菌	BCG[1]（経皮吸収）		インフルエンザ菌b型（Hib結合体）（皮下注射）	ジフテリア，破傷風（皮下注射）	
アジュバント		不要	不要なものが多い	必要なものが多い	必要なものが多い	不要
安全性		＋	＋＋	＋＋＋	＋＋＋	？
免疫効果		＋＋＋＋＋	＋＋＋	＋～＋＋	＋＋＋＋	？
臨床反応（副反応）		本来の症状	局所反応・発熱など	軽度の局所反応・発熱	軽度の局所反応・発熱	局所反応・発熱など

BCG[1]：ウシ型結核菌の弱毒株

(1) 生ワクチン

生ワクチンは，病原性が減弱している生きた微生物をワクチンとして選択するものをいう．本来の感染過程に近く，体内での増殖性があるため，接種後も持続的な抗体産生が期待できる．反面，増殖性があるため**副反応**のリスクが高く，特に免疫不全がある場合には重篤な合併症を引き起こす．

(2) 不活化ワクチン

抗原性を残したままで微生物の感染性や病原性を不活化したものを不活化ワクチンという．同様に死菌を用いるものを死菌ワクチンという．生ワクチンより安全性は高いが，微生物の成分全体を用いるため，副反応のリスクは残る．

(3) 成分ワクチン

成分ワクチンは感染にかかわる抗原部位だけを免疫原として使用する．これは，微生物由来成分のうち，高い免疫原性がある感染に重要な抗原を抽出・精製，あるいはその抗原の組換え体を利用したものである．そのため，副反応を抑えることができる．

(4) トキソイドワクチン

細菌のもつ外毒素の毒性をなくして免疫原性（ワクチン効果）だけを残したものを**トキソイド**という．ワクチンで誘導された抗体は，外毒素に結合し，外毒素が宿主細胞の受容体に結合するのを防ぐ作用がある．この抗体の作用を（毒素の）**中和**といい，この抗体を中和抗体という．

(5) 核酸ワクチン

DNA ワクチンは感染防御に関わるタンパク質抗原をコードするDNAをヒトの組織に直接導入することにより，細胞内でその抗原を発現させ，免疫応答を引き起こすワクチンである．DNAワクチンでは病原体が細胞に感染したとき，病原体のゲノムから病原体のタンパク質が合成されるのと同じことが再現されるので，より適切な免疫が誘導されることを期待したものである．同様の目的で，近年**mRNA ワクチン**も使用されている．

2) アジュバント

アジュバントとは，ワクチン効果を高める目的で抗原とともに投与される物質の総称である．代表的なアジュバントには，リン酸アルミニウム塩などがある．

3) ワクチン副反応の予防と治療

生ワクチンが免疫原性を発揮するためには，ワクチンが接種された宿主の中でワクチン株が増殖する必要がある．ワクチン株は毒性が減弱されているものの，病原体がもつ性質は維持されているため，ワクチン株増殖による臨床症状が出現するリスクがある．代表的な副反応にBCGワクチン接種による腋窩リンパ節腫脹などがある．

不活化ワクチン，成分ワクチン，トキソイドでは接種後に自然免疫が活性化され，炎症性サイトカインが産生される．このため，腫脹・発赤・疼痛などの局所反応や発熱・頭痛・倦怠感などの全身症状が引き起こされる．

理論上，副反応のないワクチンは存在しない．ワクチン接種後に最も注意すべきは**アナフィラキシーショック**（p.183参照）である．蕁麻疹などの皮膚症状，腹痛や嘔吐などの消化器症状，息苦しさなどの呼吸器症状が接種後30〜60分以内に突然発症する．血圧低下や意識レベルの低下を伴う場合では生命の危険がある．予防接種後に，息苦しさなどの呼吸器症状がみられれば，**アドレナリン（エピネフリン）**の投与を行う．その後，気管支拡張薬などの吸入や抗ヒスタミン薬，ステロイド薬の点滴や内服などを行う．

2. 受動免疫

血中の抗体が感染や発症の防止に有効な場合，標的とする病原体または病原因子に対する中和活性のあるγ-グロブリン製剤が予防に使われる．γ-グロブリンは感染後に緊急的に発症を防止するための治療薬として用いられることもあり，**血清療法**あるいは**免疫療法**とよばれる（表Ⅳ-1-7）．

1) 細菌感染症に対する血清療法

北里柴三郎（きたさとしばさぶろう）とBehring（ベーリング）は血清療法の創始者であり，2人はKoch（コッホ）のもとで破傷風

表IV-1-7　γ-グロブリン製剤（免疫血清）による予防

細菌感染症	
破傷風	破傷風ヒト免疫グロブリン
ジフテリア	抗ジフテリア毒素血清
ボツリヌス毒素	抗ボツリヌス毒素血清
ウイルス感染症	
A 型肝炎	γ-グロブリン製剤
B 型肝炎	HBs ヒト免疫グロブリン
水痘	帯状疱疹免疫グロブリン
サイトメガロウイルス感染症	γ-グロブリン製剤
麻疹	γ-グロブリン製剤
狂犬病	抗狂犬病免疫グロブリン

とジフテリアの免疫血清による治療法を開発した（付章 p.196 参照）．破傷風菌やジフテリア菌に感染後の治療法は，破傷風に対しては破傷風ヒト免疫グロブリンの筋肉注射が，ジフテリアに対してはウマでつくった抗ジフテリア毒素血清の筋肉注射が有効である．

これらの感染症では，細菌が産生した破傷風毒素やジフテリア毒素などの外毒素が，標的細胞の受容体に結合する前に毒素に結合して，毒素活性を中和することで発症予防効果を発揮する．

2）ウイルス感染症に対する血清療法

ウイルス感染症に対する血清療法も，血中のウイルスが標的臓器に到達する前に抗体と結合することにより，その感染力が中和されることを目指して行われる．例えば，医療従事者の針刺し事故の場合にも，B 型肝炎に対する HBs ヒト免疫グロブリンが使われる．

粘膜免疫

1．粘膜免疫システム

1）粘膜の特徴

消化器，呼吸器，泌尿器，生殖器表面の粘膜*は外界との接触部位である．皮膚*は重層扁平上皮で覆われ，微生物の侵入に対して強いのに対し，粘膜は円柱上皮や移行上皮などの単層上皮であり，粘膜面での防御は弱い．大部分の病原性微生物は粘膜を経由して侵入する．そのため，粘膜にも異物の侵入を認識し，排除する機構があり，これを**粘膜免疫**という．

＊粘膜と皮膚の面積
粘膜の面積は約 420 m^2 で皮膚の表面積 1.2 m^2 の約 350 倍です．その 8 割を小腸・大腸などの腸管が占めています．

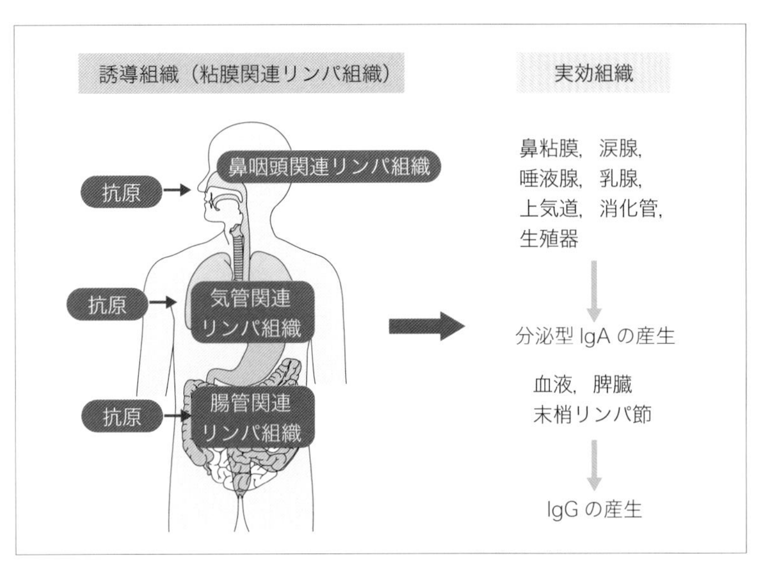

図Ⅳ-1-9　粘膜免疫における誘導組織と実効組織

（石原和幸，今井健一，大島朋子，落合智子ほか編：口腔微生物学—感染と免疫—　第７版．学建書院，東京，2021．改変）

2）粘膜面における抗原特異的免疫応答

粘膜免疫システムは誘導組織と実効組織の２つからなる（図Ⅳ-1-9）．誘導組織は抗原認識を行う組織で，粘膜表面から抗原を取り込み，抗原特異的なリンパ球を誘導する**粘膜免疫関連リンパ組織**である．その代表は，腸管関連リンパ組織である．実効組織は抗体を分泌し，リンパ球により感染細胞を殺傷し，液性免疫，細胞性免疫を作動させる組織である．

2．腸管における粘膜免疫

腸管関連リンパ組織の代表は小腸に存在する**パイエル板**である（図Ⅳ-1-10）．小腸パイエル板は抗原認識と免疫誘導を担う誘導組織を介して，粘膜固有層などの実効組織で液性免疫および細胞性免疫を作動させる．

小腸パイエル板の上皮層には，**M 細胞**とよばれる特殊な細胞が散在している．

M 細胞は管腔側の微生物に由来する抗原を捕捉し，抗原を取り込む．この抗原取り込みが粘膜免疫のスタートとなる．

①M 細胞を通過した抗原は，上皮下の樹状細胞などに補足されて，分解・消化される（図Ⅳ-1-10）．

②樹状細胞はこの抗原を，MHC クラスⅡ分子を介してヘルパー T 細胞に抗原提示する．

③抗原提示を受けたヘルパー T 細胞は，未熟な B 細胞を IgA 産生 B 細胞〈形質細胞〉へと分化させる．

④実効組織では，粘膜面への分泌型 IgA 産生を中心とした液性免疫が主体となる．

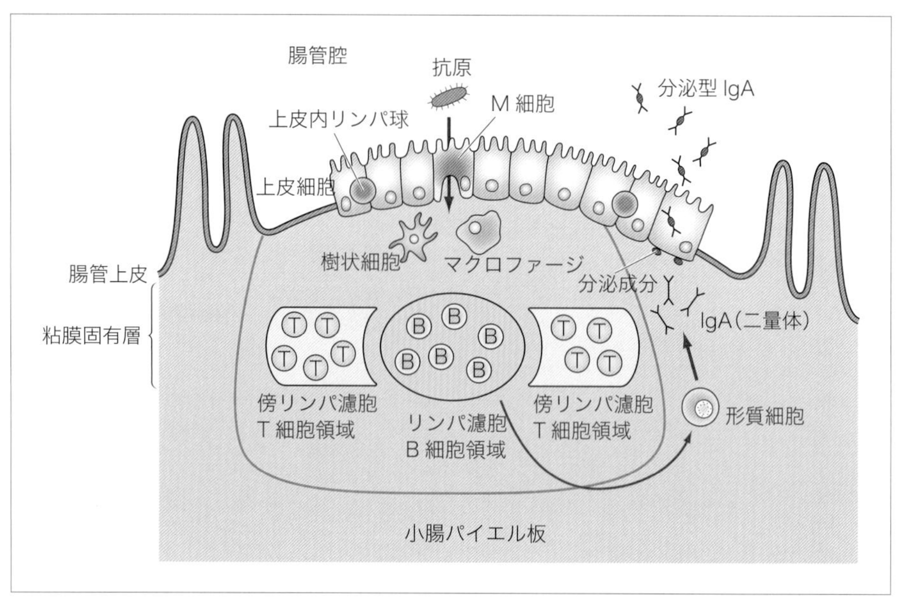

図Ⅳ-1-10　**小腸パイエル板**

参考文献

1）川端重忠，小松澤 均，大原直也，寺尾 豊編：口腔微生物学・免疫学　第 5 版．医歯薬出版，東京，2022.
2）全国歯科衛生士教育協議会監修：最新歯科衛生士教本　疾病の成り立ち及び回復過程の促進 2　微生物学．医歯薬出版，東京，2011.
3）矢田純一：医系免疫学　改訂 16 版．中外医学社，東京，2021.
4）熊ノ郷 淳編：免疫ペディア　101 のイラストで免疫学・臨床免疫学に強くなる！羊土社，東京，2017.
5）熊ノ郷 淳，阪口薫雄，竹田 潔，吉田裕樹編：免疫学コア講義　改訂 4 版．南山堂，東京，2017.
6）河本 宏：もっとよくわかる！免疫学（実験医学別冊）．羊土社，東京，2011.
7）山本一彦，松村讓兒，多久和陽，萩原清文：カラー図解　人体の正常構造と機能〈7〉血液・免疫・内分泌　改訂第 3 版．日本医事新報社，東京，2017.
8）宮坂昌之監修/小安重夫，椛島健治編：標準免疫学　第 4 版．医学書院，東京，2021.
9）矢田純一：臨床医のための免疫キーワード 110　4 版．日本医事新報社，東京，2017.
10）大橋典男編：栄養学イラストレイテッド　微生物学．羊土社，東京，2020.
11）石原和幸，今井健一，大島朋子，落合智子ほか編：口腔微生物学―感染と免疫―　第 7 版．学建書院，東京，2021.

2章 アレルギー

到達目標
❶ アレルギーの定義および自己免疫疾患との違いについて概説できる.
❷ アレルギーの類型について概説できる.

アレルギーとは，生体に病原性をもたない抗原に対する過剰な免疫反応のことである．ほこりや花粉は，人体に大きな悪影響を与えない程度の異物であるが，アレルギー体質の人には免疫防御が働く．その過剰な防御反応によって，免疫反応が生体にまで傷害を及ぼし，アレルギー性疾患が起こる．

便宜上，アレルギー反応は4つに類型化されるが，すべてのアレルギー性疾患がこの類型にあてはまるわけではない．**自己免疫疾患**は自分自身の身体の成分（自己抗原）に対する免疫反応であり，その免疫反応が生体に傷害を及ぼす疾患をいう．アレルギー性疾患と自己免疫疾患は，抗原が外来抗原か，自己抗原かの違いであり，自己免疫疾患もアレルギー性疾患と同じ類型に分類される．

アレルギー反応は以下のI〜IV型に分けられる（表Ⅳ-2-1，Gell（ゲル）とCoombs（クームス）の分類）．

＊アレルゲン
アレルギー反応を導く抗原のこと.

①I型　：アレルゲン＊とIgE抗体が関与した組織傷害
②II型　：細胞膜上の抗原に作用する抗体による組織傷害
③III型：抗原と抗体が結合した免疫複合体による組織傷害
④IV型：主として特異抗原に感作されたT細胞によって誘導された組織傷害

I, II, III型は抗体が関与する．生体がアレルゲンに感作してから発症するまでの時間が数分〜数時間であるため，**即時型反応**という．なお，II, III型は補体も関与する．IV型は細胞性免疫により発病する．反応が起こるまでの時間が長く，感作から発症までの時間が24〜48時間と長いため，**遅延型反応**という．

表Ⅳ-2-1　アレルギーの分類（Gell と Coombs の分類）

	型	抗体	補体	発症機序	反応時間	アレルギー疾患の例
即時型アレルギー（液性免疫）	Ⅰ型（アナフィラキシー型）	IgE	関与なし	・肥満細胞からの脱顆粒，ケミカルメディエーターなどの産生	数分〜30 分	・気管支喘息 ・アレルギー性鼻炎 ・食物アレルギー ・局所麻酔薬や抗菌薬のアレルギー ・アナフィラキシーショック ・ワクチンの副反応
	Ⅱ型（細胞傷害型）	IgG と IgM	関与あり（C5b6789）（膜侵襲複合体）	・細胞表面の抗原に結合した抗体による補体の活性化，または抗体依存性の細胞傷害	数分〜数時間	・不適合輸血による溶血性貧血 ・橋本甲状腺炎
	Ⅲ型（免疫複合体型）	IgG と IgM	関与あり（C3a，C5a）	・免疫複合体によって活性化された補体，好中球による組織や血管の傷害	4〜8 時間	・血清病（ヒト以外の動物の血清が投与されたときに起こる） ・糸球体腎炎
遅延型アレルギー（細胞性免疫）	Ⅳ型（遅延型）	関与なし	関与なし	・マクロファージによる炎症と組織傷害 ・キラー T 細胞（細胞傷害性 T 細胞）による直接の細胞傷害による直接の細胞傷害	24〜48 時間	・接触性皮膚炎（金属アレルギーなど） ・移植片対宿主病〈GVHD〉 ・ツベルクリン反応

① Ⅰ型アレルギー

1. 発症機序（図Ⅳ-2-1）

Ⅰ型アレルギーとは，IgE 抗体が関与した全身性または局所性の過敏反応による組織傷害である．気管支喘息，アレルギー性鼻炎，食物アレルギー，局所麻酔薬や抗菌薬のアレルギー，アナフィラキシーショック，ワクチンの副反応などが含まれる．

① アレルギー素因*（アトピー）の人では抗原（アレルゲン）に感作されると，ヘルパー T 細胞が誘導される．

② ヘルパー T 細胞は B 細胞を活性化し，アレルゲンに特異的な IgE 抗体が産生される．

③ **IgE 抗体**は好塩基球や**肥満細胞〈マスト細胞〉**の表面に結合する．

④ アレルゲンに再び暴露されると，好塩基球や肥満細胞は活性化され，**ヒスタミン**などの化学伝達物質（ケミカルメディエーター）などを放出する．

⑤ これらの化学伝達物質は，血管外平滑筋の収縮，**血管透過性亢進**，気道粘液分泌亢進，白血球の遊走・活性化などの組織反応を誘導し，さまざまな組織傷害（アレルギー性炎症）を引き起こす．

＊アレルギー素因
アレルギーになりやすい人のこと．

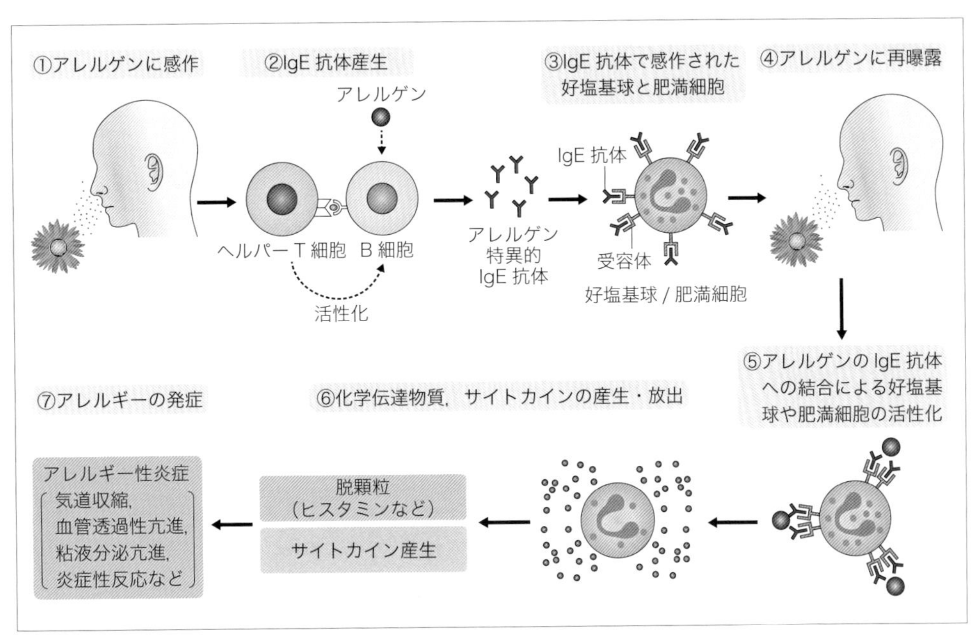

図Ⅳ-2-1　Ⅰ型アレルギーの発症機序（例：アレルギー性鼻炎）

このような反応が皮膚で起これば浮腫や発赤（蕁麻疹），気管支平滑筋が収縮すれば呼吸困難（喘息発作），粘膜であれば粘液分泌亢進などの局所症状を生じる．ペニシリンなどで全身的に起これば，**アナフィラキシーショック**となる．

1）アレルゲン

ハウスダスト，花粉，ダニ，真菌（カビ），食物（小麦，そば）などがIgE 抗体の産生を誘導する代表的なアレルゲンである．薬剤（局所麻酔薬や抗菌薬など），ゴム，ラテックスなどもアレルゲンになりうる．

2．疾患

1）アナフィラキシーショック

アナフィラキシーショックは，血中で大量に放出された化学伝達物質が，全身の毛細血管の拡張と血管透過性亢進を引き起こし，血圧が低下することにより起こる血圧低下を中心とする全身反応である．本来，免疫反応は予防的に働くべきだが，1回目の抗原の侵入によりできた免疫が，2回目の抗原の侵入を防ぐどころか，かえって激しい症状を引き起こし，生体に危害を与える．このときのショック（収縮期血圧が 90 mmHg 以下または通常の血圧より 30 mmHg 以上低下したとき）や呼吸困難など重いアレルギーの症状を**アナフィラキシー**とよぶ．

アナフィラキシーとその予防

Ⅳ編1章❺で学んだように，抗体は二次応答で強く誘導されます．アナフィラキシー型のアレルギー反応のIgEも，抗体の1つです．そのため，同じ抗原による2回目の反応であれば，命に関わるほど強いこともあります．局所麻酔薬，抗菌薬，消毒薬，グローブやラバーダムのラテックス…歯科臨床では，アナフィラキシー型のアレルギー反応の原因となる物質を多用します．アナフィラキシーを引き起こさないためには，待合室での問診票と問診が有効です．

2）アトピー

アトピーとは，①気管支喘息，アレルギー性鼻炎・結膜炎，アトピー性皮膚炎のうちのいずれか，あるいは複数の疾患の家族歴・既往歴がある，または，② IgE 抗体を産生しやすい素因をもつことをいう．

3. 予防と治療法

アレルギー予防の基本は，アレルゲンとの接触を避けることである．そのため，アレルゲンの同定が重要である．皮膚に微量のアレルゲンを接種し，数分後，投与部位に発赤や蕁麻疹（じんましん）の形成の有無を調べる皮膚テストが行われる．スクラッチテストは針先で皮膚を引っ掻いてつくった傷にアレルゲンを滴下するものである．プリックテストは針先で皮膚を突き刺してつくった傷に同様にアレルゲンを滴下するものである．問診も非常に有効である．

治療は薬物療法としてステロイド外用薬が基本である．IgE 抗体とアレルゲンの反応が起こっても，肥満細胞などから化学伝達物質が放出されない，あるいは，化学伝達物質がレセプターに結合しなければ症状は発現しないはずである．例えば，抗ヒスタミン薬は，組織のヒスタミン受容体を遮断して症状発現を抑える．化学伝達物質の生成を抑え，レセプターへの結合を遮断する薬剤を**抗アレルギー薬**という．

ショックを起こした場合は，アドレナリン（エピネフリン）の投与が行われる．

② II 型アレルギー

II 型アレルギーとは，細胞表面や組織の抗原に IgG, IgM 抗体が結合して起こる細胞・組織傷害をいう．この場合の抗体とは，(1) 本来は抗体が産生されるべきではない，自分の体の成分（自己抗原）に対する抗体（自己抗体），(2) 外来抗原に対する抗体である．II 型アレルギーの抗体のクラスは IgG, IgM である．

1. 発生機序（図Ⅳ-2-2）

細胞や組織の傷害機序として，次の4つが考えられる．アレルギーの場合には❶❷❸の，自己免疫疾患の場合は❶❷❸❹の機構が働く．

❶ 抗体依存性細胞傷害

NK細胞の細胞表面にIgGが結合すると，IgGを介してNK細胞と標的細胞が結合する．これにより標的細胞はNK細胞による細胞傷害を受ける．このような抗体依存的な細胞傷害を抗体依存性細胞傷害という．

❷ 補体による細胞傷害

細胞表面の抗原にIgGもしくはIgM抗体が結合すると，補体が活性化される．補体が活性化された結果，C3a，C5aによる肥満細胞や好塩基球の脱顆粒と血管透過性の亢進，C5aによる好中球の誘導，$\overline{\text{C5b6789}}$（膜侵襲複合体）による細胞膜の孔形成に伴う細胞溶解が起こる．

❸ 食細胞による細胞破壊

マクロファージや好中球の食細胞は，標的細胞に結合したIgGと結合し，細胞を貪食する．C3bと結合した標的細胞もC3bを介してマクロファージや好中球と結合し，貪食される．

❹ ホルモンなどの生理活性物質やその受容体に対する自己抗体による機能障害

細胞膜上にあるホルモン受容体などに抗体が結合すると，抗体の結合により機能が亢進する場合と，受容体への抗体の結合によりホルモンなどの受容体への結合が阻害され，機能が低下する場合がある．

2. 疾患

(1) 自己抗原に対する自己抗体ができる場合

❶ 自己免疫性溶血性貧血

自分の赤血球の膜成分に対する自己抗体がつくられる疾患である．自己抗体は自分の赤血球膜に結合し，補体の活性化により赤血球の溶解が起こり，貧血が生じる．

❷ 特発性血小板減少性紫斑病

血小板に対する自己抗体が産生された結果，マクロファージによる貪食などで，血小板減少を来す．皮膚の点状出血や軽度の打ち身での紫斑（青あざ）がみられる．

(2) 外来抗原に対する抗体ができる場合

❶ ABO不適合輸血

A型のヒトにB型やAB型の赤血球を輸血した場合，A型のヒトは血清に抗B抗体をもつため，B型やAB型の赤血球の輸血で抗原抗体反応が生じ，続く補体の活性化により輸血した赤血球が溶血する．受容者と供給者で異なる血液型の赤血球輸血をABO不適合輸血という．

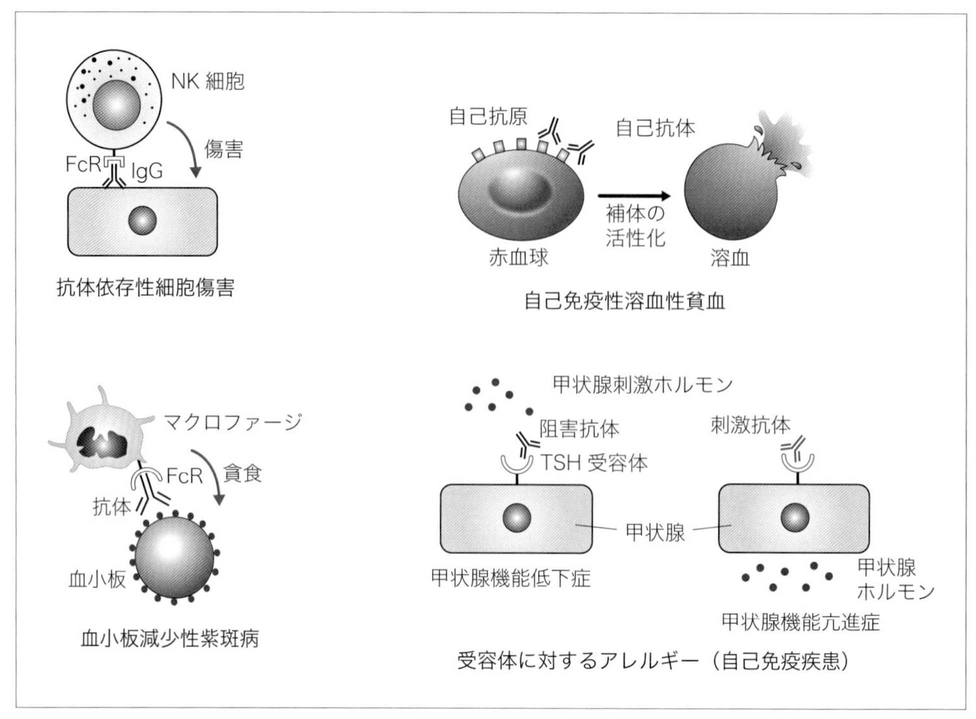

図Ⅳ-2-2　Ⅱ型アレルギーの発症機序

（川端重忠，小松澤 均，大原直也，寺尾 豊編：口腔微生物学・免疫学 第5版．医歯薬出版，東京，2021．改変）

3 III 型アレルギー

III 型アレルギーとは，免疫複合体が沈着することで組織傷害が生じる反応をいう．免疫複合体とは抗原抗体複合体*のことである．

＊抗原抗体複合体（免疫複合体）

IgG 抗体 1 分子には抗原と結合できる部位が 2 カ所あります．IgM の場合は 5 量体を形成することから，1 単位の IgM の抗原結合部位は 10 カ所です．抗原にも複数箇所に抗体と結合する部位をもつため，複数の抗原と複数の抗体分子が集合した結合物ができます．これを抗原抗体複合体あるいは免疫複合体といいます．

1. 発生機序

抗原と結合した抗体は補体を活性化し，生じる C5a は好中球の遊走を，$\overline{\text{C5b6789}}$ は細胞膜孔形成による細胞傷害を引き起こす．C3a や C5a は肥満細胞〈マスト細胞〉を刺激し，脱顆粒および血管の透過性亢進を引き起こすため，好中球などの炎症細胞がより組織に移動する．血管壁に結合した免疫複合体の抗体に好中球やマクロファージは結合するが，巨大分子である免疫複合体を貪食できず，その場でリソソーム酵素などを放出し，組織傷害を引き起こす（図Ⅳ-2-3）．

2. 疾患

1）血清病

III 型アレルギーの代表的疾患は血清病である．ジフテリア菌などの感染に対し

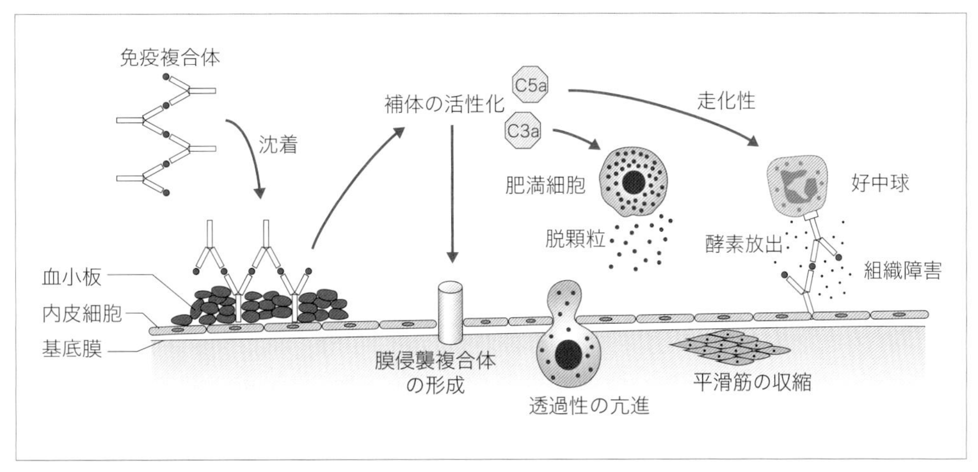

図Ⅳ-2-3　Ⅲ型アレルギーの発症機序
（川端重忠，小松澤 均，大原直也，寺尾 豊編：口腔微生物学・免疫学 第5版．医歯薬出版，東京，2021．改変）

ては，ウマからつくられた「抗毒素ウマ血清」が投与されることがある．血清療法として，ウマなど異種動物の免疫血清を投与すると，1回目は有効でも，その異種血清に含まれるタンパク質を抗原として抗体産生が起こる．異種血清タンパク質に対する抗体が存在するところに2回目の免疫血清を投与すると血中で大量の抗原抗体複合体が形成され，発熱，皮膚の発疹，関節痛などの症状を呈する．腎糸球体にも複合体が沈着する．

2）糸球体腎炎

化膿レンサ球菌感染による咽頭炎などが治癒した後の続発症として，糸球体腎炎やリウマチ熱がある（p.112参照）．急性糸球体腎炎は化膿レンサ球菌に対する抗体が産生され，抗原抗体複合体が腎糸球体基底膜に沈着することによって生じると考えられている．

4 Ⅳ型アレルギー

1．発生機序

Ⅳ型アレルギーは細胞性免疫の抗原に対する過剰反応で，T細胞とマクロファージによって引き起こされる組織傷害をいう．つまり，ヘルパーT細胞により活性化されたマクロファージによる炎症・組織傷害と，活性化されたキラーT細胞による標的細胞の傷害がある（図Ⅳ-2-4）．活性化されたマクロファージは貪食するとともに周囲の組織を傷害する．線維芽細胞を増殖させ，肉芽腫を形成させる．結核や梅毒などで肉芽腫性病変がみられる．肉芽腫は正常組織から病巣を隔離する．

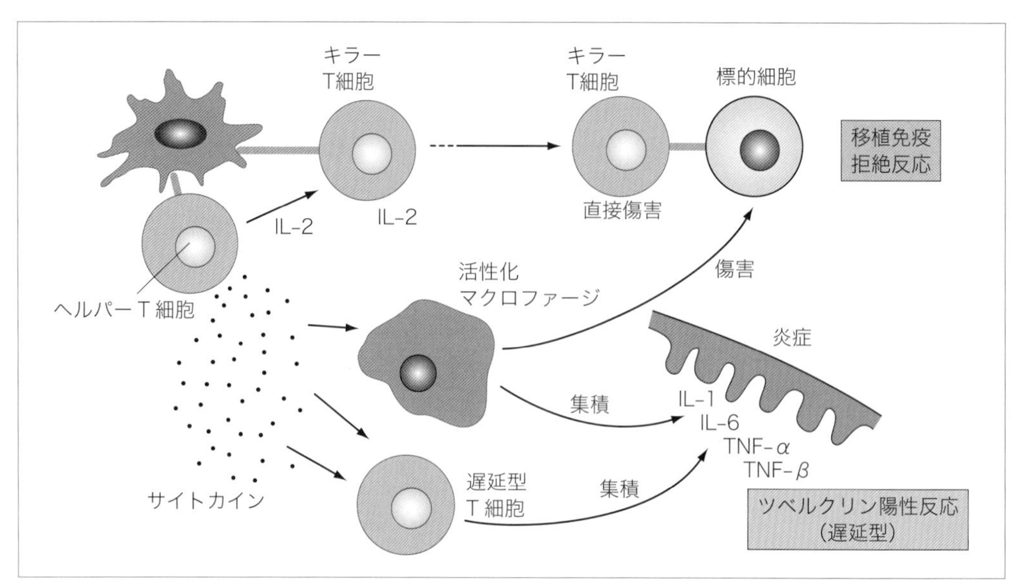

図Ⅳ-2-4　Ⅳ型アレルギーの発症機序

Ⅳ型アレルギーで活性化されたキラーT細胞により直接標的細胞が傷害されるものと，活性化されたマクロファージとT細胞を中心として炎症が引き起こされる遅延型過敏症反応がある．

2. 疾患

＊金属アレルギー

金属によるアレルギーは，ピアスやネックレスなどの金属や歯科金属の口腔内接触部による局所性の接触性皮膚炎，歯科金属の粘膜からの吸収，食物中金属の腸からの吸収による全身性の湿疹，水疱，扁平苔癬，掌蹠膿疱症（しょうせきのうほうしょう）などがあります．アレルゲンとしてはニッケル，水銀，クロムが多くみられます．

1）接触性皮膚炎（金属アレルギー*など）

接触性皮膚炎は金属，化粧品，薬品，漆（うるし）など皮膚に侵入した物質が皮膚タンパク質と結合して抗原となり，T細胞に感作され発症する．接触した部位に湿疹様反応が生じる．

2）ツベルクリン反応

典型的な遅延型過敏症反応に，結核における**ツベルクリン反応**がある．ツベルクリン反応は，結核感染の既往を調べる検査である．感染により結核菌タンパク質（抗原）に反応するT細胞が増加していると，結核タンパク質を皮内に接種した後48時間で皮膚の硬結・発赤反応が最大になる（遅延型アレルギー，図Ⅳ-2-5，表Ⅳ-2-2）．しかし実際には，ツベルクリン反応が結核の診断に結びついたケースが

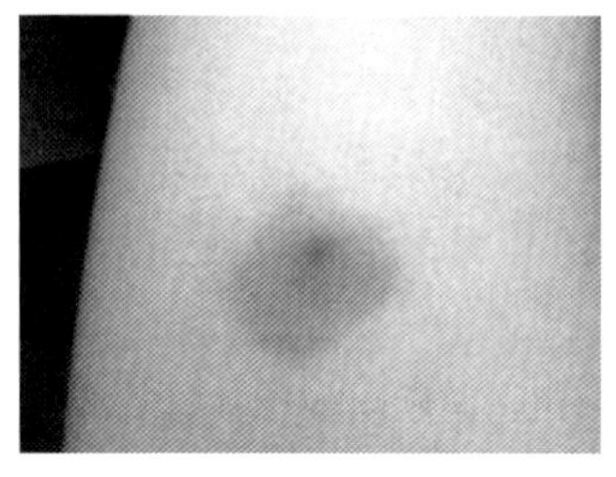

図Ⅳ-2-5　ツベルクリン反応

表Ⅳ-2-2　ツベルクリン反応判定

発赤最大径	その他の反応	判定
9 mm 以下	なし	陰性
10 mm 以上	考慮しない なし 硬結 二重発赤，水疱，壊死など	陽性 弱陽性（＋） 中等度陽性（＋＋） 強陽性（＋＋＋）

〔改正結核予防法規則第2条，1995年〕

とても少なかった．そのため，感染症予防法の改正により，2012 年度から定期健康診断の中でツベルクリン反応検査は廃止された．

3）移植拒絶反応

同種移植において，免疫系が非自己と認識し，免疫反応を起こす物質を同種抗原という．臓器移植では同種抗原に対するリンパ球や抗体の反応によって移植拒絶が起こる．そのような抗原を組織適合抗原といい，なかでも移植臓器の生着に影響を与える抗原は主要組織適合遺伝子複合体〈MHC〉*である．MHC が臓器提供者（ドナー）と臓器提供を受ける人（レシピエント）の間で不一致であれば，免疫応答が引き起こされ，移植臓器の拒絶反応が起こる（p.191 参照）．MHC による移植臓器の拒絶反応に関わっているのが，T 細胞による細胞性免疫であり，レシピエントのキラー T 細胞による移植臓器の直接的な攻撃や，ヘルパー T 細胞からのサイトカインによるマクロファージの活性化による．

＊主要組織適合遺伝子複合体〈MHC〉

ヒトでは HLA〈ヒト白血球抗原〉とよばれます．MHC は個人間で異なり，血縁関係のない人同士で MHC 型がすべて一致することはまれです．赤血球は無核であるため MHC がありません．輸血では血液型の一致した供給者を，臓器移植で臓器提供を受ける人は MHC 抗原の一致した臓器提供者を選ぶのが原則です．また，免疫の抗原認識にも関わります（p.169 参照）．

3．予防と治療法

I 型アレルギー同様，アレルゲンとの接触を避けることが基本であり，アレルゲンの同定が重要である．皮膚遅延型アレルギー（IV 型アレルギー）の原因抗原を探る場合には，考えられる薬剤や金属などを含ませたパッチを皮膚に貼付し，その 2 日後に発赤・硬結・水疱形成などの遅延型アレルギー反応の有無を見る．この方法を**パッチテスト**といい，接触性皮膚炎の原因抗原の同定に用いられる．歯科診療前には問診により，アレルギーの有無を確認する．

原因物質の除去が治療の基本であり，歯科では修復金属を撤去し，レジンなどへ置き換える処置がなされる．対症療法として局所にステロイド外用薬を塗布する．かゆみに対しては抗ヒスタミン薬の服用が有効である．

参考文献

1）川端重忠，小松澤 均，大原直也，寺尾 豊編：口腔微生物学・免疫学　第 5 版．医歯薬出版，東京，2022．
2）全国歯科衛生士教育協議会監修：最新歯科衛生士教本　疾病の成り立ち及び回復過程の促進 2 微生物学．医歯薬出版，東京，2011．
3）矢田純一：医系免疫学　改訂 16 版．中外医学社，東京，2021．
4）熊ノ郷 淳編：免疫ペディア　101 のイラストで免疫学・臨床免疫学に強くなる！羊土社，東京，2017．
5）熊ノ郷 淳，阪口薫雄，竹田 潔，吉田裕樹編：免疫学コア講義　改訂 4 版．南山堂，東京，2017．
6）河本 宏：もっとよくわかる！免疫学（実験医学別冊）．羊土社，東京，2011．
7）山本一彦，松村譲兒，多久和陽，萩原清文：カラー図解　人体の正常構造と機能〈7〉血液・免疫・内分泌　改訂第 3 版．日本医事新報社，東京，2017．
8）宮坂昌之監修/小安重夫，椛島健治編：標準免疫学　第 4 版．医学書院，東京，2021．
9）矢田純一：臨床医のための免疫キーワード 110　4 版．日本医事新報社，東京，2017．

3章 免疫に関連する疾患

到達目標
❶ 免疫寛容と自己免疫疾患について説明できる．
❷ 先天性免疫不全と後天性免疫不全について説明できる．
❸ 臓器移植の際の拒絶反応について説明できる．

1 自己免疫疾患と免疫寛容

生体は，自己を構成する物質（自己抗原）に対しては免疫応答を起こさない．このような現象を**免疫寛容**という．自己抗原に反応する一部のリンパ球は，中枢リンパ組織（骨髄，胸腺）で自己抗原と出会うことで取り除かれ，結果として生体は免疫寛容を獲得する．一方，免疫寛容が破綻すると，自己抗原に反応する抗体（自己抗体）が産生される．自己抗原に対する反応が制御されなければ，自己抗体やT細胞により自己組織が攻撃され，**自己免疫疾患**とよばれる慢性疾患が引き起こされる．自己免疫疾患は，全身性自己免疫疾患と臓器特異的自己免疫疾患の２つに大別される（表Ⅳ-3-1）．

2 免疫不全

免疫系に欠陥が生じると免疫機能が低下し，健康なヒトには病原性を示さない微生物にも感染しやすくなる．このような状態のことを**免疫不全**とよぶ．免疫不全は先天性（原発性）と後天性（二次性）の２つに分類される．先天性免疫不全は，遺伝的要因により生まれたときから免疫系に異常を認めるものである．後天性免疫不全は，栄養状態の低下，がんや自己免疫疾患への罹患，免疫抑制薬の使用，および免疫細胞へのウイルス感染などに続発して生じる．代表的なものとして，HIV感染による後天性免疫不全症候群（AIDS，p.148 参照）があげられ，ヘルパーT

表Ⅳ-3-1　代表的な自己免疫疾患

全身性自己免疫疾患	臓器特異的自己免疫疾患
・関節リウマチ	・1 型糖尿病
・Sjögren〈シェーグレン〉症候群	・重症筋無力症
・全身性エリテマトーデス	・天疱瘡
・全身性強皮症	・橋本病

細胞〈CD4 T 細胞〉の減少により免疫機能が低下する．

③ 移植免疫

現代医療において，臓器移植は欠かせない治療法の 1 つであるが，移植された臓器を異物として認識する拒絶反応が問題となる．同じ種同士で免疫反応を引き起こす物質を同種抗原とよび，拒絶反応の多くは移植片に存在する同種抗原への免疫応答が原因である．同種抗原の主体として，きわめて多様性のある MHC（ヒトの場合は HLA とよばれる；p.169 参照）分子があげられる．自分自身の移植片や，一卵性双生児のように遺伝的に同一の背景を有する移植片の場合，ドナーとレシピエントの MHC 分子が一致するため，拒絶反応は生じない（図Ⅳ-3-1）．一方，血縁関係のないドナーの移植片に対しては，レシピエントにおいてキラー T 細胞〈CD8 T 細胞〉やヘルパー T 細胞による免疫応答が生じ，拒絶反応を引き起こす．実際の臓器移植において MHC 分子が一致することはまれであり，レシピエントは拒絶反応を予防するためにシクロスポリンやタクロリムスなどの免疫抑制薬を服用する．

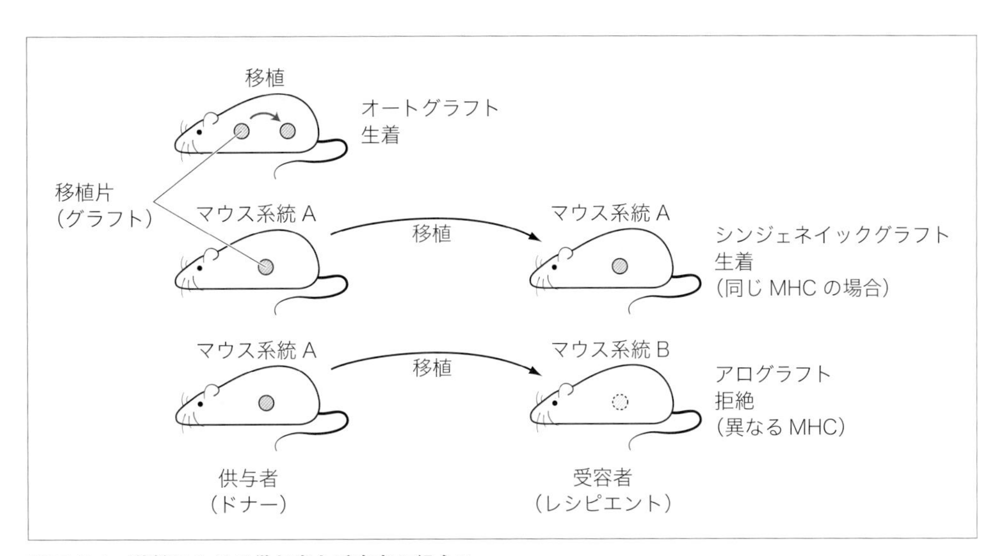

図Ⅳ-3-1　移植における供与者と受容者の組合せ

自己の組織（移植片）をほかの部位に移植した場合（オートグラフト）は生着する．同じ MHC をもつ個体間で移植を行う（シンジェネイックグラフト）と，移植した移植片は定着するが，異なる MHC をもつ個体間で移植を行う（アログラフト）と移植片は拒絶，排除される．

付章 微生物学と免疫学の歴史概要

1．疫病の認識

人類は早くから微生物による病気を経験し，人から人に感染する疫病というものを認識していた．エジプトや中国，ローマなどの古代文明において，大きな伝染病があったとの記述が残っている．しかし，疫病の原因が微生物であるということが明らかになったのは，ずっと後の19世紀後半である．

世界の歴史上，最初に微生物を観察したのはオランダのAntonie van Leeuwenhoek（アントニ・フォン・レーウェンフック）である．Leeuwenhoekは17世紀後半に手製の顕微鏡*を作製し，自分の身の回りのさまざまなものを観察した．この中には，デンタルプラーク中の細菌も含まれる．目に見えないほど小さい生物（微生物）が存在するという報告は，当時の人々をたいへん驚かせた．しかし，当時は生物が自然に発生するという考え（自然発生説）が一般的だったこともあり，Leeuwenhoekの発見は病原微生物学の直接的な発展にはつながらなかった．

＊手製の顕微鏡

Leeuwenhoekはレンズ磨きの腕がよく，彼の顕微鏡はレンズ一枚だが倍率200倍以上という解像度の高い像が得られました．1698年にはロシア皇帝Pyotr I Alekseevich（ピョートル1世）が，Leeuwenhoekとともに彼の顕微鏡でウナギの尾の中の毛細血管を流れる血液を観察したことで，彼の名は広く知られるようになりました．しかし，Leeuwenhoekは，顕微鏡製作の技術を他人に教えなかったそうです．

19世紀の半ばに，フランスのLouis Pasteur（ルイ・パスツール）（図付-1）は巧みな実験を行って自然発生説を完全に否定した．イギリスのJoseph Lister（ジョセフ・リスター）は，Pasteurの学説に大きな影響を受け，手術後に感染症が生じるのは手術によってできた創傷部から微生物が侵入するためであると考えた．そこで，器具の滅菌や手術室や手指の消毒を行い，手術に伴う感染症を大幅に減少させることに成功した．Listerの方法は当初は懐疑的にみられたが，ほかの医者によってその効果が確認されるにつれて徐々に普及していった．

図付-1　Louis Pasteur（1822～1895）
（学校法人北里研究所）

2. 病気と微生物

同時代に，ドイツで病原微生物学が徐々に芽生えつつあった．ドイツの **Robert Koch**（ロベルト・コッホ）（図付-2）は，Pasteur よりやや遅れて微生物学の研究を開始したが，Pasteur の研究の弱点や不備を補い，近代自然科学の一部門としての病原微生物学を確立した．特に病原体決定の条件として「Koch の条件」を確立したことが大きな功績である（表付-1）．Koch は試行錯誤をかさね，ブイヨン，糖，塩，寒天を混ぜ，加熱・溶解したものをシャーレに分注し，固めた培地を開発した．この寒天平板培地は現在も細菌などの培養に広く用いられている（p.33 参照）．

Koch は，寒天平板上に被検材料を画線しながら材料中の細菌を希釈し，単一の菌の純培養となる**コロニー**を形成させる技術を開発した（図付-3）．得られた細菌は単一クローン*の「株」として保存される．この純培養技術により，多くの研究者が同一クローンの細菌を用いた研究ができるようになり，病原細菌学の黄金時代をもたらした．その結果，20 世紀初頭までに主要な病原細菌の多くが発見された．Koch は炭疽菌（たんそきん），結核菌やコレラ菌を発見した．同時代の日本人研究者では，**北里柴三郎**が破傷風菌やペスト菌を，志賀潔（しがきよし）が赤痢菌を発見した．また，病原細菌の発見に至らなかったが，う蝕の病因について，アメリカ合衆国の Willoughby D. Miller（ウィロビー・ミラー）が膨大な研究を行った．

＊クローン
遺伝的に同一である細菌の集合体のことです．

図付-2　Robert Koch（1843～1910）
（学校法人北里研究所）

表付-1　Koch の条件
Henle の原則と Koch の原則に共通の 3 項目を示す．

特定の菌が特定の病気の原因であるとするためには
1. その菌がいつも特定の病気の病変部から証明される．
2. その菌はその病気に限って検出される．
3. 病巣から得たその菌の純培養を，継代したうえで，再び実験動物に感染させたとき，元と同じ病変が生じる．

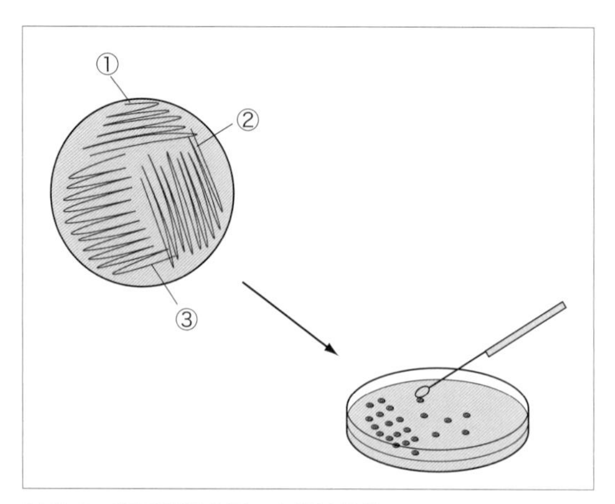

図付-3　寒天平板を用いた純培養法
寒天平板上に被験材料を拡散・希釈しながら，①〜③の順に均一に画線し，単一の菌の純培養となる集落を得る方法．

3. ウイルスの発見（表付-2）

ウイルスの発見は，19世紀末にロシアのDmitry I. Ivanovsky（ドミトリー・イワノフスキー）によってなされた．ウイルスは細菌濾過器*を通過するほど小さいことから，濾過性病原体とよばれていた．Ivanovskyは，タバコの葉に病気を引き起こすタバコモザイクウイルスを発見した．Ivanovskyの発見が契機となり，狂犬病，ポリオ，黄熱，麻疹などの病原体ウイルスが次々と発見された．

ウイルスは大部分の細菌と異なり，人工培地では生育しないため，研究に煩雑な手順を必要とした．しかし，1930年に組織を用いた培養でウイルスを増殖させる方法が開発されて以降，ウイルス研究は飛躍的に発展した．現在も新しいウイルスの発見は続いている．

ウイルス発見の歴史の中で，細菌に感染するウイルス，**バクテリオファージ**が発見された．バクテリオファージは細菌に遺伝子を組み込む能力をもち，分子遺伝学や分子生物学の発展の契機となった．近年では，バクテリオファージの殺菌能力を利用して感染症を治療するファージ療法*が注目を集めている．

＊細菌濾過器
液体中の細菌を濾過によって取り除く装置で，初期の細菌濾過器は陶磁器などでつくられていました．細菌の直径以下の細かい穴が空いている装置に液体を通すことで，液体に含まれる細菌を除去します．ウイルスは細菌よりも遥かに小さいため，装置を通過してしまいます．現在では，プラスチック製の直径0.22 μmのメンブレンフィルターなどが使われています．

＊ファージ療法
2016年にアメリカ合衆国において，抗菌薬で治療できなかった多剤耐性菌による感染症がファージ療法によって回復できたという報告がなされました（パターソン症例）．この報告以来，新たな感染症の治療手段として，ファージ療法が注目を集めています．

4. 化学療法薬の発見

化学薬品，抗菌薬のような薬物を使って病気を治療することを化学療法という．19世紀の後半から，ドイツでは有機化学の研究が飛躍的に進んだ．Paul Ehrlich（パウル・エールリッヒ）は色素の殺菌作用に興味を抱き，生体に害がなく微生物に殺菌作用を示す物質の探索を行った．秦佐八郎（はたさはちろう）の協力のもとに，1910年にサルバルサンと命名された抗梅毒性のヒ素化合物を発見した．1935年には，Gerhard Domagk（ゲルハルト・ドーマク）が色素の一種が，

表付-2　主な細菌とウイルスの発見

年	病原細菌の発見	ウイルスの発見
1876	炭疽菌（R. Koch/ドイツ）	
1879	淋菌（A.L.S. Neisser/ドイツ）	
1880	チフス菌（K.J. Eberth/ドイツ）	
1882	結核菌（R. Koch/ドイツ）	
1884	コレラ菌（純培養）（R. Koch/ドイツ） ジフテリア菌（T.A.E. Klebs と F. Loffler/ドイツ） レンサ球菌とブドウ球菌（A.J.F. Rosenbach/ドイツ）	
1885	大腸菌（T. Escherich/ドイツ）	
1889	破傷風菌（北里柴三郎/日本）	
1892		タバコモザイクウイルス（D.I. Ivanovsky/ロシア）
1894	ペスト菌（北里柴三郎と A.J.E. Yersin/フランス）	
1898	赤痢菌（志賀 潔/日本）	
1901		黄熱病ウイルス（W. Reed/アメリカ）
1903		狂犬病ウイルス（P. Remlinger/フランス）
1905	梅毒トレポネーマ （F.R. Schaudinn と E. Hoffmann/ドイツ）	
1909		ポリオウイルス（S. Flexner と P.A. Lewis（ロシア））
1911		麻疹ウイルス （J. Goldberger と J.F. Anderson/アメリカ）
1924	*Streptococcus mutans*（J.K. Clarke/イギリス）	
1934		ムンプスウイルス （C.D. Johnson と E.W. Goodpasture/アメリカ）
1950	腸炎ビブリオ（藤野恒三郎/日本）	
1965		B 型肝炎ウイルス（B.S. Blumberg ら/アメリカ）
1981		成人 T 細胞白血病ウイルス（日沼頼夫ら/日本）
1983		ヒト免疫不全ウイルス （L. Montagnier と F. Barré-Sinoussi/フランス）
2003		SARS コロナウイルス
2013		MERS コロナウイルス
2019		SARS コロナウイルス 2

溶血性レンサ球菌感染症に治療効果があることを見出した．まもなく，サルファ剤がその有効成分であることが明らかにされた．サルファ剤は，1940 年代後半まで化学療法薬の主役として広く使用されたが，耐性菌の出現により当初の威力を失っていった．

化学薬品だけでなく，微生物によっても細菌感染症に有効な化学療法薬はつくられた．**Alexander Fleming**（アレクサンダー・フレミング）は，1929 年に青カビがいくつかのグラム陽性菌の発育を阻止することを見出し，その抗菌物質をペニシリンと命名した．**ペニシリン**の実用化は，発見から 11 年後の 1940 年に第二次世界大戦の戦時プロジェクトとして行われた．ペニシリンは劇的な効果を発揮し，体に悪影響を与えることなく細菌のみを狙い撃ちするという意味で，「魔法の弾丸」とよばれた．その後，土壌細菌*が産生する抗菌薬であるストレプトマイシン，クロラムフェニコール，テトラサイクリン，カナマイシンなどが次々に発見・実用化された．

＊土壌細菌

土壌中に生息する細菌の総称です．抗菌薬をつくり出す細菌のほかにも，病原細菌や，植物に必要な栄養をつくり出す細菌など，さまざまな細菌が存在します．

抗菌薬の改良と探索は今も続けられている．一方で，使用方法によっては耐性菌の出現，さらには重篤な副作用を引き起こすことも明らかとなった．ペニシリンはしばしば激しいアレルギー症状を引き起こすことがあり，ときには死を招いた．また，クロラムフェニコールは骨髄の造血機能障害，ストレプトマイシンやカナマイシンは聴覚障害を引き起こすことがある．

5. 免疫学の発達

麻疹（はしか）のように，一度感染して治ると二度と罹らないか，罹っても軽度の症状で済むという病気の「二度なし」現象（免疫）は古くから知られていた．イギリスの Edward B. Jenner（エドワード・ジェンナー）は，1796 年に 8 歳の少年にウシの天然痘を接種し，天然痘の感染から免れることを発見した．Jenner の時代からおよそ 100 年後，Pasteur は弱毒化したニワトリコレラ菌の接種によって，ニワトリがコレラから免れることを発見した．さらに，Pasteur は炭疽菌や狂犬病ウイルスによる感染症の予防が可能であることを示した．

北里柴三郎と Emil von Behring（エミール・アドルフ・フォン・ベーリング）は，無毒化した破傷風毒素をウサギに免疫すると，ウサギは致死量以上の毒素による死を回避できることを 1890 年に発表した．この研究により，「二度なし」現象が血清中の抗体によって起きることが明らかとなった．このような研究によってワクチンや血清療法など，病気の治療法としての免疫が注目されるようになった．また，同時にアレルギーなどの免疫によって引き起こされる疾患も明らかとなっていった．

さくいん

す

せ

そ

た

ち

つ

て

と

な

に

ぬ

ね

I

K

L

M

N

P

R

S

T

V

【編者略歴】

寺尾　豊（てらお　ゆたか）

1995年　大阪大学歯学部卒業
1999年　大阪大学大学院歯学研究科修了
2004年　大阪大学大学院歯学研究科助手
2006年　大阪大学大学院歯学研究科講師
2008年　大阪大学大学院歯学研究科准教授
2012年　新潟大学大学院医歯学総合研究科教授

前田　健康（まえだ　たけやす）

1984年　新潟大学歯学部卒業
1988年　新潟大学大学院修了
1996年　新潟大学歯学部教授
2001年　新潟大学大学院医歯学総合研究科教授

佐藤　聡（さとう　そう）

1987年　日本歯科大学新潟歯学部卒業
1991年　日本歯科大学大学院歯学研究科修了
2003年　日本歯科大学歯学部准教授（歯周病学）
2005年　日本歯科大学新潟生命歯学部教授（歯周病学）

遠藤　圭子（えんどう　けいこ）

1972年　東京医科歯科大学歯学部附属歯科衛生士学校卒業
1980年　慶応義塾大学卒業
2004年　東京医科歯科大学歯学部口腔保健学科講師
2006年　東京医科歯科大学歯学部口腔保健学科准教授
2012年　東京医科歯科大学大学院医歯学総合研究科口腔疾患予防学分野准教授
2014年　東京医科歯科大学大学院医歯学総合研究科口腔健康教育学分野准教授
2017年　東京医科歯科大学大学院医歯学総合研究科非常勤講師（～2022年）

石川　裕子（いしかわ　ゆうこ）

1984年　広島大学歯学部附属歯科衛生士学校卒業
1999年　日本女子大学家政学部（通信教育課程）食物学科卒業
2002年　広島女学院大学大学院人間生活学研究科修了
2009年　新潟大学大学院医歯学総合研究科口腔生命科学専攻修了
2013年　新潟大学大学院医歯学総合研究科准教授
2016年　九州看護福祉大学看護福祉学部口腔保健学科教授
2018年　千葉県立保健医療大学健康科学部歯科衛生学科教授

歯科衛生学シリーズ
疾病の成り立ち及び回復過程の促進 2
微生物学 第2版　ISBN978-4-263-42634-0

2023年3月20日　第1版第1刷発行
2024年1月20日　第2版第1刷発行

監　修　一般社団法人
全国歯科衛生士
教育協議会

著　者　寺尾　豊ほか

発行者　白石泰夫

発行所　医歯薬出版株式会社

〒113-8612 東京都文京区本駒込1-7-10
TEL. (03)5395-7638(編集)・7630(販売)
FAX. (03)5395-7639(編集)・7633(販売)
https://www.ishiyaku.co.jp/
郵便振替番号　00190-5-13816

乱丁，落丁の際はお取り替えいたします　印刷・教文堂／製本・皆川製本所